D0550153

BASTEI
LÜBBE

In dieser
Taschenbuch-
reihe sind
folgende
Romane
erschienen:

Dennis Wheatley
Meer der Angst
Horror-Roman

BASTEI-LÜBBE-TASCHENBUCH
Horror-Bibliothek
Band 70 015

Deutsche Lizenzausgabe 1979
Bastei-Verlag Gustav H. Lübbe, Bergisch Gladbach
Originaltitel: Uncharted Seas
Ins Deutsche übertragen von Rosemarie Hundertmarck
Umschlaggestaltung: Atelier Langenfass-Kaip, Ismaning-München
Umschlaggestaltung: Bastei-Grafik (D)
Druck und Verarbeitung: Ebner, Ulm
Printed in Western Germany
ISBN 3–404–01390–5

Der Preis dieses Bandes versteht sich einschließlich der gesetzlichen Mehrwertsteuer.

I

DER HURRIKAN

Wieder traf eine gewaltige Welle das Schiff. Es stieg mit rasender Geschwindigkeit empor, schwebte einen Augenblick, erzitterte und stürzte dann tief hinab. Die paar Passagiere, die sich im Salon aufhielten, hatten von neuem das Gefühl, in einem Aufzug zu sitzen, dessen Kabel gerissen war.

Die *Gafelborg* war kein Luxusdampfer, sondern ein schwedisches Frachtschiff von 3600 BRT, das zwanzig Passagiere der Kabinenklasse beförderte. Vor sieben Tagen hatte sie Kapstadt verlassen und war unterwegs nach Rio de Janeiro, den Häfen an der Nordostküste Südamerikas und Westindien. Vor vierundzwanzig Stunden hatte der Hurrikan sie erfaßt. Seitdem hatten alle an Bord die Hölle durchgemacht.

Basil Sutherland taumelte auf die Bar zu. Sein Gang allein war bei dem Rollen und Stampfen des Schiffes kein Hinweis darauf, daß er betrunken war, aber auch seine Zunge war schwer. »Noch 'n Whisky, Hansie«, verlangte er. »'n doppelten.«

Hansie, ein blauäugiger Schwede, hielt sich mit einer Hand fest und goß mit der anderen ein Glas voll. Basil ergriff es, führte es aber nicht an die Lippen. Der Flüssigkeitsspiegel kippte erst nach der einen, dann nach der anderen Seite. »Fünfundzwanzig Grad«, verkündete Basil. »Un' bei dreißig kentern wir. So isses doch?«

»Es sind bestimmt noch keine fünfundzwanzig Grad, Mr. Sutherland«, versuchte der Barmixer ihn mit blassem Gesicht zu beruhigen.

»Alter Lügner! Aber was soll's? Ertrinken soll ja ein schöner Tod sein«, nuschelte Basil. Im Grunde rechnete der junge Engländer gar nicht damit, sie könnten sinken. Es war ein morbider Zug an ihm, vielleicht durch die Betrunkenheit verstärkt, der ihn mit der Möglichkeit spielen ließ.

Er trank sein Glas zur Hälfte leer, drehte sich um, lehnte sich mit gespreizten Beinen fest gegen die Bar und betrachtete die anderen Passagiere.

Lauter aufgeblasene Wichtigtuer, dachte er. Kein einziger anständiger Bursche darunter außer dem Franzosen. Wie hieß er doch gleich? Capitaine Jean de Brissac. Aber er war im Augenblick an der Reihe, an den Pumpen zu arbeiten. Das Schiff hatte am Bug ein Leck, und so waren seit mittag alle männlichen Passagiere zur Arbeit eingeteilt worden.

Die beiden alten Nonnen hielten sich sehr gut. Sie saßen kerzengerade auf dem harten Sofa und ließen die Perlen ihrer Rosenkränze durch die Finger gleiten. Wunderbare Sache, die Religion – wenn man daran glauben konnte.

»Kaffee?« fragte eine Stimme neben ihm.

Mühsam drehte Basil sich um und sah in das blasse Gesicht Unity Cardens. Sie hielt eine große Kanne in der einen Hand und umfaßte mit der anderen die Henkel mehrerer dicker Tassen. »Ich habe ihn gerade in der Kombüse gekocht – er wird Ihnen guttun«, versprach sie.

»Nein – nein, danke«, murmelte er. Seine Augen folgten Unitys schwankendem Weg von Gruppe zu Gruppe. Wenn er einen Union Jack zur Hand gehabt hätte, dann hätte er ihn geschwenkt. Das war echt englischer Geist, dachte er halb spöttisch, halb in ehrlicher Bewunderung. Kalt wie ein Eiszapfen, stur wie ein Panzer, voller Verachtung für all diese Ausländer, ohne den geringsten Grund dafür zu haben. Und doch teilte sie an sie Kaffee aus, während jede andere Frau auf dem Schiff mit Ausnahme der Nonnen längst der Seekrankheit oder hysterischer Verzweiflung erlegen war.

Als Unity ihre Runde beendet hatte, gesellte sie sich wieder zu ihrem Vater. Colonel Carden saß mit ausgestreckter Beinprothese so ruhig da, als befinde er sich in seinem Klub. Unerträglicher alter Langweiler, dachte Basil. Aber sein Kodex war so unverbrüchlich wie der eines Jungen von dreizehn. Basil erinnerte sich an die Ideale seiner eigenen Jugend und grinste. »Noch einen, Hansie.«

Erst als das Schiff eine weitere Berg- und Talfahrt hinter sich gebracht hatte, konnte Basil sein frisch gefülltes Glas ergreifen und mit der Musterung der Passagiere fortfahren. Sein Blick fiel auf Synolda Ortello. Sie lag schlafend oder im Koma der Länge nach auf einem Diwan. In den letzten paar Tagen hatte er häufig über sie nachgedacht. Sie war südafrikanischer oder britischer

Herkunft, vielleicht achtundzwanzig oder dreißig und, wie gerüchtweise verlautete, die Witwe eines Spaniers. Vor ein paar Jahren war sie bestimmt sehr hübsch gewesen und hätte es immer noch sein können, wenn sie in ihrem Wesen nicht etwas irgendwie Verkommenes gehabt hätte. Ihre Kleidung war eine Spur zu nachlässig, und sie schminkte sich zu stark. Sie hatte selbst erzählt, daß sie mit ihrem Mann einige Jahre in Rio gelebt hatte, und dorthin kehrte sie offenbar zurück. Alle anderen Frauen an Bord hatten sie vom ersten Augenblick an gehaßt. Das war nicht ihre Schuld. Sie hatte nichts getan, um die Aufmerksamkeit eines Mannes auf sich zu lenken, eher das Gegenteil. Aber die Hälfte aller Männer vom jüngsten Offizier bis zu diesem senilen alten Griechen konnten die Augen nicht von ihr wenden, wann immer sie auftauchte.

Außer dem Trinken war es Basils einziges Vergnügen, Menschen zu beobachten.

Wenn er das Geld seines Onkels nur geerbt hätte, als er schon ein bißchen älter war, dann wäre vielleicht alles anders gekommen. Doch in der Unbedachtsamkeit seiner Jugend und mit der Hilfe von ein paar Freunden hatte er das ganze Vermögen in zwei Jahren durchgebracht. Nichts war ihm geblieben als ein verwöhnter Geschmack.

Er war fest überzeugt gewesen, schnell eine Stellung zu finden, da er doch »jeden« in Mayfair kannte. Wie sich herausstellte, kannte er die verkehrten Leute. In einem Gerichtsverfahren waren die meisten von Basils Freunden von einem pergamentgesichtigen Richter dazu verdonnert worden, in den Gefängnissen Seiner Majestät zur Herstellung von Postsäcken Nadeln durch Segeltuch zu stechen. Aber der kluge alte Mann merkte wohl, daß Basil von den Betrugsmanövern seiner Clique keine Ahnung gehabt hatte, und so wurde er mit einer Verwarnung entlassen.

Ein Familienrat war zusammengetreten und hatte ihm ein Angebot gemacht, das besser war als die Vermittlung irgendeiner Arbeit: Vierhundert Pfund im Jahr, zahlbar an jede beliebige Bank, vorausgesetzt, daß er sich von Europa und dem Gefängnis fernhielt. Basil, der nicht ins Exil wollte, hatte sich widersetzt, worauf Onkel und Tanten die Summe auf fünfhundert Pfund erhöhten. Vier Wochen später zwang ihn die nackte

Not, ihre Bedingungen anzunehmen und ins Ausland zu gehen.

In den vergangenen drei Jahren war er durch Südafrika, Indien und die Straits Settlements nach China und zurück gereist. Hier und da hatte er für einen oder zwei Monate einen Job gefunden, doch da er jede geregelte Tätigkeit verabscheute, war er jedesmal hinausgeworfen worden oder lieber rechtzeitig von selbst gegangen.

*

Der Sturm heulte, der Gischt floß wie Regen über die Bullaugen, das Holz ächzte und krachte furchterregend. Ein halbes Dutzend triefend nasse, in Ölzeug gekleidete Gestalten mühten sich die Kajütentreppe hinauf. Ihr Anführer war Juhani Luvia, ein herkulisch gebauter junger Finne, der Zweite Ingenieur des Schiffes.

»Die nächste Schicht!« überschrie er das Donnern der Wellen.

Basil wußte, jetzt war er dran. Er schlitterte durch den Raum und nahm das Ölzeug in Empfang, aus dem sich der Capitaine der französischen Armée, Jean de Brissac, gerade herauswand. »Wie steht's?« fragte er.

»Nicht gut.« Der Franzose schüttelte den Kopf. »Trotz aller Anstrengungen steigt das Wasser im Vorschiff weiter.«

»Glauben Sie, wir werden – sinken?«

Jean de Brissac zuckte die Schultern. »Wer kann das wissen, *mon ami*. Ich hätte lieber in den Wüsten Nordafrikas ein halbes Dutzend feindlicher Tuareg vor mir. Aber ich bin auch kein Seemann.«

Der finnische Ingenieur, der diese Worte gehört hatte, lächelte. »Das Wasser würde nicht weitersteigen, wenn wir unter den Passagieren mehr Männer wie Sie hätten, *Monsieur le Capitaine*. Trotzdem sind unsere Chancen besser, als sie in Nordafrika sein würden.«

Er drehte sich um und bedachte Basil mit einem mißbilligenden Blick. »Kommen Sie, Mr. Sutherland.«

Ein anderer Passagier, der auch gerade vom Pumpen gekommen war, faßte den Finnen beim Arm. »Chancen?« wiederholte er. »Sie wollen damit doch wohl nicht die Möglichkeit andeuten, das Schiff *könne* sinken?«

»Bestimmt nicht, Señor Vedras.« Von seinen fast zwei Metern blickte Juhani Luvia auf den untersetzten Venezulaner mittleren Alters hinab. »Ich bin schon auf Schiffen gewesen, die schlimmere Stürme überstanden haben.«

»Ja, aber das waren größere und bessere Schiffe – keine kleinen, alten Kähne wie dieser hier«, fiel Basil Sutherland ein. »Na schön. Gehen wir wieder an die dreckigen Pumpen.«

Während Luvia mit der nächsten Schicht nach unten ging, arbeiteten sich Jean de Brissac und Vicente Vedars im Zickzack zur Bar vor. Der Venezolaner war ein Mann von fünfundvierzig, der gut gelebt hatte. Sein schweres Kinn und seine umfangreiche Gürtellinie legten davon Zeugnis ab. Er war sehr dunkel. In seinem schwärzlichen Gesicht stießen die dicken Augenbrauen über der Nase fast zusammen.

Der Franzose war zehn Jahre jünger. Auch er war dunkel, sah aber viel besser aus. Seine Haut hatte in den Jahren, die er als Soldat auf Madagaskar verbracht hatte, ein gesundes Nußbraun angenommen. In seinen braunen Augen stand eine lachende Unverschämtheit, die schon manche schöne Frau sehr anziehend gefunden hatte. Da französische Offiziere für gewöhnlich Uniform tragen, ist ihre Zivilgarderobe nicht umfangreich. So hatte er die Erlaubnis des Kapitäns erhalten, seinen Waffenrock zu tragen, obwohl er unter schwedischer Flagge nach Guadeloupe segelte. Ein wenig eitel, wie er von Natur aus war, wußte er sehr gut, daß er selbst in diesen Schreckensstunden eine blendende Figur abgab.

»Was möchten Sie trinken?« fragte er den Venezolaner höflich.

»*Mille gracia*, einen Kognak bitte.«

»*Deux fines*«, bestellte de Brissac bei Hansie.

Vicente Vedras' Augen flackerten zu Synolda Ortello hinüber, der Südafrikanerin. »Für mich noch eine Flasche Champagner. Zwei Gläser. Ich möchte der Señorita, der es nicht gutgeht, einen Schluck anbieten.«

Das Rollen des Schiffes geschickt abschätzend, goß der Schwede zwei Gläser ein. Vedras nahm das seine und verbeugte sich höflich. »Dieser Sturm ist grauenhaft, aber es ist eine gute

Nachricht, daß wir nicht in Gefahr sind. Kurze Zeit hatte ich richtig Angst.« Mit einer schnellen Bewegung goß er sich den Kognak in den Hals.

»Ich auch«, gestand de Brissac. »Aber wahrscheinlich wird der schwere Seegang bis zum Morgen nachlassen. Auf besseres Wetter!«

Er trank mit mehr Muße und sah sich im Salon um. Ein schöner Anblick war es nicht. Die Passagiere hingen in verschiedenen Stadien der Erschöpfung und Verzweiflung auf ihren Sitzen, die Schwimmwesten griffbereit neben sich. Der alte Grieche erbrach sich. Eine Platte mit Sandwiches, die sich schon zu rollen begannen, stand auf einem Tisch. Die Luft war dick vom Tabaksrauch. Da dies der einzige Gesellschaftsraum des Schiffes war, pflegten sich die Männer nach ihrer Arbeit an den Pumpen hier zu versammeln und rauchten aufgrund ihrer angespannten Nerven mehr als gewöhnlich.

»Entschuldigen Sie mich, *mon Capitaine.*« Der Venezolaner ergriff die Flasche Campagner, die Hansie ihm hingestellt hatte, und stopfte zwei Gläser in seine Taschen. Er stürzte sich quer durch den Raum und landete neben Synolda.

Jean de Brissac näherte sich mit vorsichtigeren Schritten den beiden Nonnen. »*Mes soeurs*«, sprach er sie auf französisch an, »wenn ich Ihnen irgendwie zu Diensten sein kann, sagen Sie es mir bitte.«

»Danke, *Monsieur le Capitaine*«, murmelte die ältere, ohne von ihrem Rosenkranz aufzublicken. »Aber wir haben uns in die Hände der Heiligen Jungfrau gegeben. Sie können nur Ihre Gebete den unsrigen beifügen.«

Dem Franzosen gelang eine Verbeugung. Er schwankte einen Augenblick, und dann war er mit zwei schnellen Schritten wieder an der Bar. »*Encore une fine.*« Sein Lächeln zeigte ebenmäßige weiße Zähne.

Merkwürdiges Geschöpf, dachte de Brissac, als er Unity Carden bolzengerade neben ihrem Vater sitzen sah. Die Engländer sind eine seltsame Nation, und besonders ihre farblosen, flachbrüstigen Frauen. Sehen aus, als würden sie beim Anblick einer Spinne ohnmächtig und sind doch ebenso zäh wie die Pferde, die sie so ausgezeichnet zu reiten verstehen. Unity Carden war auf ihre eigene Art hübsch, gab er zu. Aber ihr fehlten alle femininen Eigenschaften, die sein gallisches Temperament angesprochen hätten. Ob sie jemals die Freunde treffen würde, mit denen sie und ihr Vater einen Monat in Jamaika verbringen wollten?

Er persönlich hätte kein Vermögen darauf gewettet und auch nicht auf seine eigenen Aussichten, sich zum Dienst beim Kommandeur der französischen Kolonie auf Guadeloupe zu melden. Der riesige Finne konnte gut in Optimismus machen; schließlich war er einer der Schiffsoffiziere, und es gehörte zu seinen Pflichten. Aber Monsieur le Capitaine de Brissac hatte auch schon einige Seereisen hinter sich, und ihm gefiel die Entwicklung der Dinge gar nicht. Die *Gafelborg* war ein altes Schiff und wurde von der aufgewühlten See wie ein Korken umhergeworfen.

Er strich sich seinen schmalen D'Artagnan-Schnurrbart und machte im Geiste eine Liste der Dinge, die er im Falle eines Schiffsbruchs aus seiner Kabine mitnehmen wollte. Ein Schatten flog über sein hübsches Gesicht. Unter seinem schweren Gepäck war eine Kiste mit den Teilen eines von ihm erfundenen Maschinengewehrs, an dem er mehr als zwei Jahre gearbeitet hatte. Es war unmöglich, die Kiste jetzt noch aus dem Laderaum zu holen. Ging das Schiff unter, war das Maschinengewehr verloren. Schnell entschloß er sich, lieber nicht mehr an diese Eventualität zu denken. Sein Blick fiel auf Synolda.

Sie hatte sich aufgesetzt und sprach mit dem Venezolaner. De Brissac fragte sich, was sie an diesem Flegel finden mochte. Er selbst fand sie sehr attraktiv. Aber sie war gegen ihn immer kurz angebunden gewesen, während sie sich vom ersten Tag der Reise an Vicente Vedras' Aufmerksamkeiten gern gefallen lassen hatte.

»Bitte, Synolda, ein bißchen Champagner und einen trockenen Keks«, flehte Vicente. »Sie müssen sich stärken. Glauben Sie mir, das ist das beste Mittel gegen Seekrankheit.«

Sie sah ihn unter halbgeschlossenen Lidern an. »Mir ist so übel, daß ich wünschte, ich wäre tot. Wir werden alle Sterben müssen, nicht wahr?«

»Nein, nein, nein!« protestierte er. »Der Zweite Ingenieur hat gesagt, es bestehe keine Gefahr. Er muß das doch beurteilen können. Ich meine diesen großen blonden Mann.«

Vor Vicente lag eine viel zu schöne Zukunft, als daß er Luvias

Behauptung nicht kritiklos geglaubt hätte. Seine wildesten Träume würden durch den Goldfund auf der Farm seines Bruders in Südafrika in Erfüllung gehen. Er beugte sich vor.

»Fassen Sie Mut, Kleines. Morgen wird der Sturm vorbei sein, und bald wird Ihr Vicente Ihnen in Venezuela ein Paradies bereiten.«

Sie verzog den Mund. »Ich habe Ihnen schon zwanzigmal gesagt, daß ich das Schiff in Rio verlasse.«

»O nein. Sie kommen mit mir nach Caracas, denn sonst könnte es sein, daß Sie sehr viel Ärger bekommen. Die Leute in Rio werden Ihnen sehr unangenehme Fragen über Ihren Mann stellen.«

»Er ist tot«, stellte sie ungerührt fest.

Vicente nickte. »Aber es mag neugierige Menschen geben, die gern wissen möchten, warum Sie Südafrika ohne Gepäck verlassen haben – eh?«

Synoldas Augenlider zitterten. Wieviel wußte Vedras? Es war ein Fehler gewesen, daß sie sich als Witwe bezeichnet hatte. Jedenfalls blieb ihr nichts weiter übrig, als höflich zu ihm zu sein.

Plötzlich erdröhnte das Schiff unter einem schweren Schlag. Mindestens eine Minute lang pflanzten die Schockwellen sich fort. Die Gesichter der Passagiere spiegelten vom überraschten Aufblicken bis zum nackten Entsetzen ihren Schrecken wider.

Die Schrauben vibrierten wie elektrische Bohrer. In kurzen Abständen ragte das Heck für längere Zeit aus dem Wasser heraus. Das alte Frachtschiff warf sich hin und her.

Auf allen vieren kroch Basil Sutherland die Treppe hinauf und schoß auf die Bar zu. De Brissac faßte seinen Ellenbogen und hielt ihn aufrecht. »Was ist geschehen?«

»Hundert Tonnen Wasser sind ins Vorschiff eingedrungen. Das Pumpen hat nicht mehr Zweck, als wolle man ein Schwimmbad mit einem Suppenlöffel ausschöpfen.« Basil war völlig nüchtern geworden. »Glücklicherweise hält das Schott noch, aber das Schiff ist schwer kopflastig.«

»Dann ist es jetzt wohl soweit.«

Basil nickte. »Hören Sie? Sie fangen an, die Notsignale abzuschießen.«

»*Mon dieu!*« rief de Brissac. »Was sollen Leuchtraketen hier im südlichen Atlantik nützen, wo es so wenig Schiffsverkehr gibt?«

12

»Und wir sind mehr als tausend Meilen von der nächsten Küste entfernt«, grinste Basil.

»Bis später!« Der Franzose sprang auf und rannte in seine Kabine.

Plötzlich stellte sich das Deck schief. Eine Frau begann zu schreien. Colonel Carden stemmte sein gesundes Bein gegen einen Tisch und bewahrte sich so davor, vom Sofa zu fallen. Er vermutete richtig, daß die Fracht verrutscht war. »Auf einem britischen Schiff würde ich mich wohler fühlen«, grunzte er.

Juhani Luvia, der blauäugige Finne, erschien in Begleitung des Ersten und des Dritten Offiziers, beides Schweden. Eine Sirene begann durchdringend zu heulen.

»Legen Sie die Schwimmwesten an!« brüllte der Erste Offizier durch den Lärm. »Sie kennen Ihre Bootsstationen – begeben Sie sich zu den Rettungsbooten!«

*

»Zu den Booten – zu den Booten!« In einem halben Dutzend Sprachen wurde der Ruf weitergegeben. Die Passagiere legten hastig ihre Schwimmwesten an.

In zwei Gruppen mühten sie sich durch die beiden Türen des Salons, die direkt auf das Bootsdeck führten. Die Englisch sprechenden Passagiere waren alle dem Rettungsboot achtern Backbord zugeteilt, über das Juhani Luvia das Kommando hatte. Er faßte mit der einen Hand Unity Cardens Arm und mit der anderen Synolda Ortellos.

Schon wurde das steuerbords gelegene Boot zu Wasser gelassen. Eine hohe Woge bäumte sich auf und schmetterte es gegen die Schiffswand. Es zersplitterte wie eine Eierschale. De Brissac, der sich an die Reling klammerte, sah aus der schäumenden See noch zwei Arme in einem stummen Hilfeschrei auftauchen. Dann war nichts mehr zu sehen. Es war das Boot, dem er zugeteilt gewesen war.

Juhani Luvia überwachte das Einsteigen in das Rettungsboot an Backbord. In dem Licht einer neuen Leuchtrakete sah de Brissac Unity Carden, die immer noch bolzengerade neben ihrem Vater im Heck saß.

Synolda Ortello hatte einen Platz zwischen dem alten Colonel und Basil Sutherland gefunden. Der Sturm peitschte ihr das helle Haar um das entsetzte Gesicht. Schwarze Wimperntusche war verschmiert, als sie versucht hatte, sich die Gischt abzuwischen. Vicente Vedras hatte sich mit ihr in das Boot drängen wollen. Aber Luvia hatte ihm den Zutritt nicht gestattet, weil er in das den Portugiesisch sprechenden Passagieren zugeteilte Boot gehörte. »Warten Sie!« befahl der Zweite Ingenieur jetzt. »Ich muß sehen, ob meine Mannschaft vollzählig ist. Wenn dann noch Platz ist, dürfen Sie einsteigen.«

Es stellte sich heraus, daß drei Seeleute fehlten. Einer war der Zahlmeister, der im Laufe dieses Tage über Bord gespült worden war, einer lag tot in der Back, erschlagen von einem reißenden Tau, und der dritte, ein Schiffsjunge, war spurlos verschwunden.

Der Offizier drehte sich zu dem Venezolaner um. »Also gut, steigen Sie ein!« Er erblickte de Brissac. »Sie auch!«

Unaufhörlich heulte die Sirene. Schreie und Flüche verhallten in dem rasenden Sturm.

Eine gnädige, allzu kurze Stille trat ein, als das Boot im Lee des Schiffes herabsank. Die Seeleute ergriffen ihre langen, schweren Ruder, und die auf der Steuerbordseite hielten das Boot damit vom Schiffsrumpf ab.

Plötzlich schoß eine Welle hoch und hob das Boot beinahe wieder bis auf Deckhöhe. Ein Negerheizer stolperte und ließ sein Ruder los. Es krachte zwischen die vorn sitzenden Passagiere und traf de Brissac auf den Kopf. Tausend Sterne kreisten vor seinen Augen, Dunkelheit erstickte ihn. Er fiel um wie ein gefällter Baum. Doch sie erreichten sicher die Wasseroberfläche. Die Seeleute begannen zu rudern. Colonel Carden ergriff die Ruderpinne und lenkte den Bug des Bootes vom Schiff weg.

De Brissac wurde zu seinen Füßen niedergelegt. Blut lief ihm übers Gesicht. Er war tot oder bewußtlos. Luvia untersuchte ihn kurz. Mit einem Nicken löste er den Colonel an der Ruderpinne ab und setzte sich zwischen ihn und Basil Sutherland.

Der Himmel war schwarz wie Tinte. Mond und Sterne verbargen sich hinter den schweren Wolken. Immer noch stiegen Leuchtraketen auf. Der schwedische Kapitän feuerte seinen gesamten Vorrat ab, bevor er das Kommando über sein eigenes Boot übernahm.

»*Dios! Dios!*« Vicente Vedras barg den Kopf in den Händen. Er hatte gesehen, wie das Boot, in dem er hatte sein sollen, auf einem Wellenkamm kenterte. In dem auf und nieder tanzenden Lichtschein, den die immer noch erleuchteten Bullaugen auf das Wasser warfen, erkannte er, daß es mit dem Kiel nach oben schwamm. Noch klammerte sich eine kleine Gestalt daran fest. Dann wurde auch sie hinweggefegt.

Die Sirene verstummte. Die letzte Rakete stieg zum Himmel auf. Die kleine Gesellschaft in Luvias Boot konnte nicht beobachten, ob das Boot des Kapitäns sicher ins Wasser gelangte, weil das Schiff dazwischen lag.

Ich werde das Tageslicht niemals wiedersehen, dachte Unity Carden. Niemals mehr werde ich auf einem Pferd sitzen. Es hat keinen Zweck, sich etwas vorzumachen. In zehn Minuten wird das Boot sinken. Gott! Ich wünschte, ich hätte George erlaubt, mich zu lieben, als er es sich so sehr wünschte. Nun werde ich sterben, ohne jemals erfahren zu haben, was Liebe ist.

Basils Mund war zu einem zynischen Grinsen verzogen. Ihm war der Gedanke durch den Kopf geschossen, daß es keine lebende Seele auf der Welt gab, die durch die Nachricht von seinem Tod betrübt wurde.

Sobald sie sich aus dem Windschutz des verlassenen Schiffes entfernten, schlug ihnen die Gischt ins Gesicht. Das Boot erklomm einen Wasserberg und schwebte auf seiner Spitze, als wolle es wie ein Fugzeug in den dunklen Himmel aufsteigen. Dann stürzte es in unermeßliche Tiefen hinab.

Beim nächstenmal, als sie hochgehoben wurden, konnten sie andere weißgekrönte Gipfel mit schaurigen Abgründen dazwischen sehen und in dreißig Metern Entfernung die in einem Tal schwankende Gafelborg. Sie befanden sich hoch über ihren Mastspitzen und stiegen immer noch. Der Bug lag tief im Wasser. Von dem Boot des Kapitäns war keine Spur zu erblicken.

Luvias Boot raste wieder in die Tiefe. Als eine neue schreckliche Woge es in die Höhe schleuderte, war die *Gafelborg* verschwunden. Sie waren ganz allein auf den rasenden Wassern des gewaltigen Ozeans.

II

IN SEENOT

Später hätte keiner von ihnen sagen können, wie sie die restlichen Stunden der Nacht überlebt hatten. Oft waren sie nahe daran zu kentern, oft reckte das Boot Bug oder Heck beinahe senkrecht in die Höhe. Die schwächeren Mitglieder der Gesellschaft hatte man festgebunden, damit sie nicht hinausgeschleudert wurden. Die stärkeren schöpften unaufhörlich das Boot aus, bis sie blind vor salzigem Gischt und betäubt vor Erschöpfung waren. Wie durch ein Wunder überstand das Rettungsboot den Sturm. Als der Morgen graute, waren seine Insassen durchnäßt und ausgekühlt und lagen in grotesken Stellungen da, wo sie vor Müdigkeit umgefallen waren. Aber sie waren noch am Leben.

Juhani Luvia war der einzige, der die Sonne aufgehen sah. Er hatte die ganze Nacht kein Auge zugetan. Bisher war er vor lauter Arbeit noch gar nicht zum Nachdenken gekommen. Jetzt überlegte er, daß sie dem Tod in seiner einen Gestalt entronnen sein mochten, nur um ihm in einer noch schrecklicheren in die Arme zu laufen.

Er fürchtete sich nicht vor dem Sterben, aber er hätte es vorgezogen zu ertrinken, statt in einem treibenden Boot langsam zu verdursten. Jetzt war er froh, daß er nicht geheiratet hatte. Wenigstens brauchte er sich keine Sorgen um Frau und Kind zu machen.

Während seines Ingenieurstudiums hatte er seine Freizeit hauptsächlich dem Sport gewidmet, und seit er zur See fuhr, hatten sich seine Beziehungen zu Frauen auf kurze Affären beschränkt. Nur seine Mutter würde unter seinem Tod zu leiden haben. Sie lebte, seit sie Witwe war, in einer hübschen Wohnung mit Blick auf den Fluß und das alte Schloß von Viipuri, einem Hafen am Finnischen Meerbusen, wo Juhani geboren war.

Goldene Strahlen stiegen im Osten am hellgrauen Himmel auf und breiteten sich aus. Ein frischer Wind blies, aber der Hurrikan war vorbei. Die Wellen gingen immer noch sehr hoch. Kein Zeichen von Leben war auf dem graugrünen Wasser zu erblicken.

Juhani beugte sich vor und löste den Knoten der Leine, die Basil Sutherland auf dem Sitz neben ihm festhielt.

Basil kippte nach vorn und krachte auf die Bodenbretter. Seine Augenlider zuckten. Langsam erwachte er aus der Bewußtlosigkeit.

Er fühlte sich scheußlich. Sein Mund war trocken und schmeckte übel, in seinem Kopf hämmerte es, seine Augen schmerzten ihn auf altbekannte Weise. Er brauchte keinen Spiegel, um zu wissen, daß sie blutdurchschossen waren. Er litt an allen Symptomen eines gewaltigen Katers.

Noch hatte seine Trinkerei seine Gesundheit nicht untergraben, und er wußte genau, was er zu tun hatte, um sich wieder fit zu machen: Zuerst ein schönes heißes Bad mit allen dazugehörenden Ritualen, dann zwei große Tassen chinesischen Tees. Unter normalen Umständen wäre er dann wieder sein eigentliches Selbst gewesen und hätte sich mit jedem auf vernünftige Weise unterhalten können.

Seine Augen waren noch keine zehn Sekunden offen, als ihm klarwurde, wie gering seine Aussichten sowohl auf ein heißes Bad als auch auf chinesischen Tee waren. Als er, kurz bevor er sich zu den Rettungsbooten begab, diese halbe Flasche Brandy hinuntergestürzt hatte, war er überzeugt gewesen, daß sie alle sterben mußten. Doch jetzt lebten sie irgendwie noch. Nur war ihm übel, speiübel.

Neben ihm lag de Brissacs Körper. Während der Nacht hatte irgendwer dem Franzosen ein Taschentuch um den Kopf gebunden. Es wies dunkle Blutflecken auf. Sein hübsches Gesicht war von bläulichem Weiß, als sei er tot. Basil streckte eine Hand aus und berührte ihn vorsichtig an der Schulter.

»Lassen Sie ihn in Ruhe, Sie junger Narr«, schimpfte Colonel Carden. »Sehen Sie nicht, daß er schläft?« Der alte Mann war hellwach. Seine Tochter dagegen schlief trotz ihrer unbequemen Lage fest.

Basil murmelte eine Entschuldigung, fuhr sich mit der Zunge im Mund herum und wuchtete sich wieder auf den Sitz, von dem er herabgefallen war.

Bei den Worten des Colonels fuhr Vicente Vedras mit einem Ruck in die Höhe. Er hatte von all dem Gold geträumt, das unter der Farm seines Bruders in Südafrika lag. Seine Augen suchten

Synolda. Sie schlief noch. Ihr goldenes Haar wallte um ihr Gesicht und ihren weißen Hals. Soviel steht fest, sie ist schön, dachte er. Dann erschauerte er in seinen durchweichten Kleidern, und der Ernst ihrer Lage kam ihm zum Bewußtsein. Er preßte die Hände zusammen.

Luvia war aufgestanden und suchte den Horizont mit seinem Fernglas ab. Endlich setzte er es ab und sah die anderen an.

»Kein Segel in Sicht«, bemerkte Basil, noch ehe der Finne ein Wort hatte sagen können. »Das ist doch der fachmännische Ausdruck, nicht wahr?«

»So ist es«, raunzte Luvia ihn an, »aber ich finde überhaupt nichts Komisches dabei.«

Colonel Carden konnte Basil nicht leiden. Er und seine Tochter waren sich einig darüber, der junge Mann sei eine Schande für seine Gesellschaftsklasse. Aber daß einer seiner Landsleute von einem Ausländer ohne Grund zurechtgewiesen wurde, konnte der alte Mann doch nicht dulden.

»Sie verstehen unsern englischen Charakter nicht, Sir«, griff er Luvia an. »Wir haben die Gewohnheit, Witze zu machen, wenn wir in Gefahr sind – und es ist eine gute Gewohnheit.«

»Schon recht, Colonel, machen Sie soviel Witze, wie Sie wollen.« Der große junge Finne zuckte die breiten Schultern. Er war der einzige Offizier im Boot, aber außer ihm waren noch fünf Schweden da, auf die er sich verlassen konnte: Der Schiffszimmermann Jansen, Bremer, ein älterer, gewissenhafter Mann, der rothaarige Steffens, der junge Largertöf und Hansie, der Barmixer. Dazu kamen ein Mischling namens Gietto Nudäa und vier farbige Heizer, die Harlem-Joe, Lem Williamson, Isiah Meek und Corncob genannt wurden. Die Passagiere waren Colonel Carden und seine Tochter, Basil Sutherland, Vicente Vedras, Capitaine Jean de Brissac und Synolda Ortello. Insgesamt waren es also fünfzehn Männer und zwei Frauen, aber zwei der Männer waren so gut wie nutzlos – der alte Colonel Carden mit seinem Holzbein und der verwundete de Brissac. Es war schon ein besonderes Pech, daß das fallende Ruder den Mann getroffen hatte, der wie kein anderer geeignet war, ihm in den kommenden Stunden oder Tagen schrecklicher Ungewißheit und größter Strapazen zur Seite zu stehen.

Der Wind ließ nach. Das beste wird sein, sich ein wenig aufzuwärmen, dachte Luvia, und rief der Mannschaft auf schwedisch einen Befehl zu.

Als die Männer sich erhoben und zu den Rudern griffen, klopfte er Colonel Carden auf die Schulter. »Haben Sie verstanden, was ich gesagt habe, Colonel?«

»Nein – äh –, ich spreche keine Fremdsprachen.«

»Zu schade, denn wir Finnen machen auch mal gern einen Witz, wenn wir in der Klemme sitzen. Ich habe den Jungens gerade geraten, sie sollten sich anstrengen, oder wir würden bis zum Mittagessen nicht an der südamerikanischen Küste sein.«

Basil brachte ein kränkliches Grinsen zustande. »Sie meinen, bis Weihnachten. In elf Monaten müßten wir es schaffen.«

Der Colonel grunzte. Er wandte sich seiner Tochter zu, die aufgewacht war, als Luvia seinen Befehl gebrüllt hatte. »Nun, Unity, wie geht es dir?« fragte er mit gezwungener Munterkeit.

»Gar nicht schlecht«, antwortete sie ein wenig heiser, und dann machte sie sich so ordentlich, wie sie nur konnte.

Auch Synolda war aufgewacht. Sie betrachtete ihr Gesicht in einem kleinen Spiegel.

»O Gott!« rief sie unglücklich aus. Sie rieb sich den Schmutz mit dem Zipfel eines Taschentuchs ab und reparierte mit Puder, Rouge und Lippenstift den angerichteten Schaden.

Basils Zähne begannen zu klappern. Sein Ölzeug hatte er Synolda gegeben. Jetzt spürte er die Kälte bis auf die Knochen, und sein Durst war so gewaltig, daß auch der Inhalt des großen Fasses von Heidelberg ihn nicht hätte löschen können.

»Nehmen Sie eins der Ruder«, sagte Luvia. »Dann wird Ihnen schon warm werden.«

»Gut.« Basil erhob sich mühsam. »Aber um Gottes willen, geben Sie mir zuerst einen Drink. Haben Sie Brandy in der Truhe, auf der Sie sitzen? Falls nicht, genügt auch Rum.«

Das hellhäutige, sommersprossige Gesicht des Finnen nahm einen grimmigen Ausdruck an. »Ich fürchte, Sie werden auf das Trinken für einige Zeit verzichten müssen. Ich hatte noch keine Gelegenheit, unsere Vorräte zu überprüfen. Doch wenn alkoholische Getränke dabei sind, müssen sie für medizinische Zwecke aufbewahrt werden. Vielleicht werden Sie eine halbe Tasse Wasser bekommen, wenn ich die Morgenrationen ausgebe.«

»Ich danke Ihnen, mein kühner Wikinger. Aber Sie brauchen

sich nicht so anzustellen. Wenn jemals irgendwer zu medizinischen Zwecken einen Schluck gebraucht hat, dann bin ich es.«

»Sie haben gehört, was ich gesagt habe.«

»Ich habe gehört, daß Sie wie ein Schuljunge dahergeredet haben, der keine Ahnung davon hat, was ein erwachsener Mann braucht.«

»Sir! Sie vergessen sich!« fuhr Colonel Carden scharf dazwischen. »Mr. Luvia ist der kommandierende Offizier dieses Bootes. Seinem Geschick, seiner Unermüdlichkeit und dem Beispiel, das er seinen Männern gegeben hat, verdanken wir unser Leben. Sie haben dagegen die ganze Nacht in dem widerwärtigen Schlaf der Trunkenheit gelegen.«

»O Herr, beschütze mich vor diesen deinen Helden«, brummte Basil, worauf das Gesicht des Colonels ein leuchtendes Ziegelrot annahm.

»Nicht, Daddy, nicht!« Unity faßte des alten Mannes Arm. »Nimm gar keine Notiz von ihm – er ist es nicht wert.«

»Ihr Diener, Madam.« Basil verbeugte sich unsicher. »Und meinen Glückwunsch zu Ihrem Scharfblick.« Er stolperte über zwei Ruderbänke nach vorn und setze sich auf die dritte neben Hansie, den dicken Barmixer.

»Ich freue mich, daß Sie bei uns sind, Hansie.« Basil ergriff das Ruder.

»Ganz meinerseits, Mr. Sutherland. Tut mir leid, daß ich Ihnen heute morgen keinen Augenöffner anbieten kann.«

»Wohin führt uns der Zweite Ingenieur eigentlich?«

»Die Sonne scheint uns in die Augen, also rudern wir nach Westen. Wenn wir uns lange genug dranhalten, stoßen wir auf die Küste von Südamerika.«

»Bis dahin sind wir aber längst verdurstet, falls uns nicht ein neuer Sturm erledigt.«

»Es kann auch sonst noch so allerlei passieren, Mr. Sutherland.«

»Auf was spielen Sie an, Hansie?«

Der Barmixer dämpfte die Stimme. »Sehen Sie jetzt nicht über die Schulter. Aber später betrachten Sie sich den großen Neger mal genau, der im Bug rudert. Das ist Harlem-Joe. Er war mal Boxer, aber wegen irgendwelcher Betrügereien ist er disqualifiziert worden. Das Nächste, was man von ihm hörte, war, daß er, wegen Mordes verurteilt, in einem Gefängnis unten in Missouri saß. Während der Überschwemmung im Jahr 1937 brach er aus und heuerte als Heizer auf einem Holländer an, der in St. Louis vor Anker lag. Er . . .«

»Moment mal«, flüsterte Basil. »Woher wissen Sie das alles?«

»Es ist in der Back darüber geredet worden. Harlem ist ein Angeber, und er weiß genau, daß ihn niemand verraten würde.«

»Wollen Sie damit sagen, Sie wußten, daß Sie einen entflohenen Verbrecher an Bord hatten, und keiner von Ihnen hatte den Mut, es einem der Offiziere zu melden?«

»So ist es, Mr. Sutherland«, gab Hansie ruhig zurück. »Das Leben ist nicht leicht für arme Seeleute. Viele Burschen, die vor dem Mast fahren, haben Strafregister, aber sie können auch Pech gehabt haben und trotzdem anständige Kerle sein.«

»Ja, das verstehe ich, und natürlich haltet ihr zusammen. Aber wenn es sich um Mord handelt . . .«

»Ja, jetzt mache ich mir auch Sorgen. Denn Harlem-Joe wird die erste Gelegenheit nutzen, das Kommando an sich zu reißen, und wenn er dazu jemandem ein Messer zwischen die Rippen stoßen muß.«

»Ich werde Mr. Luvia einen Wink geben«, versprach Basil.

Die Sonne stand jetzt bereits ein gutes Stück über dem Horizont. Ihre Strahlen verbreiteten eine angenehme Wärme. Die Männer zogen ihre Jacken aus und legten sie zum Trocknen hin. Die harte Arbeit an den Rudern brachte den Blutkreislauf in Schwung, und die Stimmung war bereits viel besser als vor einer Viertelstunde.

Juhani Luvia inspizierte die Vorräte im Heck. Sie bestanden aus einem Wasserfaß mit sechs Gallonen Inhalt, einem Krug mit einer halben Gallone Rum, einem Teekanister, drei Pfund Zucker, drei Dosen Kondensmilch, acht Dosen Corned Beef und einer reichlichen Menge Schiffszwieback. Auch ein Primuskocher, Methylalkohol, Paraffin, ein Kessel und eine kleine Notapotheke gehörten dazu.

Basil war schrecklich außer Kondition, und mehr als eine Viertelstunde Rudern hielt er nicht aus. Er verließ Hansie und kletterte zurück ins Heck. Vicente hatte seinen alten Platz neben Synolda wieder eingenommen. Schnaufend ließ sich Basil auf ihrer anderen Seite nieder.

Unity beschäftigte sich mit dem Primuskocher. Ihr Vater half ihr, das Wasser für den Kessel abzumessen. Synolda schnitt von einem viereckigen Block dünne Scheiben Corned Beef ab.

»Fühlen Sie sich besser?« fragte sie mitfühlend.

»Wenigstens ist mir jetzt wärmer. Sie sehen großartig aus – gerade als ob Ihnen die Sache Spaß machte.«

Tatsächlich sah sie grauenhaft aus, aber Basil glaubte mit Recht, ein Kompliment sei das beste Mittel, sie aufzuheitern.

Luvia befahl, das Rudern einzustellen. Er wußte genau, daß es sinnlos war und hatte damit nur den Zweck verfolgt, etwas Leben in seine Männer zu bringen. Er überließ dem Colonel wieder die Ruderpinne und ging selbst nach vorn. In einem Loch in der mittleren Ruderbank stellte er einen kurzen Mast auf und hißte das einzige Segel.

Inzwischen war Unity mit dem Tee fertig, und alle wurden nach achtern gerufen, um ihre Rationen in Empfang zu nehmen. Jeder erhielt eine Scheibe Corned Beef und einen großen Schiffszwieback. De Brissacs Anteil wurde in der Hoffnung, daß er ihn später essen könne, beiseite gelegt.

Die meisten Seeleute hatten Blechbecher dabei, und in der Truhe befand sich ein halbes Dutzend Gefäße, die an die Passagiere ausgegeben wurden. Luvia ließ die Becher alle in einer Reihe hinstellen. Unity maß mit einem davon den Tee ab und verteilte ihn ganz genau.

Der letzte, der sich seinen Becher holte, war Harlem-Joe. Basil sah ihn sich aufmerksam an. Der Neger war ein großer, starker Mann. Unter der schwarzen Haut wölbte sich sein Bizeps. Seine Lippen waren dünner, seine Nase war schmaler als bei seiner Rasse üblich. Sein Blick war unstet, und sein Gesichtsausdruck verriet Schläue, gemischt mit Brutalität.

Nur noch Luvias und Harlem-Joes Becher standen da. Harlem-Joe zeigte mit einem beringten Zeigefinger. »In Ihrem ist mehr, Boß.«

Wortlos tauschte Luvia die beiden Becher um. Harlem-Joe lächelte. Es war Montag, der 10. Januar, und sie waren seit dreizehn Stunden im Boot, als Luvia um die Mittagszeit den Sonnenstand maß und nach einer kurzen Berechnung verkündete, sie befänden sich in der Nähe des 35. Breitengrades südlich des Äquators.

»Kluger Junge«, bemerkte Basil. »Ich wußte noch gar nicht, daß Sie nicht nur Ingenieur, sondern auch Navigator sind.«

»Bin ich gar nicht«, erwiderte der Finne mit gutmütigem Lächeln. »Aber wie man einen Sextanten zu bedienen hat, weiß schon ein Schiffsjunge.«

»Kolumbus hat Amerika entdeckt, noch ehe dies Instrument erfunden war«, meinte Vicente hoffnungsvoll«

Unity nickte. »Und schon zweitausend Jahre vorher haben die Karthager mit ihren Galeeren Afrika umsegelt.«

»Die Phönizier«, korrigierte Basil. »Aber was soll uns das nützen?« Er wandte sich an Luvia. »Können Sie so, daß auch ein Laie es versteht, erklären, welche Bedeutung der 35. Breitengrad für uns hat?«

Luvia breitete eine Karte aus und setzte seinen Zeigefinger in die Mitte des südlichen Atlantiks. »Hier irgendwo sind wir, auf einer Linie mit Kapstadt im Osten und Buenos Aires im Westen. Das ist genau die Grenze, bis zu der Treibeis von der Antarktis nach Norden getragen wird.«

Zum Glück war es Januar, Hochsommer in der südlichen Hemisphäre, so daß sie keine Angst vor Eisbergen zu haben brauchten. Andererseits entsprach die Temperatur einem Julitag an der marokkanischen Küste, und der Sonnenschein der am Morgen so angenehm gewesen war, wurde bald unerträglich.

Um die beiden Frauen davor zu schützen und ihnen die Möglichkeit zu geben, sich zurückzuziehen, wurde im Heck eine Art Zelt mit einer verschließbaren Klappe errichtet. Dort war es dunkel und eng und äußerst ungemütlich, weil die Ruderpinne, jetzt durch einen Bootshaken verlängert, mitten hindurchging. Aber sie hatten nun eine Zuflucht vor den Augen der Männer. Um sich besser um den bewußtlosen de Brissac kümmern zu können, ließ Unity auch ihn ins Zelt tragen.

Um halb eins gab Luvia von neuem Rationen aus: für jeden eine halbe Tasse Wasser und zwei Stücke Schiffszwieback. Er sagte, sie würden sich nicht so durstig fühlen, wenn sie um die Mittagszeit kein Fleisch äßen, und versprach ihnen eine Scheibe Corned Beef zum Abendessen.

Danach gingen die Mädchen ins Zelt, und die Mannschaft beschäftigte sich damit, im Bug ein zweites niedriges Zelt zu errich-

ten. Luvia hielt die Zeit für gekommen, eine Besprechung abzu-
halten. Er rief Vicente, Basil und den Colonel zu sich.

»Ich bin der Meinung, ich sollte Ihnen reinen Wein einschen-
ken«, begann er. »Wir sind über tausend Meilen von der nächsten Küste entfernt, und wir haben nicht die geringste Chance,
sie zu erreichen.«

»Warum nicht?« fragte der Colonel angriffslustig. »Lieutenant
Bligh von der *Bounty* hat eine größere Strecke in einem offenen
Boot zurückgelegt.«

»So? Mag sein. Ich habe nie von ihm gehört. Auf jeden Fall
muß er entsprechend ausgerüstet gewesen sein – und das sind
wir nicht.«

»Wie viele Tage brauchen wir bis nach Südamerika?« wollte
Vicente wissen.

»Auch mit günstigem Wind mindestens vierzehn Tage. Aber
wir haben keinen Wind. Wir werden ständig weiter nach Süden
abgetrieben.«

»Und für wie viele Tage haben wir Vorräte?«

»Wenn wir sparsam damit umgehen, für eine Woche. Das
Problem ist das Wasser. Wir haben ein Sechs-Gallonen-Faß, das
aber etwa eine Gallone durch Verdunstung verloren hat. Bei drei
knappen Rationen pro Tag haben wir die fünf Gallonen bis Mittag des vierten Tages aufgebraucht.«

»Wir könnten Wasser destillieren, indem wir Seewasser in
dem Kessel kochen«, schlug der Colonel vor.

»Nur, solange unser Brennstoff reicht, und unser Vorrat an
Paraffin ist gering«, wandte Basil düster ein.

Vicente stöhnte. Seine dunklen Augen hatten den Ausdruck
eines Spaniels, der ungerecht bestraft worden ist. Es war aber
auch ungerecht, daß der Tod ihn gerade in dem Augenblick erei-
len sollte, wo eine so vielversprechende Zukunft vor ihm lag.

»Und wenn wir die Rationen ein wenig kürzen?« schlug Basil
vor.

Luvia schüttelte den Kopf. »In diesem Klima können wir kaum
mit weniger auskommen.«

»Also müssen wir unsere ganze Hoffnung darauf setzen, daß
wir von einem anderen Schiff aufgenommen werden?« fragte
der Colonel.

»So ist es, aber auch da muß ich Sie warnen, sich nicht zuviel

zu versprechen. Wir sind dreitausend Meilen südlich der Schiff-
fahrtslinien zwischen den großen Häfen des Nordatlantik, und
der Hurrikan hat uns fünfhundert Meilen südlich der unbedeu-
tenderen Routen gefegt, die Afrika mit Rio und den Westindischen Inseln verbinden. Und wir geraten immer weiter nach Süden. In diesen Gewässern fahren nur Walfänger und Antark-
tis-Expeditionen.«

»Also was schlagen Sie vor?« Der Colonel klopfte mit seinem
gesunden Fuß auf die Bodenplanken.

Luvias freundliche blaue Augen betrachteten den alten Mann
mit einem gewissen Mitleid. »Ich dachte, ich hätte es ganz klar-
gemacht. Es gibt nichts, was ich tun könnte – nichts, was irgend
jemand tun könnte –, außer hoffen, daß wir im Verlauf der nächsten zwei Tage von einem Schiff gesichtet werden. Ich hielt es für
richtig, Ihnen das zu sagen. Das ist alles.«

Eine Weile verharrten sie in düsterm Schweigen. Dann stand
Basil auf. Er mußte sich unbedingt bewegen, wenn er keinen
Hitzschlag bekommen wollte. Schließlich legte er sich im Schat-
ten des Segels auf den Boden.

Er fühlte sich noch schrecklicher als am Morgen. Er brauchte
einen Drink. Zu dieser Tageszeit hätte er sowieso einen gebraucht, aber nach Luvias Ausführungen war sein Verlangen
doppelt stark.

Die Versuchung, bei Luvia um einen Schluck Rum zu betteln,
war groß, aber er wußte, diese Demütigung würde ganz zweck-
los sein. Basil hätte gern geschlafen, konnte es aber nicht. Wie
besessen war er. Visionen von kühlen alkoholischen Getränken
gaukelten vor seinen Augen, von geeisten Pferdehälsen, Gin-
Slings, Whisky-sours und Plantagenpunsch, wie man sie in den
Tropen vor Sonnenuntergang zu trinken pflegt. Immer dicker
und trockener wurde seine Zunge.

Hansie, der mitgeholfen hatte, das Männerzelt im Bug aufzu-
stellen, ließ sich im Schatten neben ihm nieder.

»Nun, Mr. Sutherland, ist es Ihnen heiß genug?«

»Viel zu heiß«, brummte Basil. »Ich wundere mich, daß Sie da
vorn im Bug nicht zu Asche verbrannt sind.«

Hansie betrachtete kläglich seine Handrücken und befühlte
Wangen, Ohren und Nacken. Die Haut war ziegelrot und heiß.
»Mich hat 's erwischt. In zwei Stunden wird es anfangen. Dann

brenne ich, als würde ich über Feuer geröstet. Das ist die Hölle!«

»Hölle ist das richtige Wort«, stimmte Basil zu. »Und eine dreifache Hölle ist es, wenn man keinen Drink bekommen kann.«

Der Barmixer sah ihn gedankenvoll an. »Natürlich, Sie sind an Ihre Flasche pro Tag gewöhnt, nicht wahr, Mr. Sutherland? Es ist nicht leicht, von einem Augenblick zum anderen ganz aufzuhören. Hier! Lassen Sie es die anderen nicht sehen. Nehmen Sie einen Zug.«

Vorsichtig holte Hansie eine flache Bourbon-Flasche aus seiner Jacke und reichte sie Basil unter seinem angewinkelten Bein.

Basil nahm zwei Schlucke. »Gott segne Sie, Hansie. Jetzt werde ich bis Sonnenuntergang bei Verstand bleiben.«

Einige Zeit später kam Luvia zu ihm. »Haben Sie nicht heute morgen erwähnt, daß Sie schon auf einer Jacht gesegelt sind, Mr. Sutherland?«

Basil nickte.

»Gut. Dann nehmen Sie für die nächste Stunde die Ruderpinne. Die männlichen Passagiere müssen die gleiche Arbeit tun wie die Crew. Der Colonel kommt nach vorn und übernimmt für eine Weile den Ausguck, und später löst ihn Mr. Vedras ab.«

»Der alte Mann wird gebraten werden«, grinste Basil.

»Nein«, lächelte Luvia zurück. »Nach all den Jahren in Burma muß er die Haut eines Elefanten haben.«

Basil stand auf und ging an die künstlich verlängerte Ruderpinne. Seit seinem Gespräch mit Hansie am frühen Morgen hatte er darauf gewartet, Luvia einen Moment allein sprechen zu können. Jetzt stand er neben ihm. Mit leiser Stimme berichtete Basil über Harlem-Joe.

»Der Mann ist ein Mörder, so, so«, meinte Luvia langsam. »Das wird nicht gerade zur Fröhlichkeit der Stimmung beitragen, wie?«

Im allgemeinen mochte Basil große, blonde, herzhafte Männer nicht, aber dieser Finne wurde ihm allmählich sympathisch. »Ich werde ein Auge auf Harlem halten«, bot er an.

»Danke. Ich sage auch dem Colonel und Mr. Vedras Bescheid.« Luvia gähnte und legte sich auf den Boden. Es war viele Stunden her, daß er zuletzt ein Auge zugetan hatte. Gleich darauf war er fest eingeschlafen.

Den ganzen langen Nachmittag hindurch versuchte jeder,

sich so gut wie möglich im Schatten zu halten. Erbarmungslos brannte die Sonne nieder. Doch ständig wurde nach Rauchfahnen oder anderen Zeichen, daß ein Schiff sich in der Nähe befand, Ausschau gehalten.

Am Abend überwachte Luvia im Licht einer Hurrikan-Laterne die Verteilung der Rationen. Es gab ein Stück Fleisch, einen Zwieback und einen halben Becher Tee mit einem Spritzer Rum. Die Männer konnten sich kaum beherrschen, sich auf die Becher zu stürzen. Es war sieben Stunden her, seit sie zuletzt getrunken hatten, und in der Backofenhitze des Nachmittags hatte ihr ganzes Denken um den nächsten Tropfen Flüssigkeit gekreist.

Als die anderen Mitglieder der Crew nach vorn gingen, blieb Harlem-Joe zurück. Er setzte sich auf die letzte Ruderbank, sah Luvia an und erklärte: »Wir hatten eine kleine Besprechung heute nachmittag, Boß. Die Jungens haben mich zu ihrem Sprecher gemacht. Ich möchte Ihnen eine oder zwei Fragen stellen.«

»Dann fragen Sie«, sagte Luvia ruhig.

»Was meinen Sie, wo wir augenblicklich sind?«

»Etwa tausend Meilen von der südamerikanischen Küste entfernt.«

»Tatsächlich! Und wie lange reicht unser Essen?«

»Noch zwei Tage.«

»Dann müssen wir aber sehr viel schneller werden, wenn wir in dieser Zeit ankommen wollen.«

»Wir können von einem Schiff aufgenommen werden.«

»Sicher. Aber wenn nicht?« Harlem legte den Kopf schief. »Wenn wir weniger Leute wären, würde das Essen länger reichen. Dann hätten wir eine bessere Chance, das Land zu erreichen.«

»Vielleicht. Aber das Schicksal hat unsere Anzahl bereits festgelegt.«

»Das Schicksal! Das ist nur ein anderes Wort für Gott. Also, Harlem glaubt nicht an Gott. Nein, Sir! Das ganze Hosianna und so weiter ist nur für dummes Volk, das es nicht besser weiß.«

»Der Bursche ist verrückt«, fiel der Colonel ein. »Noch nie in meinem Leben habe ich einen solchen blasphemischen Unsinn gehört. Schicken Sie ihn an seine Arbeit, Luvia.«

»Das müssen Sie schon mir überlassen, Colonel«, gab Luvia

ruhig zurück. »Sprechen Sie weiter, Harlem, aber fassen Sie sich kurz.«

»Klar, Boß. Diese Reise werden nur die Starken überstehen. Das ist traurig für die Damen und den Burschen, der einen Schlag mit dem Ruder abgekriegt hat, und den Alten mit dem Holzbein, aber sie hätten so und so keine Chance. Ihre Rationen würden uns andere einen oder vielleicht zwei weitere Tage am Leben halten. Sechs Leute weniger in diesem Boot bedeutet eine zusätzliche Wahrscheinlichkeit von dreißig Prozent, daß wir an Land kommen oder von einem Schiff aufgenommen werden. Die Schwächsten haben eben Pech gehabt. Verstehen Sie?«

»Harlem hat recht, Mister«, stand ihm Gietto Nudäa bei.

»Ihr teuflischen Schurken!« Mit geballter Faust stürzte Colonel Carden vor. Basil packte ihn an der Schulter und riß ihn zurück.

»Nehmen Sie die Hände von mir, Sir!« bellte der Colonel. »Wenn Sie noch einen Funken Männlichkeit in Ihrem vom Alkohol erweichten Gehirn hätten, würden Sie mir helfen, diesen Teufel aus dem Boot zu werfen.«

»O nein«, lachte Basil. »Ich bin ein Feinschmecker, müssen Sie wissen, und ich habe noch nie einen Colonel gegessen. Wenn wir ihm seinen Willen lassen, bekomme ich Gelegenheit, mal ein Stück vierzig Jahre in Portwein gepökelten Colonel-Rücken zu versuchen. Das darf ich mir auf keinen Fall entgehen lassen.«

*

Es war Dienstag, der 11. Januar, und sie waren, als sie am nächsten Morgen aufwachten, zweiunddreißig Stunden im Boot. Aber diesmal wurden sie nicht von der Sonne geweckt. Der Himmel war grau, und das Tageslicht drang durch dicke Wolkenbänke.

Die ganze Nacht waren Wachtposten aufgestellt gewesen, die nach den Lichtern eines Schiffes Ausschau halten sollten, so daß sie sofort mit der Laterne signalisieren und darauf zurudern konnten. Aber kein freundlicher Schimmer hatte sich am Horizont gezeigt.

Der Colonel fühlte sich durch Basils Worte vom Abend zuvor tödlich beleidigt. Allerdings kam es darauf kaum noch an, da der alte Mann ihn immer schon von Herzen verabscheut hatte. Viel wichtiger war, daß Basils Witz eine sehr gefährliche Spannung gebrochen hatte. Kein Mann in dem Boot – Harlem ausgenommen – litt bereits so unter Hunger und Durst, daß er im Traum daran gedacht hätte, Hand an einen der Passagiere zu legen. Auf Basils Vorschlag, den alten Knaben zu verspeisen, war ein brüllendes Gelächter gefolgt. Harlem hatte sich zornig zu seinen Gefährten begeben, die sich vor Lachen schüttelten, und kein Wort mehr gesagt.

Von neuem wurde das Segel gehißt, aber es hing schlapp und nutzlos herunter.

Die Morgenrationen wurden ausgegeben und schweigend eingenommen. Dann brach doch noch die Sonne durch die Wolken, und der Himmel nahm nach und nach wieder ein hartes, leuchtendes Blau an. Luvia wußte, daß die Strömung sie während der Nacht noch viele Meilen weiter südlich getragen hatte, aber die Sonne hatte nichts von ihrer Kraft verloren. Als es zehn Uhr war, suchten sie jede vorhandene Deckung auszunützen, und um die Mittagszeit saßen sie alle japsend da wie Hunde nach einer anstrengenden Jagd.

Der einzige Mensch in guter Stimmung war Jean de Brissac. Seine Bewußtlosigkeit hatte ihm sechsunddreißig Stunden der Angst erspart, die bereits an den Nerven der anderen zu zerren begann. Als er erwachte, fühlte er sich sehr schwach, und der Kopf schmerzte ihn. Das sanfte Klatschen der Wellen und ein Stück blauen Himmels, das er vom Zelt aus sehen konnte, verrieten ihm, daß der Sturm vorüber war. Er sah keinen Grund, warum das Boot sie nicht sicher an Land bringen sollte. Erinnern, was ihm widerfahren war, konnte er sich nicht. Aber die Erfahrung hatte ihn gelehrt, daß völlige Ruhe die beste Medizin war. Als Kranker konnte er seinen Gefährten am besten helfen, indem er weder sich noch ihnen Sorge machte und ihnen so wenig wie möglich zur Last fiel.

Unity hatte sich zu seiner Pflegerin ernannt. Sie erklärte ihm, was geschehen war, löste mit geschickten Fingern den Verband und wusch die Wunde mit Seewasser. De Brissac zuckte zusammen.

»Sticht ein bißchen, wie? Aber die Wunde sieht schon viel besser aus als gestern«, redete sie ihm zu. »Wenn Sie ein braver Patient sind, haben wir Sie in einer Woche wieder auf den Beinen.«

Sie war entschlossen, die Tatsache vor ihm zu verbergen, daß ihr Wasservorrat nur noch für vierundzwanzig Stunden reichte. Über die Schrecken, die dann kommen mußten, sollte ein kranker Mann besser nicht erst nachdenken. Folglich schlief er, nachdem sie ihn versorgt, und er ihr ein Kompliment über ihr Geschick gemacht hatte, in glücklicher Unwissenheit ein.

Das Aussehen der Bootsinsassen wurde immer schrecklicher. Die Männer hatten sich seit zwei Tagen nicht mehr rasiert, und die Hitze hatte das Wachstum schmutzig wirkender Stoppeln auf Wangen und Kinn gefördert. Mehrere hatten schlimme rote Flecken auf Nase, Stirn und Nacken.

Synolda, die die meisten ihrer Haarnadeln verloren hatte, gab alle Versuche, ihr Haar kunstvoll aufzustecken, auf. An diesem Morgen ließ sie es offen über die Schultern fallen. Sie sah sehr attrraktiv aus, und das wußte sie auch.

Zu ihrer Überraschung und Entrüstung befahl Luvia ihr kurz, sich einen Knoten zu machen oder ein Taschentuch um den Kopf zu binden. Er wußte, daß alle Männer außer Rand und Band geraten würden, sobald Durst und Verzweiflung sie ausgehöhlt hatten. Das letzte, was er sich dann wünschte, war, daß Synoldas goldene Mähne sie in Erregung brachte.

Grollend zog sich Synolda in das Zelt zurück, und als sie zurückkehrte, sah er, daß sie als Kompromiß zwei lange Zöpfe geflochten hatte. Da sie sich immer noch stark schminkte, war das Ergebnis kein sehr glückliches. Sie wirkte wie eine ältere Schauspielerin, die in einer drittklassigen Revue ein Schulmädchen darzustellen hat.

Für vierzehn Leute, die Frauen und de Brissac nicht mitgezählt, war die Arbeit leicht. Luvia, Jansen und Basil wechselten sich an der Ruderpinne ab. Ansonsten waren nur der Ausguck zu besetzen und das Segel zu richten, wenn das Boot herumschwang.

Sie nützten die schwache Brise so gut wie möglich aus und krochen ein paar Meilen weiter nach Westen. Mit dieser Geschwindigkeit konnten sie die südamerikanische Küste auch dann nicht erreichen, wenn sie Vorräte für einen Monat gehabt hätten. Aber für die allgemeine Moral war es besser, irgendwelche Anstrengungen zu unternehmen, als die völlige Nutzlosigkeit zuzugeben und das Boot einfach treiben zu lassen.

Als Luvia mittags bemerkte, sie seien noch weiter nach Süden abgetrieben worden, fragte Unity: »Es gibt doch Land in der Antarktis, nicht wahr?«

Er nickte, denn er brachte es nicht übers Herz, ihr zu sagen, daß sie von der antarktischen Küste noch weiter entfernt waren als von der südamerikanischen.

Es wurde immer weniger gesprochen. Nur Basil kletterte im ganzen Boot herum und plauderte mit allen. Er lechzte nach einem Drink, und das machte ihn ruhelos. Es schien ihm unmöglich, Hansie nochmals um einen Schluck zu bitten. Aber er sah nicht ein, warum Luvia ihm nicht eine kleine Portion Rum geben sollte. Basils Meinung nach war es Unsinn, das Zeug für medizinische Zwecke aufzubewahren. Der einzige Kranke unter ihnen war der Franzose, dem Unity den Alkohol verboten hatte. Und war das Wasser einmal verbraucht, konnte ihnen der Rum wenig mehr nützen. Denn unverdünnt löschte er den Durst nicht, wohingegen er ihn jetzt, so argumentierte Basil mit sich selbst, stärken würde.

Luvias Grund, Basil den Rum zu verweigern, war einfach der, daß er dann den anderen auch einen Schluck hätte geben müssen, und er fürchtete den Einfluß des starken Alkohols. Doch Basil war so besessen von seinem Verlangen, daß er das nicht einsah. Er konnte sich den Rumkrug nicht aus dem Kopf schlagen, und als sich der Nachmittag langsam hinschleppte, entwickelte er einen Plan, wie er Luvias Verbot umgehen könne.

Der Plan war einfach. Der Rum war in der Truhe, die jetzt unter dem Zelt der Mädchen verborgen war. Er wollte warten, bis Luvia sich in das Zelt am Bug zurückzog, wie jeder es von Zeit zu Zeit tat. Dann würde er die Mädchen beiseite schubsen und den Krug schnappen, ehe ihn noch jemand daran hindern konnte.

Sobald Basil sich einmal zu dieser Verletzung der Disziplin entschlossen hatte, beobachtete er Luvia aufmerksam. Eine Stunde und noch eine halbe vergingen, und jeder Augenblick war für ihn eine Folter.

Endlich übergab der Finne die Ruderpinne an Jansen und stieg über die Ruderbänke nach vorn. Gietto Nudäa, der Mischling, und Harlem-Joe befanden sich mittschiffs und hatten Dienst am Segel. Aber darüber dachte Basil nicht nach. Sobald Luvia außer Sicht war, steckte er seinen Kopf in das Zelt der Mädchen.

»Wie geht's denn dem alten de Brissac?« fragte er.

»Pst! Sie wecken ihn ja auf«, flüsterte Unity. Er ist . . .«

»Entschuldigung!« Im nächsten Augenblick hatte er die Truhe geöffnet und seine Hand auf den Rumkrug gelegt.

»Was wollen Sie?« fragte Unity scharf und argwöhnisch, aber er hob den schweren Krug einfach über de Brissacs Körper hinweg.

Synolda lachte. Ihr perlendes Lachen gehörte nicht zu den geringsten ihrer Reize. Doch Colonel Carden gab, als Basil seine Beute aus dem Zelt zog, ein zorniges Schnaufen von sich.

»He! Bringen Sie sofort den Krug zurück, Sir«, befahl er.

Basil grinste ihn boshaft an, riß den Spund heraus und führte den Krug mit beiden Händen zum Mund.

»Mr. Luvia!« brüllte der Colonel. »Hierher, schnell! Sutherland hat sich den Rum angeeignet!«

Er alarmierte natürlich alle. Und im nächsten Augenblick hatte Basils unüberlegte Handlung eine offene Meuterei hervorgerufen.

III

MEUTEREI AUF HOHER SEE

Für Harlem-Joe war es eine von Gott gesandte Gelegenheit, daß die Passagiere untereinander stritten. Er hatte bereits den Entschluß gefaßt, die Vorräte und besonders das kostbare Wasserfaß für sich und seine Freunde zu erobern, sobald Luvia sich das nächste Mal zum Schlafen hinlegte. Wenn nötig, war er bereit, dafür zu töten.

Auch Gietto Nudäa hatte den günstigen Augenblick erkannt. Die beiden Männer verständigten sich durch einen Blick und sprangen über die Ruderbänke ins Heck.

Basil setzte den Krug ab. Er hatte seinen Schluck Rum gehabt und war bereit, Luvias Zorn dafür über sich ergehen zu lassen. Doch mit dem, was jetzt auf ihn zukam, hatte er nicht gerechnet.

Luvias Stimme gellte vom Bug zu ihnen herüber: »Passen Sie auf, Colonel! Ich komme!« Daraufhin drehte Harlem sich um und schrie seinen Freunden zu: »Lem – Isiah – Corncob – haltet den Boß zurück!« Er schlug nach Basil, doch da dieser sich schnell duckte, traf er ihn nur am Ohr. Der Rumkrug fiel zu Boden, und sein kostbarer Inhalt floß dem Colonel über die Füße.

Im Bug war eine wilde Schlägerei im Gange. Harlems Freunde hatten seinem Befehl gehorcht und Luvia angegriffen. Jansen ließ das Steuer im Stich und sprang nach vorn.

Vicente Vedras, der bis dahin verblüfft zugesehen hatte, fiel den Neger von hinten an und packte seine Beine. Wenn er ihn auch nicht von den Füßen reißen konnte, so lenkte er ihn doch für kurze Zeit von Basil ab.

Harlem drehte sich um, hob den Venezolaner hoch und warf ihn laut lachend über das Zelt hinweg ins Wasser.

Vicentes Unglück gab den anderen eine Chance. Der Colonel schlug dem Neger mit seinem Stock über das rechte Auge. Unity warf den Primuskocher nach ihm und traf ihn an der linken Schulter, und Basil boxte ihm in den Magen.

Der schwarze Koloß besaß ungeheure Kräfte, aber es war lange her, daß er das letzte Mal im Ring gestanden hatte. Basils Schlag traf ihn an seiner schwächsten Stelle. Unter dem dreifachen Angriff taumelte er und brach zusammen.

Basil ergriff ein Beil und wollte Harlem den Rest geben. Er hatte keine Skrupel, denn seiner Meinung nach stellte der riesige Heizer, solange er am Leben war, eine ständige Gefahr dar. Aber Colonel Carden trat dazwischen. Das Aufblitzen seiner wässerigen alten Augen zeigte deutlich, daß er keinen Mord zulassen werde.

Er selbst hatte den Schaden davon. Schnell wie eine Schlange faßte Harlem das künstliche Bein des Colonels und verdrehte es mit seiner ganzen Kraft. Der Colonel stieß einen Schrei aus, fiel und schlug mit dem Kopf auf die Ruderpinne.

Inzwischen hatten Luvia und die schwedischen Seeleute die Angreifer überwältigt. Steffens allerdings hatte einen Messerschnitt über Wange und Mund bekommen. Bald war die Ordnung wiederhergestellt. Die Meuterer wurden gebunden. Man zog Vicente Vedras an Bord.

Die Meuterei war vorbei. Aber sie hatten den Primuskocher verloren, ganz zu schweigen von dem kostbaren Rum. Steffens war schwer verwundet. Und in der Nacht starb Colonel Carden. Er bekam ein Seemannsgrab. Er war nun der erste, der die lange Reise ohne Wiederkehr antrat.

*

Es war Mittwoch, der 12. Januar. Sie waren seit sechsundsechzig Stunden im Boot, als sie den dritten heißen Nachmittag seit Verlassen der *Gafelborg* über sich ergehen lassen mußten. Alle waren sie von der Meuterei des vergangenen Tages erschöpft.

Zweieinhalb Tage vergehen unter normalen Bedingungen schnell, manchmal sogar zu schnell, aber in dieser Zeit tut ein Herz mehr als eine Viertelmillion Schläge. Jeder Schlag reicht für einen Gedanken, und wenn die körperliche Bewegung eingeschränkt und richtiger Schlaf unmöglich gemacht ist, kann das Gehirn beinahe ununterbrochen über die unglückliche Lage seines Besitzers nachdenken.

Seit mehr als zweihundertundfünzigtausend Herzschlägen wiederholten sich in jedem Kopf unaufhörlich fast die gleichen Gedankenketten und schlossen so gut wie jede andere Überlegung aus. Selbst die Tapfersten fürchteten die Qualen, die ihnen bevorstanden, bis sie verdurstet waren. In allen wuchs die Überzeugung, daß es keine Rettung gab.

Ständig wurden sie auf besonders grauenhafte Weise an die Ereignisse des gestrigen Tages erinnert. In einer Entfernung von vielleicht dreißig Metern folgte eine dreieckige Flosse dem Boot. Vorher waren keine Haie in der Nähe gewesen. Alle wußten, daß der Körper des Colonels eine mitternächtliche Mahlzeit für sie abgegeben hatte.

Es war kurz nach fünf, als Basil aufblickte und Unity über die Ruderbänke steigen sah. Sie kam auf ihn zu, und er fürchtete, sie werde ihm Vorwürfe machen wegen der Rolle, die er beim Tod ihres Vaters gespielt hatte.

»Sie haben sich ja so abgesondert«, eröffnete sie ganz ruhig das Gespräch und setzte sich auf die Bodenbretter neben ihn.

»Nun ja«, gestand er, »ich dachte, im Heck wäre meine Anwesenheit nicht sonderlich erwünscht, nachdem ich . . .«

»Vor mir brauchen Sie sich nicht zu genieren«, unterbrach sie

34

ihn. »Ich kann sehr gut verstehen, welche Versuchung der Rumkrug für Sie bedeutet haben muß.«

»Danke«, gab er bitter zurück. »In dem Fall wäre es freundlicher von Ihnen, wenn Sie es unterließen, feurige Kohlen auf mein unwürdiges Haupt zu häufen.«

»Aber es ist mein Ernst«, beteuerte sie. »Sie sehen so unglücklich aus. Deshalb wollte ich Ihnen sagen, daß ich wirklich verstehe, wie ein Mensch sich etwas so sehr wünschen kann, daß er es sich nimmt, obwohl er das nicht dürfte.«

»Tatsächlich?« Basil hob die Augenbrauen. »Jedenfalls war es von mir eine abscheuliche Schwäche.«

»Das geht jedem von uns einmal so.«

»Vermutlich, aber nicht jeder wird der Schwäche nachgeben.«

Unity sah ihn offen an. »Nur weiß ich ganz genau, was man hinterher empfindet.«

»Ich fürchte, ich verstehe Sie nicht«, murmelte Basil.

»Das können Sie auch nicht. Aber wir brauchen uns jetzt doch nichts mehr vorzumachen. Ich meine, es gibt kaum noch eine Hoffnung, daß wir gerettet werden, nicht wahr?«

»Nein.«

»Und man hat so viele dumme, schlechte Dinge getan und viele gute Dinge ungetan gelassen. Das ist sehr ungeschickt ausgedrückt, aber . . .«

»Aber es ist trotzdem wahr«, bestätigte Basil.

»Ja, sehen Sie«, fuhr Unity fort, »ich wollte nie mehr davon sprechen, aber weil Sie so unglücklich sind, möchte ich Ihnen erzählen, wie ich einmal vom Pfad der Tugend abgekommen bin. Eines Vormittags war ich bei Selfridges und sah einen wunderschönen Pelzmantel. Er war nicht besonders wertvoll oder teuer, aber ich konnte ihn mir auf keinen Fall leisten. Und ganz plötzlich wünschte ich mir den Pelzmantel mehr, als ich mir je in meinem Leben etwas gewünscht hatte. Ich war sehr streng erzogen worden, und bisher hatte ich noch nie auch nur ein Pfefferminzplätzchen gestohlen. Doch den Pelz mußte ich haben, und wenn sich vor meinen Füßen die Hölle geöffnet hätte. Also nahm ich ihn mir und wurde beim Ladendiebstahl erwischt.«

»Lieber Gott! Wie schrecklich für Sie!« rief er aus.

»Ja, es war furchtbar – ganz furchtbar. Aber dem Schlimmsten bin ich entronnen, weil Daddy zu der Zeit in Burma war und es nie zu wissen bekam. Jetzt sehen Sie, daß ich durchaus verstehe, was Sie wegen der Rumgeschichte empfinden.«

Er lächelte. »Es ist verdammt anständig von Ihnen, daß Sie mir davon erzählt haben, nur damit ich mir nicht wie ein rückgratloser Wicht vorkomme. Im allgemeinen gebe ich meinen schlechtesten Impulsen nicht nach, und ich bin sicher, Sie auch nicht.«

»Natürlich nicht.« Sie fuhr sich mit der Zunge über die trockenen Lippen. »Unsere Lage ist schlimm genug, auch ohne daß wir uns gegenseitig unsere Handlungen vorhalten. Vergessen wir das Ganze doch lieber.«

»Ich wünschte, ich könnte es, aber mir liegt auf dem Gewissen, was sich daraus entwickelt hat.«

»Sie konnten ja nicht wissen, daß Ihre Attacke auf den Rum wie ein Funken auf ein Pulverfaß wirken würde.«

»Ich hätte es bedenken müssen. Denn wissen Sie, ich *wußte*, daß die Heizer reif für eine Meuterei waren.«

»Trotzdem war Vaters Tod ein Unfall.«

»Glauben Sie mir, es tut mir sehr, sehr leid.«

»Warum? Sie haben ihn doch nie gemocht – oder?«

Er sah sie überrascht an. »Nein, ehrlich gesagt, ich mochte ihn nicht. Ich habe oft Soldaten kennengelernt, die ich mochte – und bewunderte, aber Ihr Vater ging mir irgendwie gegen den Strich. Natürlich kann ich mich gründlich irren, doch er schien mir die Personifikation der alten Schule zu sein, ein hochtrabender, beschränkter, selbstgerechter Leuteschinder.« Basil erschrak, weil er seiner Meinung so ungehemmt Ausdruck verliehen hatte.

Unity schwieg eine Weile. Es war ihm schrecklich, daß er ihren edlen Versuch, ihm seine Selbstachtung zurückzugeben, auf solche Weise vergolten hatte.

Schließlich sagte sie leise: »Sie haben ganz recht, und da wir nun einmal offen miteinander reden, will ich Ihnen noch etwas gestehen. Er war schlimmer, als Sie ihn schildern. Er war nicht nur dumm, er war gemein. Wenn Sie die Wahrheit hören wollen: Ich habe ihn mehr gehaßt als jeden anderen Menschen in meinem Leben.«

Basil unterdrückte einen Ausruf. Er überlegte, ob die Hitze oder das Grübeln über ihre ausweglose Situation ihr den Verstand verwirrt haben mochte. Aber als sie weitersprach, überzeugte ihn die echte Bitterkeit in ihrer Stimme bald, daß sie ganz normal war.

»›Daddy weiß es am besten, mein Kind‹, wiederholte er ständig wie ein Papagei. Manchmal hätte ich schreien können, wenn das bei irgendeiner Auseinandersetzung unweigerlich sein letztes Argument war. Seit er Sandhurst verlassen hatte, war er auf keinen neuen Gedanken mehr gekommen. Nicht einmal der Krieg hat ihn irgend etwas gelehrt. Für ihn war die Welt immer noch von zwei Sorten von Menschen bewohnt – Gentlemen und Pack. Deshalb war er so zornig auf Sie. Offensichtlich gehörten Sie durch Geburt zu den ›Gentlemen‹, aber Sie machten sich über alte Schulkrawatten und all das Zeug, das ihm heilig war, so lustig, als seien Sie einer vom ›Pack‹. Bei manchen Gelegenheiten hätte ich alles darum gegeben, wenn ich Ihre Partei hätte ergreifen dürfen.«

»Ich wünschte, das hätte ich gewußt«, fiel Basil schnell ein. »Ich fürchte, ich bin das eine oder andere Mal sehr unhöflich zu Ihnen gewesen. Das war aber nur deshalb, weil ich glaubte, Sie seien mit ihm einer Meinung. Sie hätten mir einen Wink geben sollen.«

Sie zuckte die schmalen Schultern. »Ich war zu Ihnen ebenso grob wie Sie zu mir, und dafür hatte ich zwei sehr gute Gründe.«

»Erzählen Sie.«

»Erstens gefielen mir Ihre Gewohnheiten nicht.«

»Versteht sich. Es scheint so lange her zu sein, daß ich es beinahe vergessen habe, aber ich habe getrunken wie ein Fisch, nicht wahr?«

»Das haben sie. Ich bin keine Abstinenzlerin, wenn ich von der Familie weg bin, schon deshalb, weil mein Vater es nicht billigte, wenn Frauen überhaupt etwas tranken. ›Daddy weiß es am besten‹ galt in dieser Beziehung ebenso wie in jeder anderen. Trotzdem habe ich für Trunkenbolde nichts übrig.«

»Durchaus verständlich. Was war der zweite Grund?«

»Er hätte mir das Leben zur Hölle gemacht, wenn ich Sie nach dem ersten Abend in Ihren zynischen Ausfällen auch nur im geringsten ermutigt hätte.«

»Wieso? Was war an diesem ersten Abend?«

»Erinnern Sie sich nicht mehr? Sie sagen beim Dinner, der Grund, warum die Army nicht genug Rekruten bekomme, sei nicht, daß die jungen Männer sich davor scheuten, für ihr Vaterland zu kämpfen. Sie wollten nur nicht in unpassierbare Sümpfe geführt werden, wie es einige der unfähigen Generale im Weltkrieg getan hätten.«

»Generäle, die das Leben ihrer Leute sinnlos geopfert haben, sollten nicht ruhmbedeckt in die Geschichte eingehen.«

»Sie sprechen so bitter, und doch können Sie damals erst ein Kind gewesen sein.«

»Ich war neun im Sommer des großen Schlachtens. Mein Vater, ein Onkel und mein älterer Bruder waren im gleichen Bataillon. Sie alle sind durch die Dummheit eines Generals ums Leben gekommen. Wahrscheinlich hätte ich mir mein eigenes Leben nicht so verdorben, wenn auch nur einer von ihnen übriggeblieben wäre, um ein Auge auf mich zu halten.«

»Es tut mir leid«, sagte sie leise. »Kein Wunder, daß Sie so heftig reagiert haben. Ich dachte, Vater bekäme einen Schlaganfall, und ich wollte kein Öl ins Feuer gießen.«

»Armes Mädchen. Ich kann mir vorstellen, daß er für jemanden, den er jahrelang unter seiner Fuchtel gehabt hat, ziemlich furchterregend gewesen sein muß.«

»So ist es. Sie werden es ... häßlich finden, daß ich so von ihm spreche, nun, wo er tot ist.«

»Durchaus nicht. Wir wählen unsere Freunde, aber unsere Eltern werden uns aufgezwungen. Hatten Sie denn keine Mutter, die Ihnen beistehen konnte?«

»Nein, Mutter starb, als ich sechzehn war. Seine egoistischen Sklaventreibermanieren hatten ihr jede Lebenskraft genommen und . . . Was ist denn das«

Vor dem Segel hatte jemand einen Schrei ausgestoßen. Darauf folgte ein lautes Platschen und aufgeregte schwedische Ausrufe.

Basil sprang auf die Füße und beugte sich vor. Im gleichen Augenblick sah Unity etwa drei Meter vom Boot entfernt einen Arm aus dem Wasser ragen. Innerhalb weniger Sekunden war er verschwunden.

Luvia brüllte einen Befehl, und das Boot wendete. Doch die dreieckige Flosse, die sie den ganzen Tag gesehen hatten, war untergetaucht. Ein paar Luftblasen und ein roter Streifen im Wasser erzählten den schaurigen Rest der Geschichte. Jeder Rettungsversuch war sinnlos.

»Es war Steffens, der arme Teufel«, berichtete Basil. »Der Mann, der gestern verletzt wurde.«

»Lieber Gott! Er hat den ganzen Tag gefiebert, und er hat unter dem Wassermangel mehr gelitten als jeder andere von uns. In den nächsten Minuten wollte ich seinen Verband erneuern. Was ist geschehen?«

»Ich nehme an, er konnte es nicht mehr ertragen. Sein Freund Largertöf sagt, sie mußten ihn zweimal mit Gewalt daran hindern, Seewasser zu trinken. Beim erstenmal hatte er jedoch schon eine ganze Menge hinuntergeschluckt, bevor sie eingreifen konnten.«

»Von Seewasser wird man wahnsinnig, nicht wahr?«

»So wird behauptet. Er ist plötzlich aufgesprungen und hat sich über Bord geworfen.«

»Oh, wie schrecklich!« Unity bedeckte das Gesicht mit den Händen und brach in Tränen aus.

»Still – still doch.« Basil legte einen Arm um sie. »Sie sind die ganze Zeit so großartig gewesen. Machen Sie jetzt nicht schlapp.«

Kurze Zeit später hörte sie auf zu schluchzen, und er half ihr zurück zum Heck. Die anderen, die dort saßen, hatten beobachtet, wie Basil und Unity sich lange unterhielten. Sie akzeptierten Basil, ohne irgendeine Bemerkung zu machen.

Die neue Tragödie hatte für eine kurze Zeitspanne hektische Aktivität hervorgerufen, aber jetzt setzte sich jeder wieder an seinen Platz und überließ sich seinen düsteren Gedanken.

Largertöf weinte um seinen Freund Steffens und ließ sich nicht trösten. Er war ein junger Bursche, eigentlich noch ein hochgeschossener Junge, und der ältere Mann war sein Schutz und sein Vorbild gewesen. Die anderen saßen schweigend da und überlegten, ob Steffens nicht am Ende den besten Ausweg gewählt hatte.

Die Sonne, jetzt eine rotgoldene Scheibe, berührte den Horizont. Wieder war ein Tag vorbei, und jeder war sich bewußt, wieviel schwächer sie inzwischen geworden waren.

Die Hurrikanlampe wurde angezündet. Luvia verteilte die Rationen. Der Wasserbehälter war leer wie eine hohle Trommel, und da der Primuskocher verlorengegangen war, konnte auch kein Seewasser destilliert werden. Aber das Fett des Corned

Beefs enthielt etwas Flüssigkeit. Dazu erhielt jeder zwei Teelöffel kondensierte Milch.

Um Mitternacht begann einer der Neger laut zu beten. Es war ein unzusammenhängendes Gemisch von Bitten um Rettung und Klagen, daß er nichts getan habe, was eine solche Bestrafung verdiene. Luvia war sich im Zweifel, ob er das Gestammel mit einem Befehl zum Schweigen bringen solle. Aber da er wußte, daß niemand richtig schlief, tat er es nicht.

Der Heizer war nicht der einzige, dessen Sinne sich verwirrten. Plötzlich fing Synolda an zu schreien und stieß ihren Kopf gegen die Holzplanken. Zwanzig Minuten und viel Geduld brauchten Unity, Luvia, Vicente und Basil, bis sie sie wieder zu Verstand gebracht hatten. Und als ihr dann die Tränen aus den trockenen Augen stürzten, glaubten sie, ihr hartes Schluchzen werde niemals mehr aufhören.

Am Morgen schmerzten ihnen die Muskeln unerträglich, und sie erschauerten in der frischen Brise. Jetzt war nur noch Corned Beef übrig. Unity konnte ihre Scheibe nicht einmal essen, so ausgetrocknet war ihre Kehle.

Am vierten Morgen der Tortur hätte niemand, der diese Menschen in Kapstadt an Bord hatte gehen sehen, sie wiedererkannt. Hohläugig und ausgemergelt sahen sie aus. Nur Synolda, die es aufgegeben hatte, sich zu schminken, wirkte merkwürdigerweise um Jahre jünger.

Vier Stunden vergingen, und jede schien ihnen ein Monat in der Hölle zu sein. Kurz vor elf verlor der wollköpfige Lem, der in der Nacht gebetet hatte, den Verstand. Fluchend, schreiend, lästernd beugte er sich vor und versuchte, das Tau, mit dem er angebunden war, von seinen Füßen zu reißen. Die Seeleute versuchten, ihn daran zu hindern. Doch er, mit wilden Augen und Schaum vor dem Mund, entwickelte übermenschliche Kräfte. Luvia, der dies für das humanste Mittel hielt, schlug ihn k.o.

Gerade als Lem zusammensackte, stieß Vicente, der am Ausguck stand, einen krächzenden Ruf aus.

»Ein Schiff! Ich kann es sehen! Heilige Madonna! Da links ist ein Schiff! Ein Schiff, Luvia, ein Schiff!«

Sofort drehte sich jeder Kopf in die Richtung, in die er zeigte. Allen Kehlen entrang sich ein Stöhnen der Enttäuschung – der Horizont war leer.

»Wie konnten Sie das tun!« brachte Synolda heiser über die gesprungenen Lippen.

»Er wollte keinen dummen Witz machen«, erklärte Basil. »Der arme Kerl ist nicht mehr ganz da.«

Vicentes Gesichtsausdruck wechselte plötzlich von überschäumender Freude zu äußerster Verzweiflung. Mit offenem Mund starrte er ins Leere. »Es ist weg«, jammerte er. »Und ich habe es doch eben noch gesehen!«

»Was glaubten Sie denn zu sehen?« fragte Luvia sachlich.

»Zwei Masten – und dazwischen, eine Sekunde lang, einen schwarzen Schornstein.«

Luvia nahm Vicente das Fernglas ab und sprang auf die Ruderbank. Die ganze Gesellschaft verharrte in atemlosem Schweigen. Luvia drückte das Fernglas fest gegen seine Augen, aber er konnte es nicht verhindern, daß seine Hände zitterten. Schließlich ließ er sie sinken und wandte sich den angstvollen Gesichtern zu, die von ihm ein Urteil über Leben oder Tod erwarteten. Sein Mund zuckte ein paarmal krampfhaft, bevor er sprechen konnte.

»Vedras hat recht. Im Südwesten von uns ist ein Dampfer. Wenn wir auf einem Wogenkamm sind, kann ich die Masten und den Schornstein sehen.«

Es war Donnerstag, der 13. Januar, und sie waren achtundvierzig Stunden im Boot. Die Anspannung zerriß. Synolda warf Vicente die Arme um den Hals und küßte ihn. Basil brach in ein heiseres »Hurra!« aus. Unity fiel in Ohnmacht. Jansen sank auf die Knie und sprach ein Dankgebet. Luvia setzte sich auf die Ruderbank, begrub den Kopf in den Händen und brach in Tränen aus.

Innerhalb von fünf Minuten war Unity wieder bei Bewußtsein, und Luvia erteilte im Heck Befehle. Die übrigen gehorchten ihm mit Eifer.

Die Meuterer wurden losgebunden, das Segel wurde gesetzt. Jansen stellte sich mit dem Fernglas in den Bug. Basil kletterte den Mast hinauf und band einen langen weißen Streifen daran fest, den Synolda aus ihrem Unterrock gerissen hatte.

»Wie weit ist es von uns entfernt?« fragte er Luvia.

»Schwer zu sagen«, antwortete dieser. »Die Spitze des Schornsteins, den ich so gerade eben ausmachen konnte, muß sich fünfzehn Meter über dem Wasser befinden. Säße darauf ein Mann mit einem Fernglas, könnte er unser Segel jedesmal, wenn wir hochgehoben werden, sehen. In dieser Höhe hätte er einen Horizont mit einem Radius von beinahe zehn Meilen. Aber vielleicht ist der Schornstein höher. Dann sind wir noch weiter von dem Schiff entfernt.«

»Wie lange brauchen wir Ihrer Meinung nach, bis wir es erreicht haben?«

»Das weiß Gott allein. Es ist schlecht, daß das Schiff fast genau vor dem Wind fährt.«

»Vielleicht sieht man uns und geht vom Kurs ab, um uns aufzunehmen.«

Luvia schüttelte den Kopf. »Das bezweifele ich. Dafür müßten wir schon viel näher sein. Auf solche Entfernung wird man ein so kleines Boot niemals wahrnehmen. Und da es hier so wenig Schiffsverkehr gibt, wette ich darauf, daß im Krähennest irgendein schlafender Faulpelz sitzt.«

Eine heisere Stimme hinter ihnen fragte aufgeregt: »In welche Richtung fährt das Schiff?« Es war de Brissac. Sein Kopf war immer noch dick verbunden, aber es ging ihm gut genug, daß er sitzen konnte.

»Ich weiß es nicht«, brummte Luvia. »Ich konnte die Neigung der Masten nicht deutlich genug erkennen, um mir ein Urteil darüber zu bilden. Es liegt praktisch breitseits zu uns.«

Synolda faßte seinen Arm. »Aber wenn das Schiff zehn Meilen entfernt ist und nicht auf uns zukommt, könnte es wieder verschwinden, bevor wir nahe genug heran sind, um uns bemerkbar zu machen.«

»Ja«, gab Luvia ernst zu, »ich fürchte, so ist es. Die Gefahr ist für uns noch nicht vorbei.«

Als dieser schreckliche Gedanke einmal ausgesprochen war, trat Schweigen ein. Alle wandten ihre Augen in die Richtung des Schiffes, das sie nicht sehen konnten, und verfolgten die zum Wahnsinn langsame Fahrt des Bootes.

Das Rettungsboot war zum Überleben bei schwerem Seegang gebaut, aber nicht, um Geschwindigkeit zu entfalten. Bei dem schwachen Wind machte es nicht mehr als drei Knoten, und die Wendemanöver verlangsamten die Fahrt noch mehr. Mittags berichtete Jansen, der Dampfer scheine sich zwar nicht weiter entfernt zu haben, aber er glaube nicht, daß sie ihm näher gekommen seien.

Luvia war mittlerweile zu dem Schluß gekommen, daß der Dampfer nicht ganz breitseits, sondern zu Dreivierteln mit dem Heck in ihre Richtung zu ihnen lag. Er konnte keinen Rauch aus dem Schornstein aufsteigen sehen und schloß, daß das Schiff sehr langsam südwärts kreuzte. Jansen und Bremer, der älteste Seemann, stimmten ihm zu.

Was mochte das Schiff in dieser einsamen Gegend des Ozeans zu tun haben? Für einen Walfänger schien es zu groß zu sein, und ein Frachter oder Passagierschiff würde die Leere des südlichen Atlantiks kaum mit nur wenigen Knoten die Stunde überqueren.

Sie sprachen jedoch nicht viel miteinander, denn sie waren alle in den vorigen Schwächezustand zurückgefallen. Schon wenige Worte bedeuteten eine Anstrengung. Die Sonne hatte jetzt ihren höchsten Stand erreicht, und alle litten sie unter qualvollem Durst.

Der alte Jansen kam auf den Einfall, das Wasserfaß aufzubrechen. Sein Holz mußte noch etwas Feuchtigkeit enthalten. Er schlug die eisernen Reifen ab. Dann schnitten sie sich mit ihren Messern kleine Stücke herunter. Sie kauten sie, um den kärglichen Wassergehalt zu gewinnen, bevor sie den übelschmeckenden Rest ausspuckten. Auch wenn das nicht einmal genügte, ihre Kehlen zu befeuchten, beschäftigte es sie doch für eine Weile und gab ihnen die Illusion, eine kleine Flüssigkeitsmenge zu sich genommen zu haben.

Um ein Uhr schienen sie immer noch keinen Fortschritt gemacht zu haben, und der leichte Wind erstarb schnell. Luvia schätzte, daß sie in der letzten Stunde nicht mehr als eine Meile in Richtung des Schiffes zurückgelegt hatten. Was auch seine geheimnisvolle Aufgabe in diesen Gewässern sein mochte, Luvia fürchtete, es könne jeden Augenblick unter Dampf gehen und verschwinden. Mit brüchiger Stimme befahl er, das Segel einzuholen und zu rudern.

Er selbst ergriff eins der Ruder, und Basil, Bremer, Largertöf, Harlem und Corncob bildeten den Rest der Mannschaft. Jansen übernahm das Steuer und richtete den Bug des Bootes genau auf ihr Ziel. Unity ging in den Ausguck.

Nachdem sie eine Stunde gerudert hatten, erkannten sie, daß sie dem Dampfer näher gekommen waren. Wer im Boot aufstand, konnte die Masten und Schornsteinspitzen gelegentlich sehen, und Unity hatte sie mit dem Fernglas ständig im Blick. Aber diese eine Stunde hatte auch die stärksten Männer im Boot ihre letzte Kraft gekostet.

Es war mehr als vierundzwanzig Stunden her, daß sie den letzten Tropfen Wasser geschmeckt hatten, und seit vier Tagen hatten sie nur ein Minimum an Nahrung zu sich genommen.

Synoldas Herz blutete, als sie beobachtete, daß Luvia allein sich noch anstrengte. Die Muskeln seiner Wangen spannten sich unter den vier Tage alten goldenen Stoppeln. Von Anfang an hatte sie sich von seinem blendenden Äußeren angezogen gefühlt, und in diesen Tagen der Angst und der Strapazen hatte sie auch seinen Mut und seine Kraft bewundern gelernt. Die übrigen Ruderer waren nicht mehr imstande, ihn zu unterstützen.

Das merkte Luvia auch. Ihre Schläge wurden unregelmäßig, es saß keine Kraft mehr dahinter. Alle wußten sie, daß ihr Leben von ihrer Leistung abhing, aber sie waren einfach zu erschöpft.

Um halb drei ersetzte Luvia Bremer, Largertöf, Corncob und Basil durch Isiah, Nudäa, Vicente und Jansen.

Noch eine Stunde verbissenen Ruderns, und Unity meldete, sie könne beinahe schon den ganzen Schornstein und den oberen Brückenaufbau des Dampfers sehen. Er hatte sich ein wenig gedreht und fuhr in gerader Linie von ihnen weg, aber er mußte sehr langsam sein, weil sich die Entfernung einwandfrei verringerte.

Basil sah nach, wie es Lem ging. Nachdem Luvia ihn am Morgen k.o. geschlagen hatte, hatten sie ihn gebunden. Jetzt lag er still und steif mit starrenden Augen da. Er war tot. Sein Körper bedeutete ein ziemliches Gewicht im Boot. Ohne die geringsten Gewissensbisse hievte Basil den Leichnam über Bord.

Luvia wechselte noch einmal die Ruderer aus. Hansie, Basil, Bremer und Largertöf ersetzten Isiah, Nudäa, Vicente und Jansen. Harlem lehnte es ab, sich ablösen zu lassen, obwohl er, ebenso wie Luvia, von Anfang an gerudert hatte. Und auch Luvia wollte von einer Pause nichts hören. Der Anführer der Meuterer besaß Stolz und Stehvermögen. Er wollte beweisen, daß er ein ebenso guter Mann war wie der finnische Ingenieur.

Um fünf Uhr sagte Jansen, er erkenne, wenn er sich auf eine Ruderbank stelle, durch das Fernglas die Deckaufbauten. Er bestand darauf, Luvia solle sich am Ruder ablösen lassen, und wenn es nur für solange wäre, daß er sich das Schiff richtig ansehen könne.

Luvias Rücken war kurz davor, unter der Anstrengung zu zerbrechen, und an seinen Handflächen lag das rohe Fleisch bloß. Er war noch nicht geschlagen, aber doch ehrlich froh, eine Entschuldigung für eine kleine Pause zu haben. Er befahl Isiah, Harlems Platz, und Nudäa, seinen eigenen einzunehmen, und trat zu Jansen in den Bug.

»Ja«, bestätigte er nach einem Blick durch das Fernglas, »wir sind ihm näher, viel näher. Die Entfernung beträgt nur noch fünf Meilen. Aber es ist schwer zu sagen, was für ein Schiff das ist, weil es uns den Stern zuwendet. Es ragt sehr weit aus dem Wasser. Vielleicht ist es ein Frachtschiff mit Ballast. Die Entfernung ist nur immer noch zu groß, als daß wir auf den Decks Menschen erkennen könnten, und unglücklicherweise werden auch sie uns nicht bemerken. Wäre der Dampfer nur breitseits zu uns oder käme er auf uns zu, dann wäre unsere Chance viel größer. Doch wer hält schon jemals vom Stern aus Ausschau?«

»Die Frage ist, können wir ihm so nahe kommen, daß wir ihn anrufen können, bevor wir ihn in der Dunkelheit verlieren, Sir?« erkundigte sich der alte Zimmermann verzagt.

Luvia drehte sich um und betrachtete die erschöpften Ruderer. »Wir müssen es schaffen, Jansen. Wir müssen einfach.«

Im Lauf der nächsten Stunde mußten einige der Ruderer dreimal ausgewechselt werden. Ihre geschwollenen Zungen lagen ihnen wie dicke Lederklumpen im Mund. Sie konnten durch die verengten Kehlen nicht mehr richtig Luft holen. Ihre Gesichter waren verfärbt, ihre Handflächen mit Blasen bedeckt.

Largertöf war über seinem Ruder nach vorn gefallen, schluchzte und rief auf Schwedisch: »Tötet mich! Tötet mich! Ich kann es nicht mehr ertragen!« Hansie, Isiah und Vicente Vedras lagen keuchend am Boden. Gietto Nudäa litt an heftigem Erbrechen. Das war die Folge davon, daß er eine halbe Pinte Paraffin hinuntergeschluckt hatte, um seinen Durst zu löschen. Synolda lag im Koma.

Mit den übrigen machte Luvia irgendwie weiter. Der alte Jansen saß an der Ruderpinne, und Unity hatte wieder den Ausguck übernommen.

Niedrig über dem Horizont zog eine Wolke an der Sonne vorbei. Ein leichter Nebel erhob sich, und allmählich schlossen sich die Schatten um sie. Basil verlor das Bewußtsein, und es war niemand mehr da, der seinen Platz übernehmen konnte. Während man ihn zur Seite zog, brach Isiah neben ihm zusammen. Nun waren nur noch vier Ruderer übrig.

»Wir sind – nicht mehr weit – entfernt«, stieß Unity mühsam hervor. »Aber das Schiff – ist kaum noch zu sehen.«

»Jeden Augenblick – werden die Lichter angehen«, keuchte Luvia. »Haltet aus, Jungens!«

Weitere zwanzig Minuten starrte Unity durch das Glas. Es war völlig dunkel geworden, aber trotzdem konnte sie keine Lichter erkennen. Das Schiff war nichts als ein schwarzer Fleck im Nebel. Und plötzlich sah Unity es überhaupt nicht mehr.

In panischer Angst suchte sie in der Dunkelheit. Sie wagte nicht, es den anderen zu sagen. Aber der Nebel war dichter geworden. Als schließlich Luvia fragte: »Wie weit noch?«, antwortete Unity mit erstickter Stimme: »Ich habe es verloren.«

»O Gott«, stöhnte Luvia.

»Da ist es – da!« Bremer sprang auf und zeigte – nicht nach vorn, sondern nach Steuerbord. Durch den Nebel erkannten sie die dunklen Umrisse des Dampfers. Er war weniger als hundert Meter von ihnen weg, und fast wären sie daran vorbeigefahren.

Sie versuchten zu rufen, aber keiner brachte mehr einen lauten Schrei zustande. So ergriffen sie müde wieder ihre Ruder und gingen längsseits.

Das Schiff bewegte sich nicht und zeigte kein einziges Licht. Eine seltsame, unheimliche Stille, noch verstärkt durch den Nebel, umgab es.

»Das ist merkwürdig«, murmelte Luvia. »Und es hat schwer Schlagseite nach Backbord.« Plötzlich hob sich seine Stimme zu einem heiseren Aufschrei. »Bei Gott! Das ist die alte *Gafelborg!* Sie ist doch nicht gesunken!«

IV

DIE SEE GIBT IHRE TOTEN ZURÜCK

Alle Mitglieder der kleinen Gesellschaft, die noch bei Bewußtsein waren, hatten bei dieser erstaunlichen Entdeckung die unterschiedlichsten Gefühle.

Corncob hatte sich in den letzten Stunden einer angenehmen Vision hingegeben. In der Hauptsache bestand sie aus einer gewaltigen Mahlzeit, gefolgt von unbegrenzten Mengen heißen Grogs, während alles Volk in der Back des fremden Schiffes sich um ihn drängte und mit atemloser Aufmerksamkeit der Erzählung seiner Abenteuer zuhörte. Angesichts dieser bitteren Enttäuschung brach er in trockenes, heiseres Schluchzen aus.

Unitys erster Gedanke war, daß sie all die Dinge wiederbekommen würde, die sie in ihrer Kabine hatte zurücklassen müssen: Ihr Haarwasser, ihre Bürsten, ihr Badesalz. Sie würde rund um die Uhr in ihrem Lieblingsnachthemd ausschlafen und, wenn sie aufstand, in sauberer Unterwäsche schwelgen.

Harlem empfand eine grimmige Befriedigung. Er hatte so verzweifelt gerudert, weil sein nacktes Leben davon abhing. Aber er wußte, wenn sie das Schiff erreichten, würde er in Eisen gelegt und im nächsten Hafen wegen Meuterei vor Gericht gestellt werden. In der alten *Gafelborg* gab es zu essen und zu trinken, doch nichts zu befürchten. Er war in den Vereinigten Staaten aus dem Gefängnis ausgebrochen und seitdem mit mancher schwierigen Situation fertig geworden. Es konnte vieles geschehen, bis Luvia eine Möglichkeit fand, ihn den Behörden zu übergeben, und bis dahin würde er längst eine Gelegenheit zur Flucht gefunden haben.

Jansen war verzweifelt. Er wußte, wie schwer beschädigt die *Gafelborg* war. Es war schon beinahe ein Wunder zu nennen, daß sie den Hurrikan überstanden und inzwischen nicht gesunken war. Er sah voraus, daß dies geschehen werde, sobald der Wind wieder auffrischte, und dann standen ihnen von neuem die Schrecken in einem offenen Boot bevor. Bremers Gedanken bewegten sich ungefähr in den gleichen Bahnen.

Luvia hingegen fühlte wilde Freude. Hatte die *Gafelborg* sich vier Tage über Wasser gehalten, bestand eine gute Chance, daß sie auch noch ein paar weitere Tage aushielt. Wenn nur das Wetter gut blieb, mochte es ihm gelingen, sie zusammenzuflicken und in einen Hafen zu bringen. Für ihn bedeutete das ein kleines Vermögen an Bergungsgebühren und bestimmt eine Beförderung auf einem neuen Schiff.

Trotzdem war er vorsichtig genug, die anderen daran zu hindern, unbedacht an Bord zu stürmen, denn die *Gafelborg* konnte ebensogut jeden Augenblick untergehen. Er versprach, gleich mit Wasser zurückzukommen, und kletterte vorerst allein an den Bootsleinen hoch, die noch von den Davits hingen.

Er ging geradenwegs in die Vorratskammer und holte eine große Kupferkanne mit Trinkwasser. Einen großen, köstlichen Schluck nahm er selbst, und dann ließ er die Kanne zu den vom Durst gefolterten Insassen des Bootes hinunter.

»Trinkt nicht zuviel auf einmal«, warnte er, »sonst bekommt ihr Bauchschmerzen. Niemand geht an Bord, ehe ich mich umgesehen habe.«

Er kehrte in den Vorratsraum zurück, goß sich einen Becher Wasser ein und genoß den Luxus, ihn mit kleinen Schlucken leerzut ken, während er ihre Situation überdachte.

Die *Gafelborg* hatte schwere Schlagseite und lag mit dem Bug gefährlich tief im Wasser. Falls sie zu reparieren war, würde es Tage dauern, Wochen vielleicht, bis sie wieder seetüchtig war. In der Zwischenzeit konnte ein neuer Sturm aufkommen oder der Wasserdruck auf das vordere Schott so groß werden, daß sie ohne jede Warnung unterging. Ließ er die anderen an Bord kommen, war es möglich, daß sie auf dem Schiff in der Falle saßen. Besser war es vielleicht, Vorräte auf das Boot zu bringen, wo sie vor allem außer einem neuen Hurrikan sicher waren.

Andererseits mußte er die Tatsache in Erwägung ziehen, daß die meisten der Überlebenden bereits halb tot waren. Wollte er das Schiff reparieren, brauchte er dazu jeden Mann in gutem Gesundheitszustand. Reichliches Essen und ein langer Schlaf in bequemen Kojen waren zweifellos das beste für eine schnelle Erholung. Es war ein ziemliches Problem, heiße Speisen in das Boot hinabzulassen, und seine harten Planken waren, wie er nur zu gut wußte, für einen erfrischenden Schlaf nicht geeignet. Er mußte das Risiko eingehen, daß sie alle mit dem Schiff untergingen, und die anderen an Bord kommen lassen.

Er befahl Harlem als ersten hinauf, um mit seiner Hilfe die Kranken nach oben ziehen zu können. Jansen kam als letzter. Er machte das Rettungsboot fest, damit es in der Nacht nicht weggetrieben wurde.

Basil, Synolda und Isiah waren mit Hilfe des Wassers, mit dem Luvia sie versorgt hatte, bereits wieder zu Bewußtsein gebracht worden. Aber Vicente, Largertöf, Hansie und Nudäa waren noch nicht imstande, auf den Füßen zu stehen. De Brissac, der weniger erschöpft war als die anderen, mußte feststellen, daß er nicht mehr als ein paar Schritte taumeln konnte. Luvia schickte alle in den Salon. Diejenigen, die laufen konnten, trugen die anderen.

Unity ergriff eine der Hurrikan-Laternen und begab sich geradenwegs in die achtern gelegene Kombüse. Sie fand ein paar große Dosen mit Suppe, öffnete vier davon, goß ihren Inhalt in einen Kochtopf und setzte ihn mechanisch auf den Herd. Sie war so benommen vor Erschöpfung, daß ihr die Frage gar nicht kam, warum das Feuer immer noch brannte. Zwanzig Minuten später fand Basil sie in einer Ecke zusammengerollt und fest eingeschlafen. Er weckte sie mit einiger Mühe, und dann trugen sie gemeinsam Suppe und Teller in den Salon.

Luvia und Synolda hatten sich inzwischen um die Kranken gekümmert. Mit Hilfe von Brandy aus der Bar hatten sie alle wieder auf die Beine gebracht bis auf Nudäa, dem es so schlecht ging, daß er nichts bei sich behalten konnte.

Die Suppe wurde ausgeteilt, und selbst die, die sich nach dem Essen übergeben mußten, fühlten sich ein wenig besser.

Beinahe blind vor Müdigkeit stolperte Unity in ihre eigene Kabine. Das elektrische Licht funktionierte nicht. Sie dachte nicht mehr an ein heißes Bad und ein hübsches Nachthemd. Im Dunkeln riß sie sich die Kleider herunter, kroch nackt zwischen die kühlen Laken und war im nächsten Augenblick in gesunden Schlaf gesunken.

Als sie erwachte, strömte heller Mittagssonnenschein durch das Bullauge. In der engen, vertrauten Kabine umgaben sie ihre eigenen Besitztümer. Eine Sekunde lang glaubte sie, die Geschehnisse der letzten fünf Tage seien nur ein schrecklicher Traum gewesen. Doch ihr schwerer Kopf, ihre rauhe Zunge, ihre

Nacktheit und die schiefe Lage der Kabine überzeugten sie von der Wirklichkeit.

»Missie möchten Flühstück?« fragte eine Stimme von der Tür her.

Unity drehte den Kopf und erblickte zu ihrem Erstaunen einen rundgesichtigen Chinesen.

»Dann kommen nach oben. Li Foo haben Eiel mit Schinken und sehl guten Tee gemacht.«

Geräuschlos verschwand die gelbgesichtige Vision.

Unity starrte ihm nach, ungewiß, ob das ein Mensch oder ein Geist gewesen war. Mit ihnen im Boot war er bestimmt nicht gewesen, und sie konnte sich auch nicht erinnern, ihn während der Fahrt seit Kapstadt gesehen zu haben. Doch schien er eine sehr freundliche Erscheinung zu sein und hatte unglaublich gute Dinge versprochen.

Sie wusch sich Gesicht und Hände mit kaltem Wasser und beschloß, später ein heißes Bad zu nehmen, und wenn sie es kesselweise erhitzen und in das Badezimmer tragen mußte. Schnell kämmte sie sich das Haar, zog ein paar Sachen über und eilte in den Salon.

Basil war da, aber er war so verändert, daß sie ihn kaum erkannte. Der schmutzige Raufbold hatte sich in einen mageren, braungebrannten jungen Mann verwandelt. Er war frisch rasiert und mit einem untadeligen hellgrauen Anzug bekleidet. Die schlaffe Haltung, die er vor dem Sturm gehabt hatte, war verschwunden, und seine Augen waren klar. Vier Tage des Entzugs hatten einen anderen Menschen aus ihm gemacht.

»Einen wunderschönen guten Morgen wünsche ich Ihnen«, begrüßte er sie.

»Ich wünsche Ihnen dasselbe«, lächelte Unity und setzte sich ihm gegenüber. »Allerdings glaube ich, es ist schon Nachmittag.«

»So ist es. Sie haben sechzehn Stunden geschlafen.«

»Und wo sind die anderen?« fragte Unity.

»Einige sind noch zu krank, um ihre Kabinen zu verlassen. Sobald Sie gegessen haben, werden Sie wieder die Florence Nightingale spielen müssen. Luvia und die übrigen sind schon seit mindestens drei Stunden wach und machen sich im Schiff zu schaffen.«

»Und warum liegen Sie dann auf der Bärenhaut?«

»Tue nicht nicht«, protestierte er. Der Chinese tauchte auf und stellte ihnen Teller mit brutzelndem Rührei hin. »Ich bin von jetzt an der Funker, und ich habe mein Bestes getan, die Anlage zu reparieren. Aber auch ein Funker muß essen, und allen Arbeitern steht ein zweites Frühstück zu.«

Unity blickte über die Schulter dem Chinesen nach. »Woher ist der denn plötzlich aufgetaucht?«

»Oh, das ist Li Foo, der Zweite Schiffskoch. Der Bursche hat ganz außergewöhnliches Glück gehabt. In seiner Heimat hat einmal ein Wahrsage-Vogel für ihn ein Bambusstäbchen mit der Prophezeiung gezogen, er werde in einem Boot sterben. Als nun alle anderen das Schiff verließen, versteckte er sich, um nicht mit Gewalt in ein Boot gesetzt zu werden.«

»Was, er ist die ganze Zeit an Bord gewesen? Aber natürlich, so muß es sein. Deshalb war das Feuer in der Kombüse an. Ich konnte gestern abend überhaupt nicht mehr denken.«

»Ja, und er hat wie im Schlaraffenland gelebt, während wir im Boot unsere Fingernägel abgekaut haben. Er sagt, der Sturm sei innerhalb einer Stunde abgeflaut, nachdem wir die Rettungsboote bestiegen hatten, und seitdem sei das Meer ruhig wie ein Mühlenteich gewesen.«

In diesem Augenblick erschien Synolda. Das helle Haar fiel ihr über die Schultern, und ein Seidentuch verhüllte teilweise ihren hellblauen Pyjama.

»Gott sei Dank, daß Sie hier sind!« rief sie aus. »Ich hatte solche Angst. Ein Chinese hat mich aufgeweckt. Er steckte den Kopf in meine Tür und war auch schon wieder weg. Von den Farbigen bei uns im Boot war doch keiner ein Chinese, oder?«

Basil lachte und erklärte ihr, wer Li Foo war.

Synolda zögerte. »Ich sollte wohl lieber umkehren und mich richtig anziehen – aber ich sterbe vor Hunger.«

»Machen Sie nur keine Umstände«, meinte Basil leichthin. »Ich habe Sie schon mit viel weniger an gesehen, wenn Sie vor dem Sturm ein Sonnenbad nahmen.«

»Wenn Unity nichts dagegen hat.« Synolda fürchtete immer noch die Mißbilligung des jüngeren Mädchens, obwohl sie in den letzten Tagen gezwungen gewesen waren, ihre Vorurteile gegeneinander fallenzulassen.

»Natürlich nicht«, lächelte Unity.»Kommen Sie, ich gieße Ihnen Tee ein. Li Foo wird sicher bald neues Rührei bringen.«

»Danke.« Synolda setzte sich. »Tatsächlich sind meine Sachen sowieso nur noch Lumpen. Wissen Sie, ich bin in großer Eile abgereist und habe im letzten Augenblick mein Gepäck verloren, und da hatte ich nichts weiter als das Kleid, das ich auf dem Leibe trug, und ein Köfferchen mit Nachtzeug.«

»Ich glaube, meine Kleider würden Ihnen recht gut passen, und ich habe eine Menge. Darf ich Ihnen etwas leihen?«

»Das wollen Sie tun?« Synoldas blaue Augen weiteten sich vor Überraschung. »Ich wäre Ihnen schrecklich dankbar.«

»Das ist doch selbstverständlich. Wenn wir seit Kapstadt – äh – nicht besonders viel miteinander geredet haben, ist das doch kein Grund, jetzt nicht unsere Hilfsmittel zusammenzuwerfen. Es mag noch einige Zeit dauern, bis wir wieder in einen Hafen gelangen.«

Synolda nahm den angebotenen Ölzweig eifrig entgegen. Sie wußte nur zu genau, daß ihre magnetische Anziehungskraft auf Männer bei den meisten Frauen Abneigung hervorrief, obwohl niemals den Versuch machte, einer anderen ins Revier zu kommen. Dadurch war sie argwöhnisch geworden und hielt sich selbst da zurück, wo sie leicht eine Freundin hätte gewinnen können. Doch jetzt lag die Sache ganz anders. Während des Frühstücks kam Synolda richtig aus ihrem Schneckenhaus heraus.

Als sie beinahe fertig waren, gesellte sich Luvia zu ihnen. Sofort sagte Basil: »Ich nehme an, Sie haben Ihre Inspektion beendet. Lassen Sie uns das Beste und das Schlimmste wissen.«

Der große Finne setzte sich und goß sich eine Tasse Tee ein. »Im Augenblick ist alles okay. Die vorderen Schotten halten, und in den Hauptfrachtraum dringt nur sehr wenig Wasser ein. Unsere erste Arbeit ist, die Ladung umzustauen. Unser Glück, daß sie aus Frachtstücken besteht, die von Menschenkraft bewegt werden können. Die Jungens sind schon dabei.«

»Wie lange werden sie brauchen?«

»Zwei Tage wird es dauern, bis wir die gefährliche Schlagseite beseitigt haben. Dann müssen wir alle Gegenstände von vorn nach achtern transportieren, um den Bug wieder aus dem Wasser zu bringen. Wenn uns das gelingt, können wir vielleicht das Leck stopfen, das das ganze Unglück verursacht hat.«

»Und was ist mit dem Wasser, das bereits drin ist?«

»Ich habe den Kessel für die Hilfsmaschinen anfeuern lassen, so daß wir es auspumpen können, wenn das Leck erst einmal zu ist. Wie kommen Sie mit der Funkanlage zurecht?«

Basil schnitt eine Grimasse. »Glücklich bin ich darüber nicht. Eine Seite des Deckhauses ist vom Sturm weggerissen worden. Ich konnte erst einen Teil der Trümmer beseitigen, so daß ich noch nicht weiß, ob wichtige Teile beschädigt sind. Aber der Apparat sieht übel zugerichtet aus.«

»Das ist nicht lebenswichtig. Ich dachte nur daran, vielleicht könnten wir SOS funken. Aber solange das Wetter gut bleibt, sind wir sicher.«

Synolda faßte seinen Arm. »Wir müssen doch nicht wieder in dies schreckliche Boot?«

»Uns wird nichts anderes übrigbleiben, wenn uns kein anderes Schiff aufnimmt und dies hier sinkt.«

»Bis zur Teezeit werde ich Ihnen Bescheid geben, ob das Funkgerät in Betrieb genommen werden kann«, fiel Basil ein.

»Und wie geht es den Kranken?« wollte Unity wissen. »Ich hatte heute noch keine Gelegenheit, nach ihnen zu sehen.«

Luvia zuckte die Schultern. »Ich auch nicht. Es gab viel dringendere Dinge zu erledigen. De Brissac ist natürlich in seiner Kabine, und Vedras und Hansie sind zu krank zum Aufstehen – so berichtete mir der Chinese. Auch Gietto Nudäa ist immer noch sehr elend. Es wird Aufgabe der Damen sein, sie alle wieder auf die Beine zu bringen. Außerdem muß ich Sie bitten, das Kochen zu übernehmen, weil ich den Chinesen für andere Arbeiten brauche.«

»Die Krankenpflege übernehme ich gern«, erwiderte Unity, »aber mit meinen Kochkünsten ist es nicht weit her. Wie steht's damit bei Ihnen, Synolda?«

»Nach dem Kochkurs an meiner Schule in Johannesburg habe ich nicht einmal ein Ei gekocht. Aber natürlich werde ich tun, was ich kann.«

Der Finne stand auf. »Nun, was auch immer Sie fertigbringen, wird für uns gut genug sein. Li Foo soll Ihnen die Kombüse zeigen und Ihnen die Schlüssel für die Vorratskammern geben. Ich gehe mich jetzt rasieren, und dann muß ich die Jungens anweisen und auch selbst mit zupacken.«

»O nein, bitte, tun Sie es nicht – das Rasieren meine ich«, bat Synolda. »Sie bekommen einen wunderschönen goldenen Bart. Es wäre Sünde, ihn jetzt, wo das Schlimmste überstanden ist, abzunehmen. Noch ein paar Tage, und Sie sehen wie ein Wikinger aus.«

Zweifelnd strich sich Luvia über die gelben Stoppeln an seinem Kinn. Plötzlich lächelte er. »Ich werde einen Handel mit Ihnen abschließen.«

»Und?«

»Sie haben sich heute nicht geschminkt. Lassen Sie Kleister und Puder von Ihrem Gesicht, und ich werde mich nicht rasieren. Ihr Gesicht gefällt mir so viel besser.«

Synolda überlegte. »Aber pudern muß ich mich doch. Soll ich etwa mit einer glänzenden Nase herumlaufen?«

»Na gut«, willigte Luvia ein. »Puder auf die Nase, aber sonst nirgendwohin. Sind Sie einverstanden?«

Synolda nickte.

»Fein! Ich muß zu meinen Männern zurück, und ich verlasse mich darauf, daß Sie, die Passagiere, mich nach Kräften unterstützen. Wir sind noch lange nicht in Sicherheit.«

Als er den Salon verlassen hatte, grinste Basil Synolda an. »Ich glaube, Sie haben eine Eroberung gemacht.«

Sie errötete im allgemeinen nicht leicht. Diesmal tat sie es, widersprach jedoch schnell: »Unsinn! Das sähe ihm überhaupt nicht ähnlich!«

Den ganzen Nachmittag und Abend arbeiteten Luvia und seine Männer daran, schwere Ballen und Kisten von dem großen Haufen zu zerren, in dem sie auf Backbord übereinandergetürmt lagen, und nach Steuerbord zu befördern. Aber niemand beklagte sich.

Vedras, Nudäa und Hansie waren noch zu schwach dazu. Und Unity war der Meinung, es gehe ihnen gut genug, um an Deck zu kommen, und Luvia stellte sie dazu an, von den Bolzen und Schrauben, die die Ausrüstung auf dem Vorschiff festhielten, die Farbe abzukratzen. Er hoffte, den Bug heben zu können, indem er das Vorschiff so weit wie möglich räumte.

De Brissac konnte wieder ohne Hilfe gehen. Es war ihm unmöglich, ins Krähennest hinaufzusteigen, aber Luvia postierte ihn mit einem Teleskop auf die Brücke, wo er nach anderen Schiffen Ausschau halten sollte. Basil kämpfte mit dem Wrack des Funkgeräts. Um sechs Uhr mußte er berichten, eine Reparatur sei nicht möglich, weil die benötigten Ersatzteile nicht vorhanden seien.

Die Mädchen übernahmen Kombüse und Vorräte von Li Foo. Sie stellten fest, daß die wenigen Überlebenden mit den Lebensmitteln bei einiger Einteilung zwei Monate auskommen müßten. Der Chinese entwickelte eine große Verehrung für Synolda. Als Luvia ihn zur Arbeit im Frachtraum abkommandierte, wandte er beträchtliche List auf, um jede Stunde zurückschlüpfen zu können. Dann schürte er das Feuer, öffnete Dosen und flehte Synolda an, sich nicht zu überanstrengen.

Da das Vorschiff unbewohnbar war, wurde der Speisesaal auf dem Hauptdeck der Mannschaft überlassen und den Passagieren der unmittelbar darüber auf dem Oberdeck befindliche Salon zugeteilt. Kabinen gab es im Überfluß.

An jenem Abend aßen sie spät, erst um zehn Uhr. Luvia und sein Trupp von neun Männern hatten fast zwölf Stunden im Frachtraum geschuftet, und die Decks standen schon beträchtlich weniger schräg. Alle waren sie so erschlagen, daß sie kaum redeten und gleich darauf in ihre Kojen stolperten.

Am nächsten Morgen war zu ihrer unendlichen Erleichterung das Wetter gut, und kein Zeichen deutete auf eine Veränderung hin. Sie wurden mit der Strömung nach Süden getrieben. Die Sonne lachte vom Himmel, doch die meisten verbrachten den Tag wieder im Halbunkel des Frachtraums.

Um acht Uhr abends war die Arbeit getan. Die *Gafelborg* lag immer noch tief mit dem Bug im Wasser, aber wieder auf ebenem Kiel, und das munterte alle auf.

Nach dem Abendessen erkundigte de Brissac sich bei Luvia, ob er eine Ahnung hätte, wo sie sich befänden.

»Nicht die geringste«, gab der Finne kurz zurück. »Es war soviel zu tun, daß ich keine Zeit hatte, ein Besteck zu machen. Südgeorgien ist das uns nächstgelegene Land, schätze ich. Wenn wir Glück haben, stoßen wir auf diese Insel oder eine der Sandwich-Inseln weiter östlich. Wir können aber auch meilenweit entfernt daran vorübertreiben.«

»Was haben Sie vor, wenn Sie das Schiff wieder unter Dampf nehmen können?«

»Ich werde Kurs genau nach Westen auf die Küste von Patagonien nehmen.«

»In dieser Richtung müssen die Falkland-Inseln uns viel näher sein«, meinte Basil.

»Vielleicht. Aber ich bezweifele, daß wir bereits so weit südlich sind.«

»Wenn nur das Wetter gut bleibt«, murmelte Unity.

»Ja, darum müssen wir beten«, bestätigte Luvia.

V

IN DEN NEBEL

Am dritten Morgen auf dem Schiff begannen sie mit der mühsamen Arbeit, das Vorschiff zu räumen. Luvia ließ eine der Winden durch den Kessel für die Hilfsmaschinen mit Dampf versorgen. Die hohen Kräne vor dem Vormast schwangen hin und zurück, hoben die Anker, große Bündel schwerer Ketten, Dückdalben und Deckplanken und transportierten sie so weit wie möglich nach achtern. Hansie, Vedras und Nudäa ging es wieder gut. Sie hatten in den letzten beiden Tagen alle Befestigungen gelöst.

Am frühen Nachmittag war alles schwere Zeug entfernt, aber der Bug hatte sich nur um neunzig Zentimeter aus dem Wasser gehoben, und unter dem Stern, der hoch in die Luft ragte, waren die Schrauben immer noch sichtbar.

Luvia ließ die gesamte Einrichtung – Leitern, Kojen, Spinde – zerhacken und wegräumen. Doch bei Sonnenuntergang hatte sich der Bug um nicht mehr als weitere fünfzehn Zentimeter gehoben.

Beim Abendessen gestand Luvia, daß er besorgt sei. Er wußte nicht mehr, was er noch umräumen lassen konnte, und es war sinnlos, die Maschinen in Betrieb zu nehmen, solange zwei Drittel der Schrauben in der Luft hingen. Außerdem war es lebenswichtig, das Leck zu reparieren und den vorderen Teil auszupumpen.

»Aus welcher Gegend stammen eigentlich die farbigen Heizer?« erkundigte sich de Brissac.

»Aus den Südstaaten«, informierte Luvia ihn.

»Das ist schade, aber auch dann könnte einer von ihnen in einer Küstenstadt gewohnt haben und ein Taucher sein.«

»Worauf wollen Sie hinaus?«

»Wenn sie von den westindischen Inseln oder von der afrikanischen Küste kämen, könnten sie bestimmt schwimmen wie Fische.«

»Natürlich«, nickte Basil. »Sie denken an die Korallen- und Perlentaucher.«

»*Certainement*. Ein guter Schwimmer könnte einen Kranhaken unter Wasser an einem Ballen befestigen, und wir würden ihn presto! nach oben ziehen. Auf diese Weise könnten wir die Frachtstücke aus dem Vorschiff bringen.«

»Großartige Idee!« Luvia schlug mit der Faust auf den Tisch. »Hoffentlich sind nicht alle unsere Heizer in Städten oder im Inland auf den Baumwollfeldern aufgewachsen.«

Unfähig, seine Ungeduld bis zum nächsteen Morgen zu zügeln, eilte er in das Quartier der Männer. Zehn Minuten später kehrte er mit der Nachricht zurück, Corncob sei früher einmal an der Küste von Florida als Schwammtaucher tätig gewesen. Die anderen konnten nicht einmal schwimmen, aber *ein* guter Taucher genügte, um de Brissacs Plan durchzuführen.

In dieser Nacht schliefen sie unruhig. Das Wetter begann umzuschlagen. Wolken verdeckten die Sichel des zunehmenden Mondes und die Sterne, Regen prasselte unheilverkündend auf die Decks – eine ständige Mahnung daran, daß das Schiff ihnen nur zeitweilige Sicherheit bot.

Am nächsten Morgen war der Himmel grau, und es regnete immer noch. Kleine, kabbelige Wellen schlugen gegen den Schiffsrumpf.

Sofort ging Luvia daran, de Brissacs Plan auszuführen. Die Arbeit war schwer, aber Corncob schien sie Spaß zu machen. Immer wieder tauchte er in das grünliche Wasser, und ein paar Augenblicke später gab er fröhlich winkend das Signal zum Hochziehen. Frachtstück auf Frachtstück wurde aus dem Vorschiff gehievt. Der Rest der Mannschaft war nicht müßig, da die Kisten und Ballen ja aufs neue verstaut werden mußten.

Nach der Hitze der vorhergegangenen Tage hatte der Regen Nebel mit sich gebracht, der Luvias Stimme dämpfte und die Gestalten der Männer wie Geister erscheinen ließ.

Um vier Uhr sah Luvia, daß Corncobs Kräfte nachließen. Er sagte ihm ein paar herzliche Lobesworte und versprach, er bekomme eine heiße Mahlzeit und eine dreifache Portion Rum an seine Koje gebracht, in die er sich sofort niederlegen solle.

Da für diesen Tag keine weiteren Frachtstücke mehr geborgen werden konnten, setzte Luvia die Pumpen in Gang und ließ außerdem Eimerketten bilden, um das Wasser zu entfernen. Für die Nacht teilte er alle Männer, ausgenommen de Brissac, in Wachen ein, damit die Feuerung des Kessels und die Pumpen nicht ausgingen. Am Morgen zeigte es sich, daß das Wasser um zweieinhalb Meter gesunken war. Nun konnte Corncob verhältnismäßig leicht an Frachtstücke gelangen, die ihm gestern noch große Schwierigkeiten gemacht hatten.

Kurz vor Mittag entdeckte Jansen das Leck. Luvia und der Zimmermann gingen hinunter und sahen es sich an. Mit den Mitteln, die ihnen zur Verfügung standen, konnten sie die gesprungene Planke nicht reparieren, aber beide stimmten darin überein, daß das Leck gestopft werden könne. Sie brauchten den ganzen Nachmittag dazu. Dann waren sie überzeugt, daß durch ihre Pflaster aus Segeltuch und Teer nicht mehr Wasser eindringen könne, als die Pumpen schaffen würden – es sei denn, sie gerieten in einen neuen Sturm.

Danach rief Luvia die ganze Gesellschaft zusammen und dankte allen für die geleistete Herkules-Arbeit, durch die sie das Schiff gerettet hatten. Er erklärte, zum erstenmal, seit sie vor zehn Tagen die *Gafelborg* verlassen hätten, seien sie jetzt verhältnismäßig sicher. Die Pumpen müßten weiterlaufen, um das Vorschiff ganz vom Wasser zu befreien. Deshalb sollten bis zum Morgen weiter kurze Wachen von je zwei Mann gehalten werden, aber der Rest könne sich einen schönen Abend machen. Es wurden Sonderrationen verteilt, damit gefeiert werden konnte. In bester Stimmung ließen die Männer Luvia hochleben.

Li Foo bestand darauf, an diesem Abend das Dinner zu kochen, und Hansie meldete sich freiwillig dazu, seinen alten Posten als Barmixer wieder zu übernehmen. Luvia ließ zum Essen Champagner servieren.

»Morgen lasse ich die Kessel wieder anfeuern«, verkündete er, als er am Tisch Platz nahm. »Es mangelt uns an Arbeitskräften, aber ich glaube, wir werden es schaffen. Ich trinke darauf, daß wir in ein paar Tagen sicher in einen Hafen einlaufen.«

Der Toast wurde mit Begeisterung aufgenommen. De Brissac hielt eine kurze Ansprache, in der er ihrer aller Gefühle ausdrückte. Luvias unermüdlicher Energie und seinem Pflichteifer allein hätten sie ihr Leben zu verdanken.

Der große Mann lächelte verlegen und wäre unter seinem kurzen goldenen Bart beinahe errötet. »Ach was«, meinte er. »Jeder von Ihnen hat sein Teil beigetragen. Vergessen wir es, und amüsieren wir uns.«

Es wurde ein Gala-Abend. Der funkelnde Wein verscheuchte alle Sorgen. Jetzt kannte jeder jeden, und sie scherzten und lachten miteinander ohne eine Spur von steifer Förmlichkeit.

Im Speisesaal unter ihnen sangen die Männer. Luvia stimmte Basils Vorschlag zu, ein paar Flaschen Whisky mit den besten Wünschen der Passagiere zu ihnen hinunterzutragen. Basil trank selbst ein Glas auf ihre Gesundheit und brachte den alten Jansen mit hinauf, der eins im Salon trank.

Die Feier dauerte bis gegen elf Uhr. Dann sagte de Brissac, der immer noch auf sich achtgeben mußte, er würde gern zu Bett gehen, und Basil und Unity gingen mit ihm nach unten. Luvia erhob sich ebenfalls, um nach den Pumpen zu sehen. So blieben Vicente Vedras und Synolda allein zurück.

Beide hatten nicht wenig getrunken. Synolda war weiter nichts anzumerken, als daß sie etwas erhitzt war und ihre Gutmütigkeit mehr als sonst durchblicken ließ. Vicente war nach außen hin ganz ruhig, aber seine Hände zitterten, und in seinen dunklen Augen stand ein hungriger Blick. Seine Leidenschaft für sie war in diesen letzten Tagen von neuem aufgeflammt.

Sie saßen Seite an Seite. Plötzlich warf er ihr einen Arm um die Schultern, beugte sich vor und küßte sie hart auf die Wange.

Synolda schob ihn sanft zurück und murmelte: »Seien Sie kein Narr.«

Von neuem ergriff er sie und preßte seine Lippen fest auf ihren Mund. Einen Augenblick ließ sie ihn gewähren. Dann riß sie sich mit einer schnellen Bewegung los. »Vicente, das dürfen Sie nicht«, sagte sie ein wenig atemlos. »Ich will es nicht.«

»Warum nicht? Sie sind doch schon geküßt worden – schon oft, nicht wahr?«

»O ja. Öfter, als ich mich gern erinnere, und manchmal von Männern, die ich nicht mochte.«

»Und warum nicht von mir, Synolda *mia*?«

»Es tut mir leid, aber ich will nicht«, wiederholte sie.

»Hören Sie.« Er breitete seine dicken Hände aus. »Sie lieben mich nicht – ja, das verstehe ich. Aber die Liebe wird noch kommen.«

»Nein, Vicente, nein. In diesem Fall nicht. Ich kenne mich.«

»Sie haben selbst gesagt, Sie seien schon von Männern geküßt worden, die Sie anfangs nicht gemocht hätten.«

»Ich habe sie später auch nicht gemocht. Der Gedanke daran erweckt in mir einen solchen Haß, daß ich manchmal denke, ich möchte mit keinem Mann mehr etwas zu tun haben.«

»Ah, meine Schöne, das wird vorübergehen. Sie haben schlechte Erfahrungen gemacht, nicht wahr? Erzählen Sie es mir. Erleichtern Sie Ihr Herz.«

Sie schüttelte den Kopf. »Lieber nicht. Ich möchte es vergessen.«

»Vergessen werden Sie es am leichtesten bei der Zärtlichkeit eines Mannes, der Sie liebt.«

»Ich bin sicher, Sie würden gut zu mir sein, Vicente, aber ich kann nicht.«

»Sie sind hart.« Sein Gesicht nahm einen verdrossenen Ausdruck an. »Gut. Ich kann auch hart sein.«

Sie zuckte die Schultern und zündete sich eine Zigarette an. »Sie wollen doch wohl nicht wieder mit der alten Geschichte anfangen?«

»In der Liebe ist wie im Krieg alles erlaubt. Morgen wird die Fahrt wieder aufgenommen. Welchen Hafen werden wir erreichen? Wir wissen es nicht, aber in drei oder fünf oder sechs Tagen werden wir dort sein. Sie werden nicht so dumm sein, mich zur Verzweiflung zu treiben. Dann werde ich nämlich der Polizei mitteilen, was ich zu sagen habe.«

»Und das wäre?«

»Zunächst einmal – Sie sind im letzten Augenblick ohne Gepäck an Bord gekommen.«

»Dafür hatte ich einen sehr guten Grund.«

Er nickte. »Jawohl. Ich kenne ihn. Er war am ersten Tag an Bord in der Zeitung zu lesen.«

Synolda erblaßte. »Ich habe die Zeitung nicht gelesen. Was stand darin?«

»Raten Sie mal.«

Synolda schwieg eine Weile. Dann fragte sie: »Und Sie würden mich wirklich im nächsten Hafen der Polizei übergeben?«

»Das Herz würde mir dabei brechen, aber da Sie hart sind, muß auch ich hart sein.«

»Und was verlangen Sie von mir?«

Seine Hand, die auf ihrer Schulter ruhte, zitterte. »Wir feiern doch heute abend, nicht wahr? Setzen wir das Fest fort. Da drüben steht eine noch nicht geöffnete Flasche Champagner. Wir nehmen sie mit in Ihre Kabine, und wenn wir sie ausgetrunken haben, werden Sie alle Ihre Sorgen in meinen Armen vergessen.«

Synolda schwieg. Alles in ihr sträubte sich dagegen, und doch . . . Wenn sie Vicentes Wünsche nicht erfüllte, würde sie in wenigen Tagen im Gefängnis sitzen. Ein Gefängnis in Südamerika war kein angenehmer Ort. In Europa oder den Vereinigten Staaten konnten sich nur wenige Menschen vorstellen, welche Greuel dort verübt wurden. Sie dagegen wußte genau, was die Wärter mit ihr machen würden. Die meisten der weiblichen Gefangenen waren nur zu gern bereit, sich zu verkaufen, wenn sie erst einmal ein paar Tage in einer von Läusen infizierten Zelle gesessen hatten, nur damit sie ein besseres Quartier und besseres Essen bekamen und sich vor der allgemein verbreiteten Ruhr retten konnten. Gutaussehende Frauen, die sich als hartnäckig erwiesen, konnte auf andere Weise willig gemacht werden. Sie konnten schreien, bis ihnen die Lungen platzten. Das würde diese Männer nur belustigen. Einer von ihnen würde ihr wahrscheinlich ein Kind machen oder Ärgeres, bevor sie noch vor Gericht kam.

Da war es schon besser, sich an Vicente zu halten. Und es würde sich auszahlen, ein fröhliches Gesicht aufzusetzen. Er würde dann rücksichtsvoller sein, und sie konnte ihn um so eher loswerden.

»Gut, nehmen wir den Champagner mit nach unten«, sagte Synolda.

VI

DER SEETANG

In dieser Nacht trieb das Schiff weiter durch den Nebel. Als es Morgen wurde, war es immer noch in graue Schwaden eingehüllt. Für die Passagiere war das ein unheimliches Gefühl, aber Luvia nahm kaum Notiz davon. Er wußte, in diesen einsamen Gewässern war die Wahrscheinlichkeit gering, daß ein anderes Fahrzeug näher als hundert Meilen an sie herankam. Die Gefahr eines Zusammenstoßes konnte man getrost vergessen.

Er nahm die meisten der Männer mit in den Maschinenraum, überglücklich, wieder auf seinem eigenen Gebiet arbeiten zu können. Es würde viele Stunden harter Arbeit erfordern, bis genug Dampf erzeugt war, um die Schrauben mit normaler Geschwindigkeit arbeiten zu lassen, aber die Männer waren frohen Mutes.

Vicente befand sich unter ihnen, nackt bis zum Gürtel und bereit, ebenso wie die anderen die Kohlenschaufel in die Hand zu nehmen. Basil warf ihm einen neugierigen Blick zu. Der Venezolaner wirkte trotz - es kleinen Bauches stark und muskulös. Aus unerfindlichen Gründen sah er heute morgen auch ein halbes Dutzend Jahre jünger aus.

In der Kombüse schälte Unity Kartoffeln, während Synolda Teig anrührte. Sie war etwas stiller als sonst.

»Einen Penny für deine Gedanken«, bemerkte Unity, nur um ein Gespräch in Gang zu bringen.

»Ich dachte darüber nach«, antwortete Synolda langsam, »daß die Dinge, vor denen man sich fürchtet, in Wirklichkeit niemals so schlimm sind, wie man sie sich vorgestellt hat.«

Unity lachte. »Weißt du, was ich gesagt hätte, wenn du mich dreimal hättest raten lassen?«

»Nein. Was denn?«

»Ich war der Meinung, du hättest an Juhani gedacht.«

Synolda drehte sich zu ihr um und riß in ehrlicher Überraschung die blauen Augen auf. »Juhani Luvia? Lieber Gott, warum denn das?«

»Nun, du hast doch an ihm eine Eroberung gemacht.«

»Was, ich? Welch ein Unsinn!«

Unity wurde merklich kühler. »Verzeihung, ich wollte mich wirklich nicht in deine persönlichen Angelegenheiten einmischen. Natürlich hätte ich nicht davon sprechen dürfen.«

»O bitte!« Synolda wischte sich schnell das Mehl von den Armen und ließ ihren Teig im Stich. »Ich bin doch nicht beleidigt. Nicht ein bißchen. Du bist so reizend zu mir gewesen. Wie könnte ich auf dich böse sein? Aber ehrlich, es ist mir nicht im Traum eingefallen, an Juhani zu denken. Ich dachte, du wolltest mich nur aufziehen.«

Unity lächelte. »Das wollte ich nicht, und wenn du nicht im Traum an ihn denkst, dann er bestimmt an dich. Immer, wenn er eine Arbeitspause macht, tut er kaum etwas anderes, als dich ansehen.«

»Tatsächlich? Wie seltsam. Ich habe es gar nicht bemerkt.«

»Dann ist es Zeit, daß du Notiz davon nimmst – es sei denn, du magst ihn nicht.«

»O doch, ich mag ihn. Ich bewundere ihn sogar sehr. Ich halte ihn für einen Helden. Er hat Großartiges geleistet. Aber er ist immer so verschlossen. Ich hätte nicht gedacht, er könne für etwas anderes Interesse haben als seine Aufgabe, das Schiff zu retten und uns sicher in einen Hafen zu bringen.«

»Du kannst es mir glauben, er ist verrückt nach dir. Da er ein großes Kind ist, versucht er es zu verbergen. Aber ich habe bemerkt, wie dir seine Augen folgen, wenn du dich aus seiner Nähe entfernst. Und er ist höllisch eifersüchtig auf Vicente.«

»Ach ja? Dazu hat er keinen Grund«, gab Synolda unschuldig zurück.

»Nein, einen Grund hat er nicht, weil er sein Interesse für dich verbirgt. Trotzdem wäre ich an seiner Stelle wahrscheinlich auch eifersüchtig. Seit wir von Kapstadt abgefahren sind, hast du Vicentes Gesellschaft jeder anderen vorgezogen.«

»Nun ja, er legt es darauf an, sich angenehm zu machen.« Synolda nahm eilends ihre Arbeit wieder auf. »Er hat meinen verstorbenen Mann gekannt, als wir in Caracas lebten.«

»In Caracas?« wiederholte Unity verwirrt. »Dann bist du nur auf Besuch in Südafrika gewesen?«

»So ist es. Ich bin in Südafrika geboren und aufgewachsen, aber mein erster Mann – ich war zweimal verheiratet, mußt du wissen – war ein Ingenieur namens Piet Brendon. Er hatte eine

Stellung in Venezuela und nahm mich dorthin mit. Er starb, als wir erst ein Jahr verheiratet waren, und ich saß auf dem Trockenen. Natürlich hätte ich zu meiner Familie nach Johannesburg zurückkehren können, aber das wollte ich damals nicht.«

»Und da hast du zum zweitenmal geheiratet.«

»Ja. Ich war noch keine zwanzig. Henriques Ortello, mein zweiter Mann, war recht wohlhabend und machte mir den Hof. Ich konnte die Sprache inzwischen fließend sprechen, und mir sagte es mehr zu, ihn zu heiraten und ein müßiges Leben zu führen, als zu Hause irgendeinen Job annehmen zu müssen.«

»Wie lebt es sich denn in Caracas?«

»Gar nicht schlecht, vorausgesetzt, man hält sich von der Politik fern. Natürlich kann keine Frau allein über die Straße gehen, nicht einmal, wenn sie verheiratet ist. Die Frauen der oberen Klassen werden auf die alte spanische Art behandelt und beinahe so streng bewacht wie in einem Harem. Trotzdem haben sie ihre Affären, weil die Männer in der Nacht über die Gartenmauern steigen.«

»Das hört sich höchst romantisch an.«

»Das habe ich anfangs auch geglaubt. Aber das Leben in Venezuela hat seine Probleme. Alle Männer sind verrückt nach der Politik, und es macht wirklich keinen Spaß, wenn man nie weiß, ob ein Verehrer nicht gerade als Liberaler oder was weiß ich erschossen worden ist.«

»Mußt du aufregende Dinge erlebt haben!«

»Ich habe keine . . .«

Synolda unterbrach sich. De Briassac hatte die Tür geöffnet und steckte seinen Kopf in die Kombüse.

»Land! Land!« schrie er. »Kommt auf Deck – wir können jeden Augenblick an Land kommen!«

Er stürzte davon und rief überall im Schiff seine Botschaft aus.

Beide Mädchen ließen die Arbeit liegen und rannten ihm nach. Die Männer aus dem Maschinenraum kletterten die eisernen Leitern hoch.

»Land!« keuchte Luvia. »Wo – wo?«

De Brissac trat an die Reling und wies nach unten. Der Nebel schloß sie immer noch ein, aber er war nicht so dick, daß sie nicht einen großen Klumpen Seetang vorbeitreiben sehen konnten.

»Da seht ihr's!« rief de Brissac aus. »Das ist Seetang, der beim

Sturm von den Felsen abgerissen worden ist. Wo es Tang gibt, kann eine Küste nicht weit entfernt sein.«

Luvia schüttelte zweifelnd den Kopf. »Das darf man nicht ohne weiteres schließen, fürchte ich. Ich muß erst einmal nachprüfen, welche Art von Tang das ist, bevor wir es genau wissen. Dies Zeug kann viele Meilen getrieben sein.«

Er befahl die Männer, ausgenommen Basil, wieder nach unten. Zusammen zogen sie das Rettungsboot längsseits, das sie die ganze Zeit im Schlepp gehabt hatten, stiegen ein und ruderten in die Nähe des Tangklumpens.

Luvia zog ein dickes Büschel heraus. Basil sah, daß es leuchtend grasgrün war und in langen dornigen Stengeln wuchs, die unentwirrbar miteinander verwoben waren. Der Finne warf das Büschel ins Wasser zurück und verzog das Gesicht.

»De Brissac hat den falschen Baum angebellt«, brummte er. »Das ist die Art von Seetang, wie man ihn oft mitten auf dem Ozean findet.«

»Nun?« fragte Unity ungeduldig, als die beiden wieder an Deck stiegen.

»Kein Glück«, antwortete Luvia. »Wahrscheinlich treiben wir gerade durch einen großen Gürtel von Meeresalgen.«

»Aber woher kommt das Zeug?« wollte de Brissac wissen.

»Das ist in der Tat ein Geheimnis; niemand scheint es zu wissen. Im nördlichen Atlantik gibt es Massen davon, etwa fünfhundert Meilen von der Küste Floridas entfernt, und südwestlich von Australien findet man es ebenfalls. Die Gebiete werden sogar auf den Karten angegeben. Kommen Sie mit in den Kartenraum, und ich zeige es Ihnen.«

Sie folgten ihm auf die Brücke. Im Deckhaus holte Luvia eine große Weltkarte hervor, die die vorherrschenden Windrichtungen, die Meeresströmungen und die jahreszeitlich bedingten Grenzen des Treibeises zeigte. Mit Algen bedeckte Gebiete waren deutlich mit Hunderten von winzigen schwarzen Strichen auf dem Blau des Ozeans markiert. Nördlich des Äquators lag eins zwischen den Azoren und Westindien, ein anderes südöstlich von Grönland und ein drittes im Pazifik nördlich von Hawaii. Auf der südlichen Hemisphäre schien der Seetang noch häufiger vorzukommen. Ein großes Gebiet befand sich östlich von Neuseeland, und etwa tausend Meilen südwestlich von Australien bildeten die Algen einen ganzen Kontinent, der so groß war wie Deutschland, Frankreich und Italien zusammengenommen. Davon zog sich ein mehrere hundert Meilen breiter Streifen nach Westen über das weite Meer, das einen Gürtel von mehr als siebentausend Meilen um die Erde schlingt. Er folgte ungefähr dem fünfundvierzigsten Breitengrad, führte unter der Südspitze Afrikas vorbei und endete vor der Ostküste von Südamerika.

Luvia setzte einen breiten Finger auf die Stelle. »Seht mal hier, tausend Meilen vor Patagonien. Das ist in etwa unsere Position. Unsere Länge kann ich nur grob auf zwischen dreißig und fünfzig Grad West schätzen, aber unsere Breite muß ziemlich genau fünfundvierzig Grad Süd sein, da wir gerade in den Algengürtel geraten.«

»Wird er dicker, wenn wir weiter hineinkommen?« fragte Unity.

»Nicht viel, wenn der Tang so ist wie hier.« Er zeigte auf ein Gebiet, so groß wie Spanien, das nordöstlich der Westindischen Inseln lag. »Diese Wasser habe ich schon oft befahren. Zwei oder mehr Tage lang sieht man ganze Bänke davon vorbeitreiben, wenn man von Europa nach Havanna unterwegs ist.«

De Brissac sah ihm über die Schulter. »Das ist die Sargassosee. Ich habe davon gehört, aber ich wußte nicht, daß es anderswo ähnliche Vorkommen gibt. Kolumbus wurde dadurch auf seinem Weg nach Amerika aufgehalten, nicht wahr?«

»Das weiß ich nicht.« Luvia zuckte die Schultern. »Aber ich habe viele Geschichten gehört, daß die Seeleute in alten Zeiten Schwierigkeiten mit dem Seetang hatten. Für ein Segelschiff ist es bei schwachem Wind kein Spaß, in diese Massen hineinzugeraten. Dampfer können die großen Stellen umfahren und die kleinen durchschneiden. Daher ist der Seetang heutzutage kein Problem mehr.«

»De Brissac hat recht«, fiel Basil ein. »Kolumbus ist auf einer seiner Reisen für geraume Zeit steckengeblieben, und anderen Abenteurern ist es ähnlich ergangen. Um diese Algenmeere hat sich eine Reihe von Legenden gebildet. Jahrhundertelang glaubten die Leute, es müsse eine große, zentrale Masse geben, und viele Schiffe, von denen nie wieder etwas gehört wurde, seien dort verlorengegangen.«

»Darüber habe ich auch einmal gelesen«, stimmte Unity zu.

»Es heißt, daß die Schiffe Jahre und Jahre dort lagen, nachdem ihre Mannschaften schon längst an Hunger und Durst gestorben waren, bis das Holz verfaulte und sie sanken. In der Sargassosee sollen sich spanische Galionen gefangen haben, die mit Golddublonen beladen waren.«

Luvia lachte. »Das ist nichts als Seemannsgarn. Ein dänisches Forschungsschiff hat in den achtziger Jahren das ganze Gebiet vermessen, und wenn es einen solchen Ort gäbe, wäre er bestimmt gefunden worden. Der Tang in der Sargassosee treibt in Büscheln umher, wie der Wind sie bläst, und nirgendwo ist eine zentrale Masse. Allen Regeln nach wird es hier dasselbe sein. Kommen Sie, Sutherland, wir gehen zurück in den Maschinenraum.«

»Jawohl«, gab Basil fröhlich zurück.

Um die Mittagszeit hatte Luvia die Kesselfeuer ausgekratzt und neu angezündet. Jetzt war es nur eine Frage des beständigen Nachheizens, bis genügend Dampf zur Verfügung stand.

Die Wachen bestanden aus je sechs Männern. Vicente Vedras, Largertöf, Hansie, Harlem-Joe und Isiah Meek hatten die Steuerbordwache unter dem Befehl von Jansen; Basil, Bremer, Li Foo, Gietto Nudäa und Corncob unterstanden Jean de Brissac an Backbord.

Luvia hatte dem Franzosen diesen Posten lieber als irgendeinem anderen anvertraut, weil er als Offizier daran gewöhnt war, Männer zu befehligen. Und da die anderen das wußten, würde es wohl keiner übelnehmen. Aber er stellte ihm Bremer an die Seite, der der erfahrenste der Seeleute war. Die Aufteilung trennte außerdem die beiden Störenfriede Harlem und Nudäa. Alle ehemaligen Meuterer waren Muster guten Benehmens geworden, seit man sich wieder auf dem Schiff befand. Aber Luvia traute ihnen nicht recht.

Er selbst nahm an den Wachen nicht teil, da seine Zeit schon mit der Navigation und der Aufsicht im Maschinenraum mehr als ausgelastet war. Nur gelegentlich konnte er eine Stunde Ruhe finden. Synolda und Unity waren ebenfalls von den Wachen ausgenommen. Sie arbeiteten tagsüber in der Kombüse und sollten in der Nacht durchschlafen.

Jansens Gruppe nahm den Dienst auf, während de Brissac schlief, bis er um acht Glas die erste Hundewache übernahm.

Als er auf Deck ankam, sah er, daß der Nebel sich im Laufe des Nachmittags gelichtet hatte. Von der Brücke aus war jetzt ein beträchtliches Stück des sie umgebenden Wassers zu sehen. Auf allen Seiten schwammen darauf wie die Inseln eines Archipels große Bündel von Seetang. Viele von ihnen waren mehrere hundert Meter lang, und alle hatten sie Ausläufer, die sie in Windrichtung vorstreckten. Das Schiff trieb zwischen zwei Bänken, aber ein wenig schneller als diese. Wellen waren nicht zu sehen, weil der Tang jede freie Bewegung des Wassers unterband. Es hob und senkte sich langsam wie Öl.

Ein großes Schweigen brütete über der seltsamen See. An Bord befand sich alles wohl. Sie hatten Aussicht, daß das Schiff bald wieder unter Dampf stehen und auf dem Weg zu einem Hafen sein würde. Trotzdem fühlte de Brissac sich deprimiert. Er hatte das unheimliche Gefühl, nicht mehr im zwanzigsten Jahrhundert zu leben, sondern in einer Zeit, wo es weder Land noch Meer gab, sondern nur Tang und Wasser. Es mochte der Anfang oder das Ende der Welt sein.

VII

IRGENDWO WEIT IM SÜDEN

Als de Brissacs kurze Wache um sechs Uhr zu Ende ging, war er froh, von Jansen abgelöst zu werden. Er sah sofort im Salon nach, ob er Basil, der unter Deck gearbeitet hatte, antreffen würde.

Sie aßen um sieben. Nur Vicente fehlte, weil er Wache hatte. Luvia erzählte, er hoffe, bis Mitternacht genug Dampf zu haben. Aber er wolle vor dem nächsten Morgen keinen Kurs festsetzen, weil der Tang hier dicker sei, als er ihn je in der Sargassosee gesehen habe und er keine dicken Klumpen davon am Bug hängen haben wolle. Bei Tageslicht könne er sich in den breiten offenen Kanälen halten.

Als das Dinner vorbei war, fragte Synolda ihn, ob er sich nach seiner Arbeit im Maschinenraum nicht eine Ruhepause verdient habe.

»Das habe ich bestimmt«, erwiderte er, »und ich werde sie mir auch nehmen. Diese Nacht wird für einige Zeit die letzte sein, die ich durchschlafen kann.«

»Kommen Sie für einen Augenblick mit an die frische Luft, bevor Sie sich niederlegen«, schlug sie vor.

Sofort stand er auf. »Gute Idee.«

Seite an Seite gingen sie auf das leere Vorschiff zu. Die Leiter war mit allen anderen Einrichtungsgegenständen abgerissen worden, aber er stellte seinen Fuß auf einen herausragenden Bolzen, faßte die Kante des darüberliegenden Decks und schwang sich hinauf.

»Geben Sie mir Ihre Hände«, lachte er. »Und jetzt – einen Fuß auf den Bolzen, und gleich sind Sie oben.«

Es schien kaum möglich zu sein, denn er konnte, wenn er sich vorbeugte, gerade eben ihre Fingerspitzen berühren. Aber als sie sprang, faßte er ihre Handgelenke und zog sie hoch. In der nächsten Sekunde hatte er eine Hand um ihre Taille gelegt, und sie fand sich an ihn gedrückt, ihr Gesicht auf gleicher Höhe mit seinem. Ihre Beine baumelten herab. Insinktiv schlang sie ihren freien Arm um seinen Hals, um nicht zu fallen. Als sein goldener Bart ihre Haut berührte, durchrieselte es sie. Er küßte sie.

»Oh!« keuchte sie. »Oh, das dürfen Sie nicht tun!«

Wieder lachte er. »Warum nicht? Sie haben mich doch nicht aufgefordert, mit Ihnen nach draußen zu kommen, um mit mir über Maschinenbau zu sprechen, oder?«

»Ich habe Sie nicht aufgefordert. Aber nun ziehen Sie mich endlich hoch, sonst falle ich.«

»Doch, das haben Sie.« Er nahm von ihrem Flehen keine Notiz. »Wenn Sie wollen, daß ich Sie nach oben ziehe, sollten Sie es lieber eingestehen.«

»Werde ich nicht. Habe ich nicht. Gut, wenn Sie darauf bestehen – aber ich wollte doch nur mit Ihnen reden!«

»Warum?«

»Weil Sie mir gefallen.«

»Braves Mädchen«, grinste er. »So ist's schon besser.« Er zog sie hoch und setzte sie neben sich.

Eine lange Zeit blieben sie so sitzen, die Beine herabbaumelnd, die Arme einander um die Taille gelegt. Sie erzählte ihm eine Menge über ihre Mädchenzeit in Südafrika, ein bißchen über ihre beiden Ehemänner und praktisch nichts über ihr Leben in

Caracas. Das war ein schwarzes Kapitel in ihrem Leben, und sie wünschte sich, er möge eine gute Meinung von ihr haben. Aber sie wußte, früher oder später würde er von der Geschichte mit Vicente Vedras erfahren, und das war längst nicht das Schlimmste.

Er bemerkte kaum, daß sie etwas ausließ, weil er selbst so viel redete. Sie war eine gute Zuhörerin, und so sprach er von Dingen, die er so gut wie nie erzählte: Von Finnland im Frühling, wenn Blätter und Blumen über Nacht zum Leben erwachten, von den Tausenden von Seen, von der alten Stadt Viipuri und seiner Mutter, die dort lebte. Er versuchte nicht wieder, sie zu küssen. Es war, als habe dieser eine Kuß ihre Freundschaft besiegelt. Er berichtete von seinen beruflichen Plänen und seiner Hoffnung, die Bergung der *Gafelborg* werde ihm eine Prämie und eine Beförderung eintragen.

Vielleicht hätten sie bis in den frühen Morgen da gesessen, wenn nicht unter ihnen Fußtritte aufgeklungen wären.

»Hallo«, sagte Vicente Vedras.

»Hallo«, rief Luvia fröhlich zurück. »Sie wünschen?«

»Ich dachte, die Señora würde vielleicht gern erfahren, daß es beinahe zehn Uhr ist. Die Señora braucht ihren Schlaf, denn sie tut den ganzen Tag Arbeit, an die sie nicht gewöhnt ist.«

Luvia runzelte die Stirn. »Ich denke, Sie sollten lieber an ihren eigenen Schlaf denken, denn um Mitternacht haben Sie bereits wieder Dienst.«

»Das weiß ich. Aber ich brauche wenig Schlaf, und ich möchte gern ein paar Minuten mit der Señora sprechen, bevor sie sich zurückzieht.«

»Tut mir leid, das geht nicht. Sie sehen selbst, daß sie beschäftigt ist. Gute Nacht.«

»Wie die Señora wünscht. Gute Nacht, denn.« Der Venezolaner verbeugte sich höflich vor beiden, drehte sich um und stolzierte davon. Innerlich schäumte er vor Wut.

»Dieser Bursche hat ständig Ihre ganze Zeit in Anspruch genommen«, meinte Luvia, als Vicente außer Sicht war. »Er benimmt sich, als hätte er irgendein Anrecht auf Sie. Nun, von heute abend an wird er Sie nicht mehr allzu häufig mit Beschlag belegen können; dafür werde ich sorgen.«

Synolda lachte, aber es war ihr gar nicht nach Lachen zumute.

Der große Mann an ihrer Seite war ahnungslos der Wahrheit schon viel zu nahe gekommen. Vicente *hatte* ein Anrecht auf sie. Es würde den scheußlichsten Ärger geben, wenn Luvia versuchte, ihn auszustechen. Synolda sagte sich, sie habe eine große Dummheit begangen. Aber es wäre gar zu auffällig, wenn sie Luvia jetzt plötzlich verließe.

Sie unterhielten sich noch eine halbe Stunde, aber der Zauber war gebrochen. Um halb elf ließ Luvia sie über eine Leiter unter dem Brückendeck hinabsteigen. So brauchte sie nicht am Eingang zum Salon vorbeizugehen, wo Vicente immer noch saß und auf sie wartete. Der Gang vor ihrer Kabine war leer. Deshalb gab Luvia ihr einen Gutenachtkuß, und sie erwiderte ihn.

Sobald sie in ihrer Kabine war, kam die Reaktion. Sie war sicher, daß Vicente furchtbar wütend war. Sie mußte ihn unbedingt so bald wie möglich besänftigen. Nur heute abend nicht mehr!

Als Vorsichtsmaßnahme schloß sie ihre Tür ab.

Am folgenden Morgen war es ziemlich klar. Nur der Horizont war immer noch nebelverhangen. Um sechs stand Luvia mit de Brissac auf der Brücke und studierte die Umgebung durch das Fernglas.

Der Seetang war dicker geworden. Jetzt sah er nicht mehr aus wie einzelne Inseln, sondern wie eine Küstenregion, die von gewundenen schmalen Wasserläufen durchzogen war. Einen davon trieb die *Gafelborg* hinunter, jetzt beinahe genau mit dem Heck voran.

»Ich werde südwestlichen Kurs nehmen«, entschied Luvia. »Nach Norden und nach Osten gibt es kein Anzeichen einer Unterbrechung der algenbedeckten Fläche. Aber wenn wir einmal diese Bank auf Steuerbord durchbrochen haben, kommen wir in eine breitere Wasserstraße, und soweit ich es von hier aus sehen kann, muß sie uns in das am wenigsten zugewachsene Gebiet führen.«

Er gab Bremer, der am Steuerrad war, genaue Instruktionen, legte seine Hand auf den Maschinentelegraphen und drehte ihn auf »Langsame Fahrt voraus«. Er läutete zum erstenmal seit elf Tagen.

Die Schrauben der *Gafelborg* begannen das Wasser zu peit-

schen. Langsam bewegte sie sich vorwärts, bis ihr Bu g
dem gegenüberliegenden Tangstreifen steckte. Wieder
der Telegraf, und sie zog sich daraus zurück. Das M
wurde wiederholt, bis Luvia das Schiff gewendet hatte.
nun mit dem Bug nach Südwesten und hatte zweihunder
offenes Wasser vor sich. Luvia drehte den Telegraf auf
Kraft voraus«.

Unmerklich stieß das Schiff in schrägem Winkel geg
Tang. Hundert Meter pflügte es hindurch, ohne daß eine
rung der Geschwindigkeit festzustellen gewesen wäre
wurde es allmählich langsamer. Nach weniger als einer
meile stand es still, obwohl die Maschinen immer noch m
Kraft liefen.

Luvia fluchte, läutete »Stop« und ging nach vorn. De
begleitete ihn. Sie entdeckten, daß vor dem Bug eine
türmte Masse des Tangs lag, die das Schiff festhielt. Die
waren viel dicker, als Luvia erwartet hatte. Einige waren
gern so stark wie das Handgelenk einer Frau.

Luvia kehrte auf die Brücke zurück und manövrierte d a
wieder in den Hauptkanal.

Der Gedanke, mehrere Tage lang vorsichtig von einer
len Lagune zur anderen zu fahren, gefiel ihm gar nicht.
wir dem westwärts führenden Kanal«, sagte er zu de
»Vielleicht erreichen wir durch ihn das offene Wasser.

Über eine Stunde lang dampften sie in die Richtung, i
am frühen Morgen getrieben waren. Es schlug acht Gl
Jansen gesellte sich zu ihnen, aber de Brissac ging nicht
ten zum Frühstück. In ihm wuchs eine unbestimmte
Nach und nach tauchte ein Mitglied der Freiwache nach
deren auf, sah auf die gleichförmige Oberfläche des Tan
und stellte mit leiser Stimme Überlegungen an.

Kurz vor zehn kamen sie an eine Stelle, wo der Kan
eine Algen-Halbinsel gespalten wurde, und es galt,
zwei Wasserwegen zu wählen. Luvia kam zu dem Sch
linke Abzweigung biete die besseren Aussichten. Sie sc
rekt zu der offenen Wasserfläche zu führen, die er und
sac heute morgen in einiger Entfernung erspäht hatten
nur noch vier Meilen backbord voraus.

Mit halber Kraft krochen sie darauf zu. Doch als sie z

Der große Mann an ihrer Seite war ahnungslos der Wahrheit schon viel zu nahe gekommen. Vicente *hatte* ein Anrecht auf sie. Es würde den scheußlichsten Ärger geben, wenn Luvia versuchte, ihn auszustechen. Synolda sagte sich, sie habe eine große Dummheit begangen. Aber es wäre gar zu auffällig, wenn sie Luvia jetzt plötzlich verließe.

Sie unterhielten sich noch eine halbe Stunde, aber der Zauber war gebrochen. Um halb elf ließ Luvia sie über eine Leiter unter dem Brückendeck hinabsteigen. So brauchte sie nicht am Eingang zum Salon vorbeizugehen, wo Vicente immer noch saß und auf sie wartete. Der Gang vor ihrer Kabine war leer. Deshalb gab Luvia ihr einen Gutenachtkuß, und sie erwiderte ihn.

Sobald sie in ihrer Kabine war, kam die Reaktion. Sie war sicher, daß Vicente furchtbar wütend war. Sie mußte ihn unbedingt so bald wie möglich besänftigen. Nur heute abend nicht mehr!

Als Vorsichtsmaßnahme schloß sie ihre Tür ab.

Am folgenden Morgen war es ziemlich klar. Nur der Horizont war immer noch nebelverhangen. Um sechs stand Luvia mit de Brissac auf der Brücke und studierte die Umgebung durch das Fernglas.

Der Seetang war dicker geworden. Jetzt sah er nicht mehr aus wie einzelne Inseln, sondern wie eine Küstenregion, die von gewundenen schmalen Wasserläufen durchzogen war. Einen davon trieb die *Gafelborg* hinunter, jetzt beinahe genau mit dem Heck voran.

»Ich werde südwestlichen Kurs nehmen«, entschied Luvia. »Nach Norden und nach Osten gibt es kein Anzeichen einer Unterbrechung der algenbedeckten Fläche. Aber wenn wir einmal diese Bank auf Steuerbord durchbrochen haben, kommen wir in eine breitere Wasserstraße, und soweit ich es von hier aus sehen kann, muß sie uns in das am wenigsten zugewachsene Gebiet führen.«

Er gab Bremer, der am Steuerrad war, genaue Instruktionen, legte seine Hand auf den Maschinentelegraphen und drehte ihn auf »Langsame Fahrt voraus«. Er läutete zum erstenmal seit elf Tagen.

Die Schrauben der *Gafelborg* begannen das Wasser zu peit-

schen. Langsam bewegte sie sich vorwärts, bis ihr Bug tief in dem gegenüberliegenden Tangstreifen steckte. Wieder läutete der Telegraf, und sie zog sich daraus zurück. Das Manöver wurde wiederholt, bis Luvia das Schiff gewendet hatte. Es wies nun mit dem Bug nach Südwesten und hatte zweihundert Meter offenes Wasser vor sich. Luvia drehte den Telegraf auf »Volle Kraft voraus«.

Unmerklich stieß das Schiff in schrägem Winkel gegen den Tang. Hundert Meter pflügte es hindurch, ohne daß eine Minderung der Geschwindigkeit festzustellen gewesen wäre. Dann wurde es allmählich langsamer. Nach weniger als einer Viertelmeile stand es still, obwohl die Maschinen immer noch mit voller Kraft liefen.

Luvia fluchte, läutete »Stop« und ging nach vorn. De Brissac begleitete ihn. Sie entdeckten, daß vor dem Bug eine aufgetürmte Masse des Tangs lag, die das Schiff festhielt. Die Stengel waren viel dicker, als Luvia erwartet hatte. Einige waren gut und gern so stark wie das Handgelenk einer Frau.

Luvia kehrte auf die Brücke zurück und manövrierte das Schiff wieder in den Hauptkanal.

Der Gedanke, mehrere Tage lang vorsichtig von einer schmalen Lagune zur anderen zu fahren, gefiel ihm gar nicht. »Folgen wir dem westwärts führenden Kanal«, sagte er zu de Brissac. »Vielleicht erreichen wir durch ihn das offene Wasser.«

Über eine Stunde lang dampften sie in die Richtung, in die sie am frühen Morgen getrieben waren. Es schlug acht Glas, und Jansen gesellte sich zu ihnen, aber de Brissac ging nicht nach unten zum Frühstück. In ihm wuchs eine unbestimmte Unruhe. Nach und nach tauchte ein Mitglied der Freiwache nach dem anderen auf, sah auf die gleichförmige Oberfläche des Tangs hinab und stellte mit leiser Stimme Überlegungen an.

Kurz vor zehn kamen sie an eine Stelle, wo der Kanal durch eine Algen-Halbinsel gespalten wurde, und es galt, zwischen zwei Wasserwegen zu wählen. Luvia kam zu dem Schluß, die linke Abzweigung biete die besseren Aussichten. Sie schien direkt zu der offenen Wasserfläche zu führen, die er und de Brissac heute morgen in einiger Entfernung erspäht hatten. Sie lag nur noch vier Meilen backbord voraus.

Mit halber Kraft krochen sie darauf zu. Doch als sie zwei Drit-

Der große Mann an ihrer Seite war ahnungslos der Wahrheit schon viel zu nahe gekommen. Vicente *hatte* ein Anrecht auf sie. Es würde den scheußlichsten Ärger geben, wenn Luvia versuchte, ihn auszustechen. Synolda sagte sich, sie habe eine große Dummheit begangen. Aber es wäre gar zu auffällig, wenn sie Luvia jetzt plötzlich verließe.

Sie unterhielten sich noch eine halbe Stunde, aber der Zauber war gebrochen. Um halb elf ließ Luvia sie über eine Leiter unter dem Brückendeck hinabsteigen. So brauchte sie nicht am Eingang zum Salon vorbeizugehen, wo Vicente immer noch saß und auf sie wartete. Der Gang vor ihrer Kabine war leer. Deshalb gab Luvia ihr einen Gutenachtkuß, und sie erwiderte ihn.

Sobald sie in ihrer Kabine war, kam die Reaktion. Sie war sicher, daß Vicente furchtbar wütend war. Sie mußte ihn unbedingt so bald wie möglich besänftigen. Nur heute abend nicht mehr!

Als Vorsichtsmaßnahme schloß sie ihre Tür ab.

Am folgenden Morgen war es ziemlich klar. Nur der Horizont war immer noch nebelverhangen. Um sechs stand Luvia mit de Brissac auf der Brücke und studierte die Umgebung durch das Fernglas.

Der Seetang war dicker geworden. Jetzt sah er nicht mehr aus wie einzelne Inseln, sondern wie eine Küstenregion, die von gewundenen schmalen Wasserläufen durchzogen war. Einen davon trieb die *Gafelborg* hinunter, jetzt beinahe genau mit dem Heck voran.

»Ich werde südwestlichen Kurs nehmen«, entschied Luvia. »Nach Norden und nach Osten gibt es kein Anzeichen einer Unterbrechung der algenbedeckten Fläche. Aber wenn wir einmal diese Bank auf Steuerbord durchbrochen haben, kommen wir in eine breitere Wasserstraße, und soweit ich es von hier aus sehen kann, muß sie uns in das am wenigsten zugewachsene Gebiet führen.«

Er gab Bremer, der am Steuerrad war, genaue Instruktionen, legte seine Hand auf den Maschinentelegraphen und drehte ihn auf »Langsame Fahrt voraus«. Er läutete zum erstenmal seit elf Tagen.

Die Schrauben der *Gafelborg* begannen das Wasser zu peit-

schen. Langsam bewegte sie sich vorwärts, bis ihr Bug tief in dem gegenüberliegenden Tangstreifen steckte. Wieder läutete der Telegraf, und sie zog sich daraus zurück. Das Manöver wurde wiederholt, bis Luvia das Schiff gewendet hatte. Es wies nun mit dem Bug nach Südwesten und hatte zweihundert Meter offenes Wasser vor sich. Luvia drehte den Telegraf auf »Volle Kraft voraus«.

Unmerklich stieß das Schiff in schrägem Winkel gegen den Tang. Hundert Meter pflügte es hindurch, ohne daß eine Minderung der Geschwindigkeit festzustellen gewesen wäre. Dann wurde es allmählich langsamer. Nach weniger als einer Viertelmeile stand es still, obwohl die Maschinen immer noch mit voller Kraft liefen.

Luvia fluchte, läutete »Stop« und ging nach vorn. De Brissac begleitete ihn. Sie entdeckten, daß vor dem Bug eine aufgetürmte Masse des Tangs lag, die das Schiff festhielt. Die Stengel waren viel dicker, als Luvia erwartet hatte. Einige waren gut und gern so stark wie das Handgelenk einer Frau.

Luvia kehrte auf die Brücke zurück und manövrierte das Schiff wieder in den Hauptkanal.

Der Gedanke, mehrere Tage lang vorsichtig von einer schmalen Lagune zur anderen zu fahren, gefiel ihm gar nicht. »Folgen wir dem westwärts führenden Kanal«, sagte er zu de Brissac. »Vielleicht erreichen wir durch ihn das offene Wasser.«

Über eine Stunde lang dampften sie in die Richtung, in die sie am frühen Morgen getrieben waren. Es schlug acht Glas, und Jansen gesellte sich zu ihnen, aber de Brissac ging nicht nach unten zum Frühstück. In ihm wuchs eine unbestimmte Unruhe. Nach und nach tauchte ein Mitglied der Freiwache nach dem anderen auf, sah auf die gleichförmige Oberfläche des Tangs hinab und stellte mit leiser Stimme Überlegungen an.

Kurz vor zehn kamen sie an eine Stelle, wo der Kanal durch eine Algen-Halbinsel gespalten wurde, und es galt, zwischen zwei Wasserwegen zu wählen. Luvia kam zu dem Schluß, die linke Abzweigung biete die besseren Aussichten. Sie schien direkt zu der offenen Wasserfläche zu führen, die er und de Brissac heute morgen in einiger Entfernung erspäht hatten. Sie lag nur noch vier Meilen backbord voraus.

Mit halber Kraft krochen sie darauf zu. Doch als sie zwei Drit-

auch nehmen. Diese Nacht wird für einige Zeit die letzte sein, die ich durchschlafen kann.«

»Kommen Sie für einen Augenblick mit an die frische Luft, bevor Sie sich niederlegen«, schlug sie vor.

Sofort stand er auf. »Gute Idee.«

Seite an Seite gingen sie auf das leere Vorschiff zu. Die Leiter war mit allen anderen Einrichtungsgegenständen abgerissen worden, aber er stellte seinen Fuß auf einen herausragenden Bolzen, faßte die Kante des darüberliegenden Decks und schwang sich hinauf.

»Geben Sie mir Ihre Hände«, lachte er. »Und jetzt – einen Fuß auf den Bolzen, und gleich sind Sie oben.«

Es schien kaum möglich zu sein, denn er konnte, wenn er sich vorbeugte, gerade eben ihre Fingerspitzen berühren. Aber als sie sprang, faßte er ihre Handgelenke und zog sie hoch. In der nächsten Sekunde hatte er eine Hand um ihre Taille gelegt, und sie fand sich an ihn gedrückt, ihr Gesicht auf gleicher Höhe mit seinem. Ihre Beine baumelten herab. Insinktiv schlang sie ihren freien Arm um seinen Hals, um nicht zu fallen. Als sein goldener Bart ihre Haut berührte, durchrieselte es sie. Er küßte sie.

»Oh!« keuchte sie. »Oh, das dürfen Sie nicht tun!«

Wieder lachte er. »Warum nicht? Sie haben mich doch nicht aufgefordert, mit Ihnen nach draußen zu kommen, um mit mir über Maschinenbau zu sprechen, oder?«

»Ich habe Sie nicht aufgefordert. Aber nun ziehen Sie mich endlich hoch, sonst falle ich.«

»Doch, das haben Sie.« Er nahm von ihrem Flehen keine Notiz. »Wenn Sie wollen, daß ich Sie nach oben ziehe, sollten Sie es lieber eingestehen.«

»Werde ich nicht. Habe ich nicht. Gut, wenn Sie darauf bestehen – aber ich wollte doch nur mit Ihnen reden!«

»Warum?«

»Weil Sie mir gefallen.«

»Braves Mädchen«, grinste er. »So ist's schon besser.« Er zog sie hoch und setzte sie neben sich.

Eine lange Zeit blieben sie so sitzen, die Beine herabbaumelnd, die Arme einander um die Taille gelegt. Sie erzählte ihm eine Menge über ihre Mädchenzeit in Südafrika, ein bißchen über ihre beiden Ehemänner und praktisch nichts über ihr Leben in

Caracas. Das war ein schwarzes Kapitel in ihrem Leben, und sie wünschte sich, er möge eine gute Meinung von ihr haben. Aber sie wußte, früher oder später würde er von der Geschichte mit Vicente Vedras erfahren, und das war längst nicht das Schlimmste.

Er bemerkte kaum, daß sie etwas ausließ, weil er selbst so viel redete. Sie war eine gute Zuhörerin, und so sprach er von Dingen, die er so gut wie nie erzählte: Von Finnland im Frühling, wenn Blätter und Blumen über Nacht zum Leben erwachten, von den Tausenden von Seen, von der alten Stadt Viipuri und seiner Mutter, die dort lebte. Er versuchte nicht wieder, sie zu küssen. Es war, als habe dieser eine Kuß ihre Freundschaft besiegelt. Er berichtete von seinen beruflichen Plänen und seiner Hoffnung, die Bergung der *Gafelborg* werde ihm eine Prämie und eine Beförderung eintragen.

Vielleicht hätten sie bis in die frühen Morgen da gesessen, wenn nicht unter ihnen Fußtritte aufgeklungen wären.

»Hallo«, sagte Vicente Vedras.

»Hallo«, rief Luvia fröhlich zurück. »Sie wünschen?«

»Ich dachte, die Señora würde vielleicht gern erfahren, daß es beinahe zehn Uhr ist. Die Señora braucht ihren Schlaf, denn sie tut den ganzen Tag Arbeit, an die sie nicht gewöhnt ist.«

Luvia runzelte die Stirn. »Ich denke, Sie sollten lieber an ihren eigenen Schlaf denken, denn um Mitternacht haben Sie bereits wieder Dienst.«

»Das weiß ich. Aber ich brauche wenig Schlaf, und ich möchte gern ein paar Minuten mit der Señora sprechen, bevor sie sich zurückzieht.«

»Tut mir leid, das geht nicht. Sie sehen selbst, daß sie beschäftigt ist. Gute Nacht.«

»Wie die Señora wünscht. Gute Nacht, denn.« Der Venezolaner verbeugte sich höflich vor beiden, drehte sich um und stolzierte davon. Innerlich schäumte er vor Wut.

»Dieser Bursche hat ständig Ihre ganze Zeit in Anspruch genommen«, meinte Luvia, als Vicente außer Sicht war. »Er benimmt sich, als hätte er irgendein Anrecht auf Sie. Nun, von heute abend an wird er Sie nicht mehr allzu häufig mit Beschlag belegen können; dafür werde ich sorgen.«

Synolda lachte, aber es war ihr gar nicht nach Lachen zumute.

tel der Strecke zurückgelegt hatten, wurde der Kanal plötzlich enger. Eine halbe Meile weiter schloß er sich ganz.

Der Anblick des freien Wassers, das nur mit einzelnen Inseln von Seetang gesprenkelt war, veranlaßte Luvia, einen neuen Versuch zu machen, die Durchfahrt zu erzwingen. Da, wo der Kanal hätte weiterführen sollen, schienen die Pflanzen weniger dicht zu sein als anderswo. Deshalb zwängte er den Bug der *Gafelborg* hinein.

Fünfhundert Meter kam sie voran, und dann wurde sie wieder langsamer. Noch zweihundert Meter, und sie saß fest. Luvia setzte das Schiff ein wenig zurück, um den Bug von dem angehäuften Tang zu befreien, und versuchte es noch einmal. Doch jetzt, wo sie sich mittendrin befanden, wurde das Schiff beinahe sofort festgehalten. Wieder und wieder ließ er es vorwärts fahren, erst in dem einen Winkel und dann in einem anderen. Aber jedesmal wurde das Schiff von den Tangmassen, die es vor sich herschob, zum Stillstand gebracht, bis sich ein nasser, grüner, glitzernder Grat geformt hatte, der so fest war wie eine sechs Meter dicke Steinmauer. Viel Zeit war darüber verlorengegangen, und es war lange nach Mittag, als Luvia gezwungen war aufzugeben.

Plötzlich entdeckten alle, daß sie schrecklichen Hunger hatten. Da es sinnlos war, eine Wache zurückzulassen, gingen sie gemeinsam in den Salon. Sie aßen in deprimiertem Schweigen, und sobald sie fertig waren, eilten sie wieder an Deck.

Den ganzen Vormittag über hatten sie sich so sehr bemüht voranzukommen, daß sie versäumt hatten, eine Wache an den Stern zu stellen. Als Luvia jetzt nach achtern ging, um Anweisungen zum Zurücksetzen in den Kanal zu geben, sah er, daß der Seetang sich unbemerkt hinter ihnen geschlossen hatte. Einen Augenblick starrte er düster auf die grüne Fläche. Dann überkam ihn ein Gefühl von Panik. Es konnte keine Einbildung sein. Die Hauptmassen des Tangs hatten sich verlagert, und der Kanal lag jetzt viel weiter weg als vorher.

Er eilte auf die Brücke. Nach einer Dreiviertelstunde ständigen Manövrierens hatte er das Schiff wieder gewendet, so daß der Bug auf den jetzt von ihnen weggerückten Kanal zeigte. Aber es erwies sich als unmöglich, den Weg, den sie gekommen waren, zurückzufahren.

Das freie Gebiet, das zu erreichen sie sich so verzweifelt bemüht hatten, lag nicht weiter als eine Viertelmeile von ihrem Stern entfernt. Aber die Haufen, die sie am Morgen aufgetürmt hatten, waren nun zurückgesackt. Sie hatten nicht mehr als zwei Schiffslängen Wasser um sich.

Den ganzen Nachmittag und frühen Abend hindurch machte Luvia neue Versuche. Der Tang gab unter Druck nach, brach jedoch nie. Es wurde dunkel. Das offene Wasser mit seinen Tanginseln schien weiter entfernt zu sein als beim ersten Durchbruchsversuch. Die unheimliche Stille des Tangkontinents schien sich zu verstärken. Als die Sonne unter dem Horizont versank, war kein Platz zum Manövrieren mehr da. Sie wußten, sie saßen in der Falle.

VIII

DAS SCHWIMMENDE GEFÄNGNIS

Am nächsten Morgen war die Sicht schlecht. Zwar war die unmittelbare Umgebung des Schiffes klar zu erkennen, aber die Ferne wurde von Nebelschwaden verschleiert.

Luvia, der zweimal im Laufe der Nacht an Deck gewesen war, berichtete beim Frühstück, sie bewegten sich immer noch. Die ganze Masse trieb südwärts.

»Wenn Wind aufkäme, würde der Tang sicher auseinandergerissen werden«, meinte Basil.

»Ich warte nicht auf Wind«, entgegnete Luvia. »Ich werde versuchen, mit dem Heck voran durchzubrechen. Die Schrauben werden dann einen Weg hineinschneiden, und wir vermeiden die Gefahr, daß der Tang sich am Bug zu einer Barriere auftürmt. Verstehen Sie?« Mit verzeihlichem Stolz blickte er ringsum.

»Großartig!« rief Synolda und klatschte in die Hände. Luvia sonnte sich einen Augenblick in ihrer Bewunderung. Doch Synolda bemerkte, daß Vicentes schwarze Augen mit steinernem Ausdruck auf sie gerichtet waren, und ihre Begeisterung ebbte schnell wieder ab.

»Das hört sich gut an«, stimmte Basil zu. »Wenn Sie dabei nur nicht die Schrauben zerbrechen.«

»Was! Meine Schrauben sollen in diesem Brei zerbrechen?«
lachte Luvia. »Ausgeschlossen! Sie werden ihn in Fetzen
schneiden. Kommen Sie, fangen wir an.«

Sie stürzten ihren Kaffee hinunter und folgten ihm auf die
Brücke. Der Kanal, auf dem sie so tief in die Tangmassen hinein-
gefahren waren, hatte sich völlig geschlossen. Luvia gab seine
Befehle und schickte Basil an die Steuerbordseite der Stern-Re-
ling, während er auf Backbord den gleichen Platz einnahm. Er
winkte mit dem Arm. De Brissac gab das Signal von der Brücke
her zurück. Das Schiff begann, sich langsam zu bewegen.

Zehn Minuten lang ging alles gut. Die Schrauben zerfetzten
den Tang. Doch dann sah Basil, daß die Steuerbordschraube
plötzlich aufhörte, sich zu drehen. Er hob den Arm, und Jansen,
der auf seiner Seite der Brücke stand, stellte die Maschinen ab.

Luvia schickte Vicente, Largertöf und Isiah im Boot weg. Sie
sollten die dicken Stengel loshacken, die sich um die Schraube
wanden.

Als sie dies zum zweitenmal tun mußten, rief Vicente: »Die
hier sind dicker als vorhin!« Sie sahen, daß sich ein wahrer
Baumstamm, so dick wie der Oberschenkel eines Mannes, um
die Schraube gewickelt hatte. Mit Äxten war dagegen wenig
auszurichten. Er war zäh wie Gummi und schien einen festen,
sehnigen Kern zu besitzen.

Plötzlich schoß ein langer brauner, schleimiger Tentakel aus
dem Tang und über das Dollbord des Bootes. Luvia sah, daß er
wie eine Schlange blind suchend umherfuhr und brüllte eine
Warnung. Im nächsten Augenblick faßte der Tentakel Isiah um
die Mitte.

Auf Luvias Ruf hin hatten die Männer im Boot nach oben statt
nach unten geblickt, und ihre Rücken waren dem Oktopus zugewandt. Isiah war gefangen, noch ehe er die Gefahr bemerkt
hatte. Die anderen fuhren herum.

Sobald es seine Beute fühlte, begann das Seeungeheuer, sich
heftig zu bewegen. Der Tang wurde nach allen Richtungen hin
erschüttert. Ein zweiter glitzernder Arm tauchte auf, noch einer
und noch einer. In weniger als einer Minute schlängelten sie sich
hier und da und überall. Als sich der Krake aus dem Wasser erhob, wurde seine gewaltige Größe offenbar. Jeder Arm glich einer voll ausgewachsenen Pythonschlange, und auf der Innen-

seite hatte er eine Reihe von untertassengroßen Saugnäpfen.

»Es ist ein Tintenfisch«, schrie Luvia, »ein großer Tintenfisch. Ich hole die Gewehre. Etwas anderes hat gar keinen Zweck.« Er stürzte zum Waffenschrank, zu dem er den Schlüssel hatte.

Isiah schrie, halb wahnsinnig vor Entsetzen, und klammerte sich mit seiner ganzen Kraft an eine Ruderbank. Der junge Largertöf hob seine Axt, aber in seiner Panik berechnete er den Schlag nicht richtig und traf nicht nur den Fühler, sondern auch Isiahs Rippen.

Vicente zog eine Automatik aus der Tasche, die er, als sie das Schiff verließen, in seiner Kabine gelassen hatte. Er verschoß den ganzen Magazininhalt in einen Tentakel, der nach ihm faßte.

Das Boot schaukelte heftig. Der Oktopus hatte einen Fühler um den Bug gelegt und einen anderen um eine Ruderbank gewickelt. Er war so stark, daß er das schwere Ruderboot hätte umwerfen können, wenn dies seine Absicht gewesen wäre.

Basil stand hilflos oben auf dem Deck. Eine Sekunde war er wie gelähmt vor Schrecken. Dann ergriff er ein Tau und warf es hinunter. Es traf Largertöf auf den Kopf. Er taumelte zurück und fing es auf.

»Binden Sie es an eine Ruderbank«, brüllte Basil. Er wußte, es war keine Zeit mehr, jeden Mann einzeln hochzuziehen.

In diesem Augenblick kenterte das Boot beinahe. Das Gesicht der Bestie erschien über dem Dollbord. Zwei riesige seelenlose Augen, so groß wie Suppenteller, starrten auf das Schiff. Zwischen ihnen lag ein böser weißer Papageienschnabel.

Isiah klammerte sich immer noch an die Ruderbank. Blut tropfte an seiner Seite herab. Er stöhnte unaufhörlich. Der verwundete Tentakel, der ihn gefaßt hatte, schien nur noch wenig Kraft zu besitzen. Aber Isiah war nicht mehr fähig, sich selbst zu befreien.

Da schlug sich ein zweiter lederiger Arm um seinen Hals. Er wurde in die Höhe gerissen. Seine Augen schienen ihm aus dem grauen Gesicht zu quellen, seine Beine wedelten in grotesk anmutender Weise. Vicente stürzte vor und wollte eins packen, aber es war zu spät. Eine Sekunde lang baumelte Isiah vom Ende des Tentakels herab wie ein Gehängter, dann zog sich der Fühler zurück, und der Unglückliche versank mit lautem Klatschen im Tang.

Basil gelang es, das Tau zweimal um die nächste Winde zu wickeln. Er sah, daß Largertöf das andere Ende festgebunden hatte. »Festhalten!« rief Basil. »Ich ziehe das Boot hoch.«

Luvia und de Brissac kamen gerannt. Jeder hielt eine Winchester in den Händen. Sie sahen Largertöf im Heck des Bootes vor einem Tentakel zurückweichen. Vicente hatte sich mit den Armen an die eine und mit den verschlungenen Beinen an eine andere Ruderbank angeklammert, und ein Fühler des Ungeheuers schlängelte sich an seinem Körper entlang.

»Ein Teufelsfisch«, keuchte de Brissac. »Zielen Sie auf seine Augen! Das ist die einzige Stelle, an der er verwundbar ist.«

Luvias Winchester krachte. Die Kugel sprang von dem Schnabel des Kraken ab und pfiff davon.

Die Winde rasselte, das Tau wurde straffgezogen. Es schien reißen zu wollen, doch dann hob sich das Heck des Bootes plötzlich mit einem schmatzenden Geräusch aus dem Wasser. Der Bug tauchte unter die Oberfläche. Immer steiler stellte sich das Boot, aber der große Tintenfisch hielt fest und wurde mit hinaufgezogen. Einer seiner Fühler, neun Meter lang, schlängelte sich durch die Reling und wand sich auf Luvia zu.

Er sprang zur Seite, gerade als de Brissac feuerte. Der Franzose hatte sorgfältig gezielt und traf. Ein Strom schwärzlich-roter Flüssigkeit sprang aus dem linken Auge des Ungeheuers. Es erzitterte wie eine riesige Geleemasse. Der Tentakel, der nach Luvia gesucht hatte, schlang sich um de Brissacs Bein. Doch er verlor die Nerven nicht. Wieder und wieder schoß er auf die Augen des Monstrums. Nach und nach lockerte sich sein Griff. Die Tentakel peitschten wild durch die Luft. Und dann fiel es unter gewaltigem Aufspritzen zurück ins Meer.

Largertöf und Vicente waren mehr tot als lebendig, als man ihnen an Bord half und sie in ihre Kabinen trug.

Die Schraube hatten sie nicht freibekommen, und offensichtlich war die Gefahr zu groß, als daß man eine zweite Mannschaft damit hätte beauftragen können. Nach dem vielversprechenden Beginn saßen sie jetzt wieder fest, und zwar, wie es den Anschein hatte, endgültig.

In düsterer Stimmung setzte man sich zum Lunch. Jetzt gab es keine andere Hoffnung mehr, als daß ein Sturm den Seetang auseinanderriß. Das Schiff trieb immer noch und änderte von Zeit zu Zeit ein wenig die Richtung. Luvia vermutete, es sei immerhin möglich, daß es von selbst in ein weniger zugewachsenes Gebiet getragen werde.

Basil forderte Unity zu einem Tischtennisspiel auf. Nachdem er sie dreimal geschlagen hatte, rief sie: »Erinnern Sie sich noch an den ersten Nachmittag auf See, als wir zusammen spielten, bevor Vater so böse auf Sie wurde? Sie haben sich seitdem ungemein verbessert!«

»Glauben Sie?«

»Aber sicher. Wir sind alle ein gutes Teil dünner geworden, aber Sie sehen wie ein ganz anderer Mensch aus. Viel gesünder.«

»Danke.« Er lächelte. »Das sind nur die äußeren Zeichen dafür, daß ich mich innerlich gebessert habe. Haben Sie nichts gemerkt?«

»Nun ja, mir ist aufgefallen, daß Sie das Trinken aufgegeben haben.«

»Und wissen Sie, warum?«

»Weil Sie auch Ihren Anteil an der Arbeit leisten müssen und wissen, daß Sie ohne Alkohol fitter sind.«

»Herr im Himmel, nein! Ich würde den guten Juhani eher zum Teufel schicken, als aus diesem Grund mit dem Trinken aufhören.«

»Welchen Grund hatten Sie dann?« Unity wandte ihren Blick ab, weil sie die Antwort bereits erriet.

»Natürlich weil ich hoffte, Ihre Zufriedenheit zu erringen.«

»Wirklich?«

»Ja, wirklich. Und sind Sie zufrieden mit mir?«

»Das versteht sich. So gefallen Sie mir viel besser.«

»Und Sie mir auch. Sie sind viel fröhlicher als früher. Wissen Sie was? Mir würde es gar nichts ausmachen, wenn wir eine ganze Zeit hier festsitzen würden.«

»Mir schon.« Unity erschauerte. »Es ist ein so unheimliches Gefühl. Diese Stille, und meilenweit nichts als Seetang mit Gott weiß was für entsetzlichen Ungetümen darin. Denken Sie doch an den armen Kerl, der heute morgen ums Leben gekommen ist.«

»Ja, das war ein fürchterlicher Tod«, stimmte Basil zu.

»Ich gäbe viel darum, wieder sicher in einer zivilisierten Stadt zu sein«, erklärte Unity.

»Hm«, murmelte Basil nachdenklich. »Ich kann nicht sagen, daß mir dieser Ort hier besonders gut gefällt, aber ich wünsche mich auch nicht so wie Sie an einen bestimmten anderen. Natürlich möchten Sie gern so schnell wie möglich nach Hause zu Ihrer Familie und Ihren Freunden kommen.«

»Jetzt, wo Vater tot ist, habe ich keine Familie mehr«, antwortete Unity. »Ich erzählte Ihnen schon, daß meine Mutter bereits seit Jahren nicht mehr lebt. Freunde habe ich eigentlich auch nicht. Unser Heim war nicht von der Art, daß ein Mädchen gern jemanden dorthin einlädt.«

»Jedenfalls werden Sie nun unabhängig sein.«

»Ja, ich freue mich darauf, mein eigener Herr zu sein, und finanziell werde ich mein Auskommen haben.«

»Gott, haben Sie ein Glück!« platzte er heraus. »Ich würde alles darum geben, jetzt nach England heimkehren und mir eine vernünftige Arbeit suchen zu können. Es ist gräßlich, von den Geldzuwendungen anderer leben zu müssen. Ich muß für meine jugendlichen Torheiten wahrlich bezahlen.«

Unity zog sich einen Stuhl heran. »Ich weiß nicht, warum wir stehen müssen. Kommen Sie, setzen Sie sich und erzählen Sie es mir. Dies ist die erste Gelegenheit, daß ich Ihnen eine Frage nach Ihrem eigenen Leben stellen kann. Sie sind noch jung, Sie sind intelligent und sehen gut aus. Was in aller Welt hat Sie zum Trinken getrieben? Ein Mädchen?«

Basil setzte sich neben sie und streckte seine Beine aus. »Nein, es steckt keine romantische Geschichte dahinter, sondern nur meine eigene verdammte Dummheit. Ich weiß, es wird Ihnen nicht gefallen, was Sie zu hören bekommen werden. Aber andererseits sind Sie viel zu anständig, um mich allein nach meiner Vergangenheit zu beurteilen.«

Keiner von beiden merkte, wie die Zeit verging. Basil erzählte, daß er sein Erbe verschleudert habe und beinahe ins Gefängnis gekommen sei und seitdem als Weltenbummler ein nutzloses Leben führe.

Plötzlich wurden sie durch einen Ruf aufgeschreckt. Luvia hielt volle Wachen nicht mehr für notwendig, aber einer der

Männer mußte ständig auf der Brücke Ausschau halten. Gerade hatte Hansie Dienst. Auf seinen Ruf eilte Luvia herbei.

»Himmel, die Sonne geht gleich unter!« rief Basil. »Wir haben unsern Tee völlig vergessen.«

»Arme Synolda«, meinte Unity. »Sie hat die ganze Schmutzarbeit allein machen müssen. Aber weshalb mag Hansie gerufen haben?«

Schnell liefen sie zur Brücke. Luvia, Hansie und de Brissac standen zusammen. Hansie zeigte aufgeregt, die beiden anderen sahen durch ihre Ferngläser.

»Ich kann es nicht erkennen«, murmelte Luvia.

»Was denn? Was denn?«

»Irgend etwas bewegt sich auf dem Tang.«

»Wo? Ach ja, ich sehe es. Dieser kleine schwarze Punkt«, nickte Basil.

»Ich möchte sagen, es ist eine Art Vogel«, bemerkte Luvia eine Weile später.

»Nein, ein Vogel kann es nicht sein«, widersprach de Brissac. »Es hat einen großen schwarzen Körper – ganz rund. Davon gehen vier spindeldürre Beine aus, und jedes hat einen schwarzen Klumpen an seinem Ende. Es sind weder Füße noch Klauen. Sehen Sie – es hüpft über den Tang wie ein riesiger Floh –, und doch bewegt es sich ziemlich langsam. Es kommt näher.«

Bald konnten auch diejenigen, die kein Fernglas hatten, ein seltsames Geschöpf erkennen. Luvia und de Brissac machten Einzelheiten aus. Der Körper trug einen runden Kopf, der so groß wie ein kleines Automobil war. Die beiden Vorderbeine waren ganz gerade. Das Geschöpf lief auf allen vieren über den Tang. Wie eine Giraffe setzte es die Hinterbeine vor die Vorderbeine. Dann sprang es wohl fünf Meter hoch in die Luft, glitt langsam hinab und wiederholte die Bewegung. So etwas hatte noch keiner von ihnen je gesehen, und sie konnten sich nicht einig werden, ob es ein Vogel, ein Säugetier oder eine gigantische, unbekannte Insektenart war.

Es war noch fast eine Meile entfernt, als de Brissac rief: »Da! Es wird von einem Teufelsfisch angegriffen!«

Ein Tentakel schoß aus dem Tang heraus und wickelte sich um eins der Spinnenbeine. Ein paar Sekunden lang schlug das Wesen mit den anderen drei Beinen heftig auf den Oktopus ein.

Doch dann brach es zusammen. Im nächsten Augenblick war es in die Tiefe gezogen. Im Licht der untergehenden Sonne lag die mit Tang bedeckte Oberfläche wieder leer da, als sei nichts geschehen.

Während des ganzen Dinners wurde über dieses seltsame Ereignis gesprochen.

Vicente, der bei seinem Zusammenstoß mit dem Oktopus Quetschungen davongetragen hatte, erschien nicht, was Synolda sehr freute. Auch an diesem Abend saß sie lange Zeit mit Luvia auf der Kante des Decks. Als sie ihm vor ihrer Kabine gute Nacht sagte, umarmte sie ihn mit solcher Wärme, daß der große blonde Finne ganz benommen, aber glücklich davonging.

Kurz vor der Morgendämmerung wurde Luvia von Harlem-Joe geweckt. Der große Neger zitterte. »Boß, ich soll Bremer ablösen, aber er hat mich nicht gerufen; ich bin von selbst wach geworden. Ich dachte, vielleicht ist er eingeschlafen. Aber als ich auf die Brücke komme, war er nicht da.«

Luvia stellte bald fest, daß der Heizer recht hatte. Es wurde nach dem schwedischen Seemann gesucht und gerufen. Vergebens. Er schien sich in Luft aufgelöst zu haben.

Synolda berichtete, sie erinnere sich, jemanden aufschreien gehört zu haben, aber da sie halb im Schlaf war, hatte sie es für einen Traum gehalten. Sonst hatte niemand etwas vernommen.

Als man die Suche aufgab und alle anderen wieder unter Deck gingen, nahm de Brissac Luvia beim Arm und führte ihn auf die Backbordseite gerade unterhalb der Brücke. Er sagte nichts, er schaltete nur seine Taschenlampe ein und richtete sie auf eine bestimmte Stelle.

Luvia stand ganz still. Seine Hände fühlten sich kalt und feucht an. Es war ein einzelner Strang nassen, leuchtendgrünen Seetangs, auf den de Brissac zeigte.

Bremer war verschwunden, und beide Männer wußten, daß irgendein Ungeheuer in der Dunkelheit der Nacht aus dem Meer aufgetaucht war und ihn geholt hatte.

IX

DAS EINTREFFEN DES FLÜCHTLINGS

Der Morgen dämmerte herauf. In dem grauen Licht sahen de Brissac und Luvia sich an. Zwischen ihnen auf dem Deck lag der grüne Seetang, der eine so grauenhafte Geschichte erzählte.

Juhani schluckte. »Ich dachte immer, ich hätte gute Nerven, aber das hier entsetzt mich mehr als alles andere.«

Der Franzose nickte. »Es ist unheimlich. Schrecklich, sich vorzustellen, daß der arme Kerl hier vor einer Stunde oder so entlangging, und jetzt . . .« Statt den Satz zu beenden, verzog er sein Gesicht zu einer ausdrucksvollen Grimasse.

Luvia warf den Tang über Bord. »Armer Bremer. Er war ein verflucht guter Seemann. Am besten sprechen wir zu den anderen nicht darüber, damit keine Panik entsteht.«

»Ganz meiner Meinung. In Zukunft sollte jedoch niemals einer allein an Deck gehen – auch tagsüber nicht.« Die beiden Männer gingen in den Salon, wo Unity und Synolda den Morgenkaffee servierten.

Das warme Getränk munterte sie wieder ein bißchen auf. De Brissac setzte allen Spekulationen über Bremers Verschwinden ein Ende, indem er erklärte: »Ich kann mir recht gut vorstellen, was geschehen ist. Bei uns allen sind die Nerven bis zum Zerreißen gespannt. Diese gräßliche Stille genügt schon, um einen wahnsinnig zu machen. Der arme Bremer muß in einem Anfall von Depression beschlossen haben, dem allen ein Ende zu bereiten und über Bord zu springen.«

Das hörte sich plausibel an.

Nach dem Frühstück gingen sie alle auf Deck. Der Nebel hatte sich gehoben; ein schöner Tag kündigte sich an. Synolda trat als erste durch die Tür, und im gleichen Augenblick faßte sie Luvias Arm und rief: »Da! Da! Land!!«

Auch die anderen sahen es. Sie rannten an die Reling und blickten angestrengt über das tangbedeckte Wasser hin.

Jetzt, wo der Nebel sich verzogen hatte, war das Land deutlich zu erkennen. Am Horizont hoben sich zwei niedrige, unregelmäßig geformte Erhebungen von gräulicher Farbe ab. Luvia schätzte, daß die südwestlich gelegene Insel sieben Meilen und die größere im Süden etwa fünf Meilen von ihnen entfernt war. Zwischen ihnen war ein drei Meilen breitert Kanal dicht mit Tang bedeckt.

De Brissac eilte zurück in den Salon, um sein Fernglas zu holen. Luvia rannte auf die Brücke. Alles drängte sich um sie, um zu hören, was sie erblickten.

»Keine Bäume«, murmelte de Brissac, »und eine steile Felsenküste. Sieht leider gar nicht einladend aus. Die nähere Insel scheint ziemlich groß zu sein, und wenn das keine Wolke ist, steigt der Boden ein paar Meilen landeinwärts an.«

»Ja«, stimmte Luvia zu, »es könnte ein Berg mit flachem Gipfel sein. Auf beiden Inseln gibt es kein Zeichen, daß sie bewohnt sind. Nichts als ein schlammiger Strand und dann Felsen – nicht einmal ein Dornbusch, soviel ich sehen kann.«

»Das ist ein bißchen enttäuschend«, meinte de Brissac. »Aber wir wollen nicht gleich den Mut verlieren. Viele Küsten sind unfruchtbar und haben doch im Inland bewohnbare Gebiete. Das Klima hier ist gar nicht schlecht. Wenn wir nur an Land kommen können, mögen wir durchaus eine Chance haben, wilde Obstbäume, Vögel und Wild zu finden, selbst wenn dort keine Menschen leben sollten.«

Unity lachte unsicher. »Das mag sein, aber wie kommen wir an Land?«

»Wir treiben immer noch«, bemerkte Luvia, »und zwar auf diese Inseln zu. Wenn wir nicht genau zwischen ihnen hindurchfahren, werden wir schon eine Möglichkeit finden. Ich steige einmal ins Krähennest hinauf.«

Er war ungefähr zwanzig Minuten fort, und als er zurückkehrte, wußte er zu berichten: »Es gibt noch eine dritte Insel, die westlich von der weiter entfernten liegt. Sie ist nur ein paar hundert Meter lang, völlig kahl und dazu so niedrig, daß sie sich an ihrem höchsten Punkt kaum sechs Meter über den Tang erhebt. Ich konnte auf der größten Insel etwa eine halbe Meile landeinwärts Bäume erkennen.«

»Seht mal zu der anderen hinüber«, fiel de Brissac schnell ein. »An der Küste bewegt sich irgend etwas.«

Alle strengten ihre Augen an. »Ja!« rief Luvia. »An der Spitze, die der anderen Insel am nächsten ist – winzige schwarze Flekken, die auf dem Tang auf und ab tanzen.«

»Vielleicht sind das mehr von den Kreaturen, wie wir gestern eine gesehen haben«, vermutete Synolda.

»Sie haben recht.« Luvia ließ sein Glas sinken. »Das ist ein ganzer Schwarm von ihnen, und es sieht so aus, als wollten sie den Kanal in Richtung der uns näher gelegenen Insel überqueren.«

Eine halbe Stunde lang ging das Fernglas auf der Brücke von Hand zu Hand. Als sich die merkwürdigen Geschöpfe der Insel näherten, waren sie besser zu erkennen. De Brissac schätzte ihre Anzahl auf über hundert. Drei der Tiere sprangen im gleichen Rhythmus an der Spitze, der Rest folgte in einem unregelmäßigen Haufen.

Eine Viertelstunde später hatte der Schwarm die näher gelegene Insel beinahe erreicht, und man konnte mit bloßem Auge einzelne Wesen erkennen.

Unter den drei Anführern schien eine Art Handgemenge stattzufinden. Ihre Stelzenbeine verhakten sich ineinander. Der eine links knickte ein und fiel in den Tang. Der in der Mitte löste sich von dem anderen, machte eine scharfe Schwenkung und hüpfte in nördlicher Richtung auf das Schiff zu. Der dritte sprang um seinen gefallenen Kameraden herum und bemühte sich, ihn aus dem Tang zu retten.

Der Schwarm war noch ein ganzes Stück entfernt, aber der Wind, der von der Insel herkam, trug schwache Schreie mit sich, als sich alle Kreaturen parallel zur Küstenlinie formierten und dem ersten in Richtung der *Gafelborg* folgten.

»Wir sollten lieber die Waffen bereithalten«, bemerkte de Brissac.

Die gestern benutzten beiden Winchester waren zur Hand. Luvia eilte mit Largertöf und Basil an den Waffenschrank und holte die vier weiteren Büchsen, die sie an Bord hatten, sowie einen reichlichen Vorrat an Munition.

De Brissac, Vicente und Luvia hatten Pistolen, so daß auf die elf Männer neun Feuerwaffen kamen. Unter anderen Umständen hätte Luvia es sich überlegt, ob er Harlem-Joe ein Gewehr geben dürfe, aber in diesem Augenblick, wo mehr als hundert wahrscheinlich feindlich gesinnte Geschöpfe auf sie zurasten, mußte er es darauf ankommen lassen. Nur Corncob und Nudäa blieben ohne Waffen.

De Brissac als Militär übernahm den Befehl, und Luvia erlaubte es ihm gern. Die beiden Mädchen sollten in ihre Kabinen gehen und sich einschließen, aber sie weigerten sich. Als Unity das Argument vorbrachte, wenn man ihnen nur zeigte, wie eine Winchester zu laden sei, könnten sie sich nützlich machen, stimmten alle ihrem Dableiben zu.

Sobald de Brissac seine Leute aufgestellt hatte – Nudäa, Corncob, Unity und Synolda standen einsatzbereit dahinter –, hatten die seltsamen Geschöpfe ungefähr die Hälfte der Entfernung zwischen der Insel und dem Schiff zurückgelegt. Das erste hatte wohl hundert Meter Vorsprung. Es war ein erstaunlicher Anblick, wie sie mit ihren Klumpfüßen über den Tang hüpften und sich jedesmal wie riesenhafte Flöhe in die Luft erhoben. Ihre Körper waren jetzt deutlich zu erkennen. Der Anführer schien einen weißen Fleck auf dem Kopf zu haben, aber die anderen hatten keinerlei Markierung. Ihre Farbe war ein schwärzliches Grau. Sie waren bis auf eine Meile an das Schiff herangekommen, als de Brissac plötzlich ausrief:

»*Mon Dieu!* Ich glaube, das sind Menschen!«

»Was, zum Teufel . . .« entfuhr es Basil.

»Ja, ja«, fuhr der Franzose aufgeregt fort, »ich bin ganz sicher. Was wir als Köpfe angesehen haben, sind gar keine Köpfe – es sind große Ballons, die sie auf den Rücken gebunden haben. Und die runden Füße, das sind auch Ballons. Die Hinterbeine sind ihre eigenen Beine auf Stelzen, und die Vorderbeine sind ihre Arme. In den Händen halten sie Dinger, die ähnlich wie Skistöcke sind.«

»Heiliger Michael! Sie haben recht.« Luvia reichte sein Glas an Basil weiter. »Es sind menschliche Wesen. Die Ballons müssen mit Gas gefüllt sein. Mit ihrer Hilfe können sie über diesen höllischen Tang hüpfen.«

»So ist es, so ist es«, bestätigte Basil. »Wie merkwürdig . . . Dem menschlichen Erfindergeist sind doch wirklich keine Schranken gesetzt. Offenbar sind das die Bewohner der Inseln. Sie können weder durch Schwimmen noch mit Booten von der einen zur anderen gelangen, weil sie sonst von den Kraken erwischt würden. Deshalb füllen sie Ballons mit irgendeinem natürlichen Gas und gleiten über den Tang hin.«

»Ballonspringen macht Spaß«, warf Synolda ein. »Haben Sie

es schon einmal versucht? Ich ja. Man bekommt einen gasgefüllten Behälter auf den Rücken geschnallt, der einen beinahe trägt. Da braucht man sich nur mit einem Fuß abzustoßen, und schon segelt man drei Meter in die Luft. Am schönsten ist es, wenn man oben auf einem Hügel anfängt. Dann kann man zweihundert Meter abwärts gleiten, bevor man wieder den Boden berührt.«

Inzwischen waren die Ballonspringer um eine weitere halbe Meile näher gekommen.

»*Sacré nom*«, murmelte de Brissac. »Vornean ist ein Weißer. Sehen Sie sich sein Gesicht und seine Arme an. Die anderen sind alles Schwarze.«

»Eine weiße *Frau*«, korrigierte Unity, die gerade Luvias Fernglas benutzte. »Sie hat langes Haar und trägt eine Art von kurzem Rock, der ihr nur bis zu den Knien reicht. Die Neger sind Männer.«

»Wissen Sie, was ich vermute?« fragte Basil. »Sie wollen uns nicht angreifen, sondern sie verfolgen das Mädchen. Sie versucht, ihnen zu entkommen. Denken Sie daran, wie sie sich von den anderen beiden losriß, als sie der Insel nahe kamen.«

»Ja«, setzte de Brissac hinzu, »ich kann erkennen, daß ihr Gesicht vor Angst verzerrt ist. Sie sieht ständig über die Schulter zurück. Sie verliert ihren Vorsprung! Jetzt beträgt er kaum mehr zwanzig Meter.«

»Hierher, hierher!« rief Synolda aufgeregt. Sie fuhr zu Luvia herum. »Tun Sie doch etwas, schnell! Warum schießen Sie nicht auf die Neger, die hinter ihr her sind?«

Luvia schüttelte den Kopf. »Warten wir eine Minute. Noch ist sie ihnen voraus. Sie soll nicht den Eindruck bekommen, daß wir ihr feindlich gesonnen sind. Und es ist höchst unwahrscheinlich, daß sie unsere Sprache versteht.«

Unitys Augen waren weit aufgerissen. Sie umklammerte die Reling und stampfte ungeduldig mit dem Fuß. »Oh, das arme Ding! Sie ist klein – beinahe noch ein Kind –, und hübsch ist sie.«

Das Mädchen von der Insel war jetzt nicht mehr als hundert Meter von ihnen entfernt. Der nächste Verfolger hatte nur noch einen Abstand von zehn Metern. Weder Jäger noch Gejagte gaben einen Laut von sich. Sie mußten ihre Aufmerksamkeit voll auf die Vorwärtsbewegung mit Stelzen und Skistöcken konzentrieren.

De Brissac hob seine Winchester. »Ich werde dem Anführer einen Warnschuß durch seinen Ballon geben. Wenn das sie nicht aufhält, suchen Sie sich jeder einen Mann aus. Zielen Sie auf die Ballons. Wir wollen nicht sinnlos Leben vernichten.«

Sein Gewehr krachte. Es gab einen leisen Knall, als der Ballon über dem Kopf des Negers platzte. Fünfzig Schritte vor dem Schiff kamen die Verfolger zum Stehen. Nur das Mädchen setzte die Flucht fort. Mit einem letzten Sprung segelte sie in die Luft, schwang die Stöcke über die Reling und fiel mit dem Kopf voran auf das Deck.

Unity wollte von der Brücke hinuntereilen, um ihr zu helfen, aber de Brissac brüllte: »Bleiben Sie, wo Sie sind!« Unschlüssig verharrte sie auf ihrem Platz.

Die Schwarzen konnten nicht stehenbleiben, da die Ballons ihr Gewicht nicht ganz trugen. Im Augenblick kamen sie dem Schiff jedoch nicht näher. Sie sprangen auf dem Tang hin und her und boten einen sehr merkwürdigen Anblick.

Plötzlich riefen sie sich in einer fremden Sprache etwas zu, stellten sich in einer Linie auf und hüpften auf das Schiff zu.

»Feuer!« befahl de Brissac.

Ein Neger taumelte und fiel. Die anderen Kugeln gingen fehl oder trafen die Ballons, aber die Salve hielt den Angriff nicht auf.

Von neuem krachte Gewehr- und Pistolenfeuer. Ein halbes Dutzend der Neger fiel in den Tang, aber mindestens fünfzig hatten das Schiff erreicht. Sie klammerten sich an die Reling und banden die Stricke los, mit denen sie die Stelzen an ihren Füßen befestigt hatten. Alle waren sie nackt bis auf ein Lendentuch und einen Gürtel, in dem sie primitive, aber häßliche Waffen trugen: Stachelkeulen, lange Messer, Assegais und das eine oder andere altmodische Schwert. Mit schrillem Kriegsgeheul schwärmten die Wilden auf die Decks. Über den Lärm erhob sich de Brissacs Stimme:

»Schießt weiter! Tötet sie, oder sie bringen uns alle um! Ich bin in einer Sekunde zurück.«

Er drückte Largertöf seine Winchester in die Hand und nahm ihm seinen eigenen Revolver weg, den er ihm geliehen hatte. Mit wenigen Sprüngen hatte er das Mädchen von der Insel erreicht.

Sie stöhnte laut, aber sie saß aufrecht und bemühte sich verzweifelt, ihre Füße von den Stelzen zu befreien.

Als de Brissac auf sie zuraste, sprangen ihn von der Reling zwei Neger an. Er schoß den einen durch den Hals, doch als er sich dem anderen zuwandte, klickte seine Automatik nur. Das Magazin war leergeschossen.

Der wildblickende schwarze Riese griff ihn mit einem breiten Säbel an. Er hatte seine Skistöcke auf das Deck fallen gelassen. De Brissac bückte sich schnell, hob einen davon auf, und stieß dem Neger das zugespitzte Ende in die linke Seite des Bauches.

Der Angreifer stieß ein Wutgeheul aus, krümmte sich, richtete sich wieder auf und drang von neuem auf de Brissac ein. Aber dieser hatte beim zweiten Stoß mehr Zeit zum Zielen und stach dem Mann in das rechte Auge. Mit einem Schmerzenslaut ließ der Wilde den Säbel fallen und taumelte zurück.

Andere Neger stürmten, Messer und Keulen schwingend, auf de Brissac zu. Zwei wurden von der Brücke aus erschossen, ein dritter an der Schulter verwundet. In der nächsten Sekunde hatte der Franzose seinen Arm um das Mädchen gelegt und trug sie mitsamt ihren Stelzen und ihrer ganzen Ausrüstung die Leiter zur Brücke hinauf. Basil feuerte über de Brissacs Schulter und traf einen weiteren Schwarzen, der nach den Beinen des Mädchens faßte.

Glücklicherweise hatten die Wilden keine Feuerwaffen. Deshalb gab es unter den Leuten von der *Gafelborg* keinen einzigen Verwundeten, während die Verluste der Angreifer schrecklich waren. Die Nachzügler, die sahen, welches Schicksal ihre Kameraden ereilte, machten keinen Versuch mehr, das Schiff zu entern. Sie sprangen in einiger Entfernung auf dem Tang herum und brüllten in ihrer eigenartigen Sprache etwas herüber. Es mochten Drohungen sein.

Diejenigen, die die wilde Verfolgung des jungen Mädchens bis auf die *Gafelborg* geführt hatte, waren entweder niedergeschossen worden oder beeilten sich, ihre Stelzen wieder anzulegen. Dann ließen sie sich über die Reling gleiten.

Jetzt kam ein neues Unheil auf die Angreifer zu und demoralisierte sie vollständig. Einige von denen, deren Ballons getroffen worden waren, und andere, die tot an ihrem Geschirr hingen, fielen der Länge nach in den Tang. Das lockte einen gewaltigen

Tintenfisch an. Seine grauweißen, lederigen Tentakel schossen nach oben, schlängelten sich durch die Luft und suchten nach Opfern.

De Brissac wollte die Wilden nun, nachdem sie zurückgeschlagen waren, nicht massakrieren. Deshalb befahl er, das Feuer einzustellen. Die kleine Gruppe auf der Brücke starrte auf das grauenerregende Schauspiel. Ein halbes Dutzend der unglücklichen Schwarzen war von den Fängen des Oktopus erfaßt worden, einige am Bein, andere am Hals, wieder andere um die Mitte. Ein kleines Häuflein griff das Ungeheuer mit großem Mut an.

Die Neger waren sehr im Nachteil, weil sie nicht stillstehen konnten. Aber sie schienen große Übung darin zu haben, sich mit Stelzen und Skistöcken fortzubewegen. Behende sprangen sie hierhin und dahin, hielten beide Stöcke in der linken Hand und führten mit der rechten Speer, Messer oder Säbel, mit denen sie plötzliche Ausfälle nach den schlangenähnlichen Tentakeln machten.

Der Oktopus peitschte den Tang. Er stieß seine Tentakel nach allen Richtungen. Einer wurde einen Meter von der Spitze glatt abgetrennt, und andere Arme trugen tiefe Wunden an Dutzenden von Stellen. Plötzlich sprang das große Ungetüm halb aus dem Wasser. Dann tauchte es wieder unter und zog vier seiner Opfer mit sich.

Die Neger retteten ihre gestürzten Kameraden und andere, die getroffen worden waren, das Schiff aber hatten verlassen können. Je zwei oder drei Unverletzte stützten einen Verwundeten. Noch einmal gellte ein herausforderndes Kriegsgeschrei auf. Dann traten sie den Rückzug zu ihrer Insel an.

Acht oder zehn blieben tot oder schwer verwundet auf der *Gafelborg* zurück. Rote Blutlachen befleckten die weißen Decks. Aber das Interesse von Passagieren und Mannschaft konzentrierte sich im Augenblick auf das junge Mädchen, das sie gerettet hatten.

Nachdem de Brissac sie auf die Brücke gezogen hatte, war sie ohnmächtig geworden. Sie war ein schlankes kleines Geschöpf, aber ihre gut entwickelten Brüste ließen darauf schließen, daß sie ein Mädchen von neunzehn oder zwanzig war. Sie trug nichts als einen kurzen Kilt aus einem handgewebten Material und eine

Weste aus leichterem Stoff, die sauber gestopft war. Ihr Haar war dunkel und in der Mitte gescheitelt. Es fiel ihr in langen Locken über die Schultern. Ihr Gesicht hatte mit der kleinen gebogenen Nase und dem spitzen Kinn etwas Spanisches. Zweifellos war sie eine Weiße, wenn auch ihre Haut tief sonnengebräunt war. Ein kleines Kreuz, das ihr um den Hals hing, wies sie als Christin aus.

Welch seltsame Geschichte über einen Schiffbruch oder das Leben auf der vom Tang umgebenen Insel würde sie zu erzählen haben, wenn sie wieder zu sich kam? Darüber dachten sie alle nach, als sie sie in den Salon hinuntertrugen.

X

DAS GEHEIMNIS DER INSELN

Unity und Synolda stellten fest, daß das Mädchen keine schlimmeren Verletzungen hatte als ein paar blaue Flecken von dem Fall über die Reling. Sie machten sich sofort daran, die Fremde ins Bewußtsein zurückzurufen.

Die Männer gingen wieder an Deck. An verschiedenen Stellen fanden sie insgesamt neun Neger. Fünf waren tot, zwei lagen im Sterben und von den beiden letzten war der eine, dem eine Kugel die Kopfhaut aufgerissen hatte, bewußtlos. Dem anderen, der heftig stöhnte, war der Knochen des Oberschenkels zerschmettert worden. Alle übrigen Verwundeten waren entweder entkommen oder unter dem Tang verschwunden.

Die Toten wurden über Bord geworfen, die vier Verwundeten in ein Deckhaus am Heck getragen, wo man sie verband und versorgte. Hansie blieb als Wache bei ihnen zurück.

Luvia ließ die Decks scheuern. Nachdem die Waffen wieder eingesammelt und verschlossen waren, kehrte er mit de Brissac, Vicente und Basil in den Salon zurück.

Zu Unitys und Synoldas Freude hatte das gerettete Mädchen, sobald es die Augen aufschlug – sie waren braun mit goldenen Lichtern darin – in englischer Sprache zu sprechen begonnen. Nun konnten sie sie trösten und beruhigen.

Sobald die Männer den Raum betraten, schenkte sie ihnen ein

bezauberndes Lächeln und erklärte: »Gentlemen, Sie und Ihre Ladys müssen sich fragen, wer ich bin, die ich Zuflucht auf Ihrem Schiff habe suchen müssen. Erlauben Sie mir daher, mich selbst vorzustellen, und – wenn es Ihnen nicht an Muße gebricht, mir zuzuhören – Ihnen meine Geschichte zu erzählen.«

Der galante de Brissac strich sich seinen kleinen dunklen Schnurrbart und verbeugte sich höflich. »Wir sterben vor Verlangen, alles über Sie zu erfahren, Mademoiselle, wenn es Sie nicht zu sehr ermüdet.«

In einer ausländisch wirkenden Geste spreizte sie die Hände. »Ihnen gebührt mein besonderer Dank, Monsieur, weil Sie mich auf dem Deck gerettet haben. Ich habe mich gut genug erholt, um Ihnen meine seltsame Geschichte berichten zu können.«

Der Franzose verbeugte sich von neuem und setzte sich neben sie. Alle anderen nahmen in einem Halbkreis Platz.

»Mein Name ist Yonita van der Veldt«, begann sie. Sie fuhr mit bemerkenswerter Lebhaftigkeit fort, aber oft benutzte sie veraltete Ausdrücke. »Ich bin teils holländischer, teils spanischer Herkunft, doch rinnt auch englisches Blut in meinen Adern, und ich spreche Englisch als Muttersprache. Die meisten meiner Vorfahren haben seit zweihundertundfünfzig Jahren auf der kleineren jener beiden Inseln gelebt. Wie Sie schon erraten haben werden, sind wir eine Kolonie, die aus den Überlebenden verschiedener Schiffbrüche besteht. Unsere Anzahl beträgt nunmehr hundertundsiebenundzwanzig Männer, Frauen und Kinder. Alle sind wir Gefangene des Tangmeeres, das viele Schrecken birgt.«

»Bricht der Tang nie bei einem Sturm auseinander?« erkundigte sich Juhani.

Yonita schüttelte den Kopf. »Aus irgendeinem Grund werden wir hier niemals von heftigen Stürmen heimgesucht. Im Laufe der Jahrhunderte sind viele Schiffe in den Seetang geraten, aber noch keins hat wieder die Freiheit gewonnen. Unter den Pflanzen, die den Kanal zwischen den beiden Inseln bedecken, verläuft eine Meeresströmung. Diese trägt die in die Falle geratenen Schiffe mit sich fort, bis sie auf der einen oder anderen Seite stranden. Von hier aus können Sie es nicht sehen, aber hinter der Satansinsel liegt ein halbes Dutzend Schiffe, die im flachen Wasser auf Grund geraten sind, und die Überreste von mehreren anderen, die das gleiche Schicksal schon vor vielen Generationen ereilte.«

»Satansinsel, Mademoiselle?« fragte de Brissac.

»So haben wir die Ihnen näher gelegene Insel genannt, die von diesen teuflischen Negern bewohnt ist. Unsere eigene Insel verfügt über einen flachen Strand, wo Sie in einer weiten Bucht noch mehr Schiffe finden werden. Es läßt sich nicht abschätzen, auf welchen dieser seltsamen Schiffsfriedhöfe Ihr eigenes Fahrzeug gelangen wird.«

»Und wie lange wird es dauern?« warf Luvia ein.

»Meine Schätzung wird Ihnen kaum von Nutzen sein, mein Herr, aber die Dichte des Tangs verlangsamt die Geschwindigkeit eines Schiffes, je mehr es sich den Inseln nähert. Viele Schiffe treiben wochenlang. Deshalb gibt es nur selten Überlebende. Oft sind die Mannschaften schon dem Hungertod zum Opfer gefallen, wenn ihre Vorräte knapp waren, oder sie haben durch die Schrecken, die sie in der langen Zeit der Gefangenschaft erlebten, den Verstand verloren.

Diese See mit den in der Tiefe lauernden Ungeheuern ist fürchterlich, doch unsere Insel ist durchaus kein unangenehmer Aufenthaltsort«, fuhr sie fort. »Im Winter ist es sehr kalt, aber wir haben Überfluß an Holz zum Bau fester Häuser und zum Heizen. Im Sommer ist es hier sehr schön. Mit Hilfe der Vorräte, die wir von einigen Schiffen retten konnten, ist es uns gelungen, Mais, Weizen, Kartoffeln, Tomaten und anderes Gemüse anzubauen. Auch können wir uns rühmen, Apfel-, Birnen-, Pflaumen- und Kirschbäume zu besitzen. An Vieh haben wir nur Schweine und Hühner. Ich sagte, ich sei spanischer und holländischer Herkunft, aber unsere Bevölkerung ist sehr gemischt.

Die ersten Menschen, die auf unsere Insel verschlagen wurden, waren Sir Deveril Barthorne, der royalistische Freibeuter, und seine Mannschaft. Das war im Jahre des Heils 1680. Bei ihnen waren zwei spanische Damen, die sie gefangengenommen hatten, und deren Negerzofen. Der erste Sir Deveril heiratete die eine der Spanierinnen und gründete sozusagen eine Dynastie. Seitdem hat es auf der Insel ständig einen Sir Deveril gegeben, und mit dem gegenwärtigen Träger des Titels bin ich verlobt.«

»Wie viele andere Schiffe mit Überlebenden sind seit dem ersten angekommen?« fragte Unity.

»Insgesamt acht, Madam. Ein holländischer Offizier namens van der Veldt, der mein Ahnherr ist, und zwei holländische Seeleute waren die einzigen Überlebenden eines holländischen Kriegsschiffes anno 1703. Ich stamme von diesem Offizier und der Tochter der zweiten spanischen Dame ab.

1726 erreichte uns ein französischer Kauffahrer. Auf ihm befanden sich ein Offizier, der aber starb, der Arzt, die Frau des Kapitäns, die Tochter des Gouverneurs einer der französischen Inseln in Westindien sowie zwei loyal gebliebene Seeleute. Sie hatten eine Meuterei an Bord gehabt, und die Meuterer waren in Booten an Land gegangen. Da es dem Schiff nun an Mannschaft mangelte, geriet es in den Seetang. Die Tochter des Gouverneurs heiratete den Enkel des ersten Sir Deveril. Dann, anno 1744, gab es eine richtige Invasion.« Yonita machte eine Pause.

»Ein seinerzeit berühmter Pirat, der sie der ›Rote Barrakuda‹ nannte, erreichte die Insel in einem entmasteten Schiff nach einer schrecklichen Seeschlacht mit einem Engländer. Dreiunddreißig Mann überlebten, und ebenso die portugiesische Mätresse des Barrakudas und ein Dutzend anderer Frauen, die, wie die Piraten, von unterschiedlicher Nationalität waren. Einige waren Mulattinnen und zwei südamerikanische Indianerinnen. Danach kamen zwei spanische Seeleute in einer kleinen Schaluppe, die in einem Hurrikan schwer beschädigt worden war. Die ganze restliche Mannschaft war über Bord geschwemmt oder von den Kraken ergriffen worden. Das war 1810. Im Jahre 1828 traf ein weiteres kleines Schiff mit drei Portugiesen, einem Mulatten und einem Chinesen ein. 1862 bekamen wir Zuwachs durch einen norwegischen Offizier und fünf skandinavische Seeleute, und 1879 durch die Mannschaft eines amerikanischen Walfängers, die aus siebzehn Leuten bestand. Die letzten Neuankömmlinge kamen in dem ersten Dampfschiff, das wir je gesehen hatten. Es war ein kleines deutsches Kanonenboot, das drei Monate lang im Tang festsaß. Als es angetrieben wurde, lebten nur noch zwei von den Deutschen. Da nun alle untereinander geheiratet haben, können Sie sich vorstellen, daß wir eine sehr gemischte Gesellschaft sind.«

»Sicher«, nickte Luvia. »Aber was ist mit all den Negern, die Sie heute morgen gejagt haben?«

Yonita erschauerte. »Sie kommen von der anderen Insel und

stammen von einer Schiffsladung Sklaven ab, die im achtzehnten Jahrhundert von Afrika nach den amerikanischen Plantagen befördert werden sollten. Da wir nie imstande waren, den mit Seetang bedeckten Kanal zu überqueren, wußten wir bis zum Jahre 1854 gar nichts von ihrer Existenz. Dann erschienen sie eines Nachts ohne jede Warnung unter uns, zündeten mehrere Häuser an und entführten einige Frauen. Unsere Männer konnten sie nicht verfolgen, weil wir auf unserer Insel leider nichts von dem natürlichen Gas haben, mit dem die Neger ihre Ballons füllen.

Seit 1854 hat es von Zeit zu Zeit wieder einen Überfall gegeben. Manchmal geschieht es zweimal im Jahr, doch oft vergehen drei oder vier Jahre, ohne daß die Neger sich blicken lassen. Ich nehme an, sie tun es immer dann, wenn ihr Wunsch, sich Frauen zu holen, stärker wird als ihre Furcht vor unseren Feuerwaffen. Obwohl sie viel zahlreicher sind als wir, töten wir jedesmal eine ganze Reihe von ihnen, bevor sie mit ihren Gefangenen den Strand erreichen, wo sie ihre Ballons unter Bewachung zurücklassen.«

»Warum leben Sie nicht innerhalb einer Verschanzung und stellen Wachen aus?« fragte de Brissac.

»Wenn die Überfälle häufiger wären, würden wir das tun. Aber für uns ist es vor allem wichtig, unser Land zu kultivieren. Dazu müssen wir uns auf der Insel verteilen. Pferde oder andere Transportmittel haben wir nicht. Wenn wir nun in einem befestigten Dorf lebten, hätten wir morgens und abends weite Wege zurückzulegen. Doch haben wir Verstecke für die Frauen auf unseren Farmen angelegt, und außerdem verfügen wir über ein Alarmsystem, das die Nachbarn zu Hilfe ruft. In den letzten zehn Jahren haben die Neger nicht mehr als drei Frauen zu rauben vermocht.«

»Dann müssen Sie, Mademoiselle, besonderes Unglück gehabt haben«, murmelte de Brissac.

Sie lächelte. »So ist es, Sir. Ich wurde nur durch das Zusammentreffen mehrerer ungewöhnlicher Umstände gefangen. Mein Onkel, bei dem ich lebe, war gestern nacht nicht zu Hause, was höchstens einmal in sechs oder acht Monaten vorkommt. Die drei Farmarbeiter, die wir haben, feierten ein Fest. Sie müssen sich betrunken haben und dann fest eingeschlafen sein, so daß sie die Wilden erst hörten, als es zu spät war. Ehe ich Zeit fand, in mein Versteck zu schlüpfen, war die Tür eingebrochen. Ich konnte nur gerade noch diese Kleidungsstücke überwerfen. Die Neger schleppten mich an den Strand und befestigten einen der überzähligen Ballons, die sie mitgebracht hatten, an meinem Rücken. Zwei faßten meine Arme und zwangen mich, mit ihnen über den Tang zu springen. Die Angst drohte mir den Verstand zu rauben.«

»Um so erstaunlicher ist es, daß Sie mit diesen Stelzen und Skistöcken so gut fertig wurden, wenn Sie damit überhaupt keine Praxis hatten«, bemerkte Basil.

»Ich war selbst überrascht, wie leicht man sich mit Hilfe eines Ballons fortbewegen kann. In meiner Verzweiflung faßte ich den Entschluß, einen Fluchtversuch zu machen, selbst auf die Gefahr hin, daß ich einem Oktopus zum Opfer fallen würde. Da ich viel leichter war als jeder der Männer, konnte ich größere Sprünge machen. Trotzdem hätten sie mich eingeholt, wenn die Entfernung zu Ihrem Schiff größer gewesen wäre, denn ich war beinahe tot vor Erschöpfung.«

»Haben Sie eine Vorstellung, wie viele Neger auf der zweiten Insel leben?« erkundigte sich Luvia.

»An dem Überfall waren etwa hundertundfünfzig beteiligt, aber auf der Insel sind weitaus mehr. Keiner der geraubten Frauen ist es jemals gelungen, ihnen zu entkommen, so daß wir wenig über sie wissen — abgesehen von dem, was Vater Jerome uns erzählt hat.

Er war ein katholischer Missionar auf einem Schiff, das die Satansinsel im Jahr 1874 erreichte«, setze Yonita erklärend hinzu. »Er berichtete, die Neger lebten in einem großen Dorf. Es liegt im Schutz einer Klippe am anderen Ende ihrer Insel, sieben Meilen von der Küste entfernt, die Sie sehen können. In der Nähe ihres Dorfes haben sie ein Gebäude errichtet, das sie das ›Heiratshaus‹ nennen. Es ist ständig bewacht.

Immer, wenn ein Schiff an ihre Küste angetrieben wird, töten sie alle weißen Männer und sperren die Frauen in dies Heiratshaus. Vater Jerome wurde nur durch ein Wunder gerettet. Seine Gefährten wurden vor seinen Augen ermordet. Als seine Vorstellungen, Bitten und Drohungen keinen Erfolg gehabt hatten, rief er Gott an, die mörderischen Wilden zu bestrafen. Ein Unwetter brach los, und einer der Anführer wurde wenige Schritte von ihm entfernt von einem Blitz erschlagen. Die anderen hielten eine Beratung ab und kamen zu dem Schluß, er sei ein so gefährlicher Hexendoktor, daß sie es nicht wagen könnten, ihn zu töten oder als Gefangenen zu behalten. Eine Gruppe beförderte ihn bei Nacht über den Kanal und setzte ihn auf den Strand unserer Insel ab.«

Die Leute von der *Gafelborg* hatten zahllose Fragen an Yonita. Doch schließlich erklärte sie:

»Mein Verlobter und meine Familie werden außer sich sein. Sie müssen glauben, daß sie mich niemals wiedersehen werden. Deshalb möchte ich so schnell wie möglich zu ihnen zurückkehren.«

»Das verstehe ich«, stimmte Luvia zu. »Ich nehme an, das wollen Sie mit Hilfe eines der Ballons bewerkstelligen. Aber wie ist es mit den Tintenfischen?«

»Ich habe keine Angst«, lächelte sie. »Normalerweise wird die Oberfläche mit den ballförmigen Füßen nur ganz leicht berührt. Von den Männern, die mich heute morgen gefangennahmen, wurde keiner von einem Oktopus ergriffen, bis einige von ihnen angeschossen wurden und in den Tang fielen.«

»Aber Sie dürfen sich nicht allein in eine solche Gefahr begeben, Mademoiselle«, fiel de Brissac schnell ein. »Ich werde gern mit Ihnen kommen.«

Luvia nickte. »Ich denke, drei oder vier von uns sollten Sie begleiten. Sie können wie Bergsteiger durch ein Seil verbunden werden, und wenn einer von ihnen fällt, können die anderen ihn wieder hochziehen. Ich selbst kann nicht mit, weil ich den Befehl über das Schiff habe. Übrigens habe ich während des Kampfes bemerkt, daß Harlem nicht geschossen hat. Ich muß damit rechnen, daß er bei der ersten besten Gelegenheit mit den Negern gemeinsame Sache macht. Ich möchte gern seinen Freund Corncob von ihm trennen. Für sich allein ist Corncob ein zuverlässiger Mensch. Nehmen Sie also ihn mit, und dann noch einen Weißen. Wie ist es mit Ihnen, Sutherland?«

»Ich gehe gern mit«, stimmte Basil zu.

Unity senkte die Augen. Sie hatte keinen Grund, dagegen etwas einzuwenden, aber die Vorstellung, er werde den entsetzlichen Seetang überqueren, machte sie zittern. Zum erstenmal wurde ihr klar, daß er ihr mehr als nur ein Freund geworden war.

Synolda bestand darauf, Yonita müsse sich vor dem Aufbruch ausruhen. Das Inselmädchen mußte zugeben, daß sie sich völlig erschöpft fühlte. Es wurde beschlossen, um fünf Uhr nachmittags aufzubrechen. Yonitas Insel konnte dann noch vor Sonnenuntergang erreicht werden. Synolda brachte die Kleine in ihrer eigenen Kabine unter.

Basil und Unity gingen zusammen auf das Achterdeck.

»Sie sind auf einmal so still«, meinte Basil. »Was ist los?«

Unity zuckte die Schultern. »Mir geht es gut. Ich bin nur besorgt.«

»Warum?«

»Ihretwegen natürlich. Ich hasse den Gedanken, daß Sie beim Überqueren des Seetangs Ihr Leben riskieren.«

»So groß ist die Gefahr gar nicht. Aber, Unity . . .«

»Ja?«

»Sie sollen sich meinetwegen keine Sorgen machen, und doch freue ich mich, daß Sie es tun.« Er ergriff ihre beiden Hände. »Sie haben das Schlimmste über mich erfahren. Bedeutet das, daß Sie trotzdem . . .«

»Natürlich.« Sie entzog ihm ihre Hände und warf ihm die Arme um den Hals.

»Sag es«, flüsterte er nach einem langen, leidenschaftlichen Kuß.

Sie versuchte zu lachen, aber das Lachen blieb ihr in der Kehle stecken. »Ich gestehe, ich liebe dich.«

Lange Zeit blieben sie eng umschlungen stehen. So fand Luvia sie.

»Verzeihung«, brummte er. »Ich wollte nicht stören, aber es ist fünf Uhr, und Sie sollten einen Bissen essen, Sutherland, ehe Sie sich auf den Weg machen.«

Unity lächelte ihn strahlend an.

»Machen Sie kein so entsetztes Gesicht, bitte. Basil und ich haben uns soeben verlobt. Wir haben schon Pläne gemacht, was wir tun werden, wenn wir jemals nach England zurückgelangen.«

»Ich weiß nicht, ob es Ihnen bekannt ist«, setzte Basil hinzu, »aber ich bin ein armer Teufel, dem von seiner Familie eine Rente ausgesetzt ist. Wenn Unity für mich bürgt, bin ich jedoch überzeugt, daß ich in Gnaden wieder aufgenommen werde und eine neue Chance bekomme.«

Sie lachte. »Und wenn nicht, dann kann deine Familie zum Teufel gehen, denn ich habe eigenes Geld, das dir einen neuen Start ermöglichen wird.«

»Ich würde nicht allzu sehr darauf rechnen, daß wir nach England zurückkehren können«, grinste Luvia. »Ich selbst habe die Hoffnung so gut wie aufgegeben. Aber Sie können sich auf Yonitas Insel niederlassen – wenn wir sie erreichen. In jedem Fall wünsche ich Ihnen viel Glück. Vielleicht möchten Sie die Reise jetzt lieber nicht unternehmen, Sutherland?«

Basil warf Unity einen Blick zu. Sie nickte leicht. Ihrem so angedeuteten Wunsch entsprechend, antwortete er: »Es wäre kaum anständig, wenn ich mich jetzt zurückziehen würde. Die Gefahr ist nicht groß, und ich bin der Geeignetste, de Brissac zu begleiten. Vicente hat sich von seinen Verletzungen, die der Oktopus ihm beigebracht hat, noch kaum erholt, und Hansie und Largertöf brauchen Sie auf dem Schiff.«

»Okay. Dann bleibt es dabei. Es kommt ein leichter Nebel auf, und da sähe ich Sie gern unterwegs, ehe er noch dichter geworden ist.«

Im Salon nahm Basil einen Imbiß zu sich. Luvia hatte die Ballons geprüft, die die Neger nach dem Kampf zurückgelassen hatten. Zwei hatten Einschüsse, und das Gas war entwichen, aber acht, den Yonitas eingeschlossen, schienen tadellos in Ordnung zu sein. De Brissac und Corncob übten sich bereits fünfzig Meter vom Schiff entfernt mit der ungewohnten Ausrüstung.

Nach einem Abschiedskuß für Unity schloß sich Basil den beiden an. Er fand es viel leichter, mit den Stelzen und Skistöcken umzugehen, als er es sich vorgestellt hatte.

Als Yonita sich den Männern beigesellte, war es Viertel vor sechs geworden, und weitere zehn Minuten vergingen damit, alle Teilnehmer mit einem langen Seil zu verbinden. Bis zum Sonnenuntergang waren es noch gut eineinhalb Stunden, aber de Brissac drängte zum Aufbruch, weil der Nebel dichter wurde. Er setzte sich an die Spitze, und begleitet von den herzlichen Zurufen aller anderen begannen die vier ihren Marsch.

XI

DIE INSEL DER FURCHT

Sie waren noch nicht lange unterwegs, als de Brissac eine beunruhigende Entdeckung machte. Der sie auf allen Seiten umgebende Seetang schien zu rauchen. Kleine Nebelwölkchen hoben sich daraus hervor. Yonitas Insel war nicht mehr zu erkennen. Im stillen verfluchte er die Verzögerungen, die einen früheren Aufbruch verhindert hatten. Erst war Basil verschwunden gewesen, und Luvia hatte ihn suchen müssen. Dann mußte Basil noch essen. Synolda hatte Mühe gehabt, Yonita wachzubekommen. Schließlich war es unbedingt erforderlich gewesen, daß sie sich noch ein wenig übten. De Brissac hatte damit gerechnet, daß sie die Strecke von sieben Meilen zu Yonitas Insel in einer Stunde zurücklegen konnten. Doch jetzt wurde der Nebel rasch stärker.

Basil, der letzte in der Reihe, merkte so gut wie nichts davon. Er war zu glücklich. In Gedanken war er schon wieder auf dem Rückweg zum Schiff.

Sie hatten noch keine zwei Meilen zurückgelegt, als de Brissac sich umblickte und feststellte, daß das Schiff nicht mehr zu sehen war. Er war ein mutiger Mann, aber wie alle guten Offiziere auch vorsichtig. Ein unnötiges Risiko wollte er nicht eingehen. Hätte er das Schiff noch ausmachen können, wäre er umgekehrt, wenn auch Yonitas Angehörige sie dann eine weitere Nacht betrauert hätten. Aber jetzt bestand die Gefahr, daß sie die *Gafelborg* nicht wiederfanden.

Also blieb ihnen nichts weiter übrig, als die eingeschlagene Richtung beizubehalten. Eine halbe Stunde später erspähte er in dem Seetang eine Erhöhung und rief den anderen eine Warnung zu. Im nächsten Augenblick segelte er auf einen glatten Felsen hinunter. De Brissac ließ seine Skistöcke fallen und landete auf den Händen. Gleich darauf fielen Yonita, Corncob und Basil auf ihn. Doch dank der Ballons kam keiner zu Schaden. Die Stelzen noch an den Füßen, setzten sie sich hin.

»Haben wir ein Glück«, seufzte de Brissac. »Wir sollten *le bon Dieu* dafür danken.«

»Glück?« protestierte Basil. »Wir hätten uns eklig verletzen können, und ich weiß gar nicht, wie wir mit den Stelzen und diesen Fußbällen daran wieder hochkommen sollen.«

»Wir werden über Nacht hierbleiben, *mon vieux*«, erklärte de Brissac. »Und Sie können mir glauben, ich bin sehr froh darüber, daß wir dies Stückchen *terra firma* gefunden haben.«

»Nein, nein!« rief Yonita ängstlich. »Diese Felsen sind böse wie alles Land in der Nähe des Seetangs. Ich werde vor Angst sterben, wenn ich die Nacht hier verbringen muß.«

De Brissac klopfte ihr auf die Schulter. »Bitte, machen Sie sich keine Sorgen, Mademoiselle. Es wird unbequem sein, ich weiß, aber wir werden gut auf Sie achtgeben.«

»Verdammt noch mal«, explodierte Basil, »warum müssen wir denn hierbleiben? Das muß die dritte Insel sein, die wir heute morgen vom Schiff aus entdeckt haben. Das bedeutet, wir haben schon die Hälfte des Weges zu Yonitas Insel zurückgelegt. Noch eine halbe Stunde, und wir werden dort sein. Der Nebel ist ein bißchen lästig, ja, aber nach Sonnenuntergang wird er sich wahrscheinlich lichten. Ich hatte darauf gerechnet, noch heute abend bei Mondschein aufs Schiff zurückkehren zu können.«

»Es tut mir leid«, entgegnete de Brissac fest, »aber Sie machen sich nicht klar, in welcher Gefahr wir noch vor zehn Minuten waren. Es war dumm von mir, daß ich keinen Kompaß mitgenommen habe. Kein Mensch kann über mehrere Meilen die Richtung einhalten, ohne Landmarken oder Himmelskörper zu sehen. Sie werden sich erinnern, daß diese kleine Insel ein bißchen westlich von der anderen liegt. Hätten wir nicht das Glück gehabt, direkt darauf zu stoßen, wären wir um mindestens eine Meile an Yonitas Insel vorbeigelaufen und dann immer weiter, bis wir vor schierer Erschöpfung in den Tang gefallen wären. Ich habe den Befehl über diese Expedition. Wir rühren uns nicht von der Stelle, bis wir wieder Tageslicht haben, und auch dann erst, wenn wir die Küstenlinie von Yonitas Insel deutlich erkennen können.«

»Aber wir müssen weiter, wirklich, wir müssen!« drängte Yonita. »Wir sind hier zu nah am Tang, um sicher zu sein. Wir kennen die Position meiner Insel von dieser hier aus, und wenn wir jetzt eine neue Richtung einschlagen, werden wir sicher an Land kommen.«

100

De Brissac zuckte die Schultern. »Zeigen Sie mir doch einmal, wo unser Schiff ist.«

»Da!« Yonita wies geradeaus.

»Nein, nein, Missie«, fiel Corncob ein. »Das Schiff liegt links von uns. Ich bin ganz sicher, weil wir in gerader Linie vom Schiff gekommen sind und ich auf die Seite gefallen bin.«

»Da haben wir's«, lächelte de Brissac. »Schon zwei verschiedene Meinungen. Ich selbst traue mir nicht einmal zu, die Richtung zu raten. Es geht nicht anders, als daß wir über Nacht hierbleiben. Sehen wir zu, daß wir irgendwo eine Art von Schutz finden.«

Sie banden die Stelzen los. De Brissac schaltete seine Taschenlampe ein, aber sie brannte nicht. Die Birne war bei dem Fall zerbrochen. Im Halbdunkeln hüpften und trieben sie vorwärts.

Ein Rundgang zeigte ihnen, daß die Insel, wie sie vom Schiff aus geschätzt hatten, etwa vierhundert Meter lang und zweihundert breit war. Dann überquerten sie sie in schräger Richtung. Die kahle Oberfläche trug weder Baum noch Strauch. Doch ehe die Sonne unterging, fanden sie zwischen den höheren Felsen im Mittelpunkt der Insel eine Art Höhle.

Die Ausrüstung wurde abgelegt, die Ballons mit Steinen gesichert. Dann machten sie es sich so bequem, wie es gehen wollte. Eine Zeit lang stellten sie Yonita noch Fragen über das Leben auf ihrer Insel, aber es wollte kein rechtes Gespräch aufkommen. De Brissac hatte das Rauchen verboten, weil er fürchtete, ein Leck in einem der Gasballons könne zu einer Explosion führen. Schließlich versuchten sie zu schlafen. De Brissac hatte erklärt, die ganze Nacht wachen zu wollen.

Als die Leuchtzeiger seiner Uhr Mitternacht anzeigten, flüsterte eine leise Stimme: »Ich kann nicht schlafen.« Es war Yonita. »Ich habe Angst, und mir ist so kalt.«

De Brissac legte ihr einen Arm um die Schultern und zog sie an sich. »*Ma pauvre petite*, kommen Sie, dann wird Ihnen ein wenig wärmer sein. Ihr Verlobter hätte doch sicher nichts dagegen, wenn er wüßte, welch unangenehme Nacht Sie verbringen müssen, nicht wahr?«

Sie schmiegte sich an ihn. »Mein Verlobter?« fragte sie überrascht. »Warum sollte er etwas dagegen haben?«

De Brissac wußte nicht, was er dazu sagen sollte. Wäre er mit einem Mädchen wie Yonita verlobt, hätte er sehr wohl etwas dagegen gehabt, daß ein anderer Mann sie in seinen Armen hielt.

»Ich weiß, in der Außenwelt sind die Sitten anders als bei uns, die wir . . .« Yonita unterbrach sich, »Was ist das?«

Von der felsigen Küste her kam ein verstohlenes Tapp-tapp-tapp. Auch Basil hatte es gehört und fuhr in die Höhe. Nur Corncob mußte erst aus dem Schlaf geschüttelt werden.

Die beiden Weißen nahmen ihre Winchester zur Hand und Corncob die Automatik, die de Brissac ihm geliehen hatte. De Brissac schob Jonita in den Hintergrund der Höhle und tat selbst ein paar Schritte nach draußen.

Tapp – tapp – tapp. Steine rollten über den Boden. Dann war es wieder still.

»Es ist weg«, flüsterte Basil. Kaum hatte er diese Worte gesprochen, als sie ein lautes Platschen hörten und ein neues Tappen, diesmal so deutlich, als schlüge ein halbes Dutzend Hämmerchen auf den klingenden Felsen.

Corncobs Knie begannen zu zittern. »Boß, das ist etwas Unheiliges, das uns holen will«, jammerte er.

»Still!« befahl de Brissac. Sie lauschten in die Stille. Die Finsternis wurde jetzt ein wenig durch den hinter dem Nebel verborgenen Mond erhellt.

Wieder klang das Tappen auf, noch näher diesmal. Plötzlich warf Corncob seinen Revolver weg. Ehe die anderen ihn daran hindern konnten, stürzte er aus der Höhle und taumelte über die zerklüfteten Felsen, weg von dem Wesen, das sich da näherte.

»Zurück!« brüllte Basil. »Komm sofort zurück, du Dummkopf!«

De Brissac wollte dem Neger nachlaufen, aber Yonita hielt ihn mit beiden Armen fest.

»Lassen Sie mich los!« rief de Brissac wütend. »Ihm kann alles mögliche passieren, wenn ich ihn nicht zurückhole.«

»Nein, bleiben Sie, bleiben Sie. Das ist Ihre einzige Chance. Sie kommen sonst selber um«, flehte sie und klammerte sich mit aller Kraft an ihn.

Während de Brissac sie noch abzuwehren versuchte, hörte das Tappen auf und wurde von einem lauten schleifenden Geräusch abgelöst. Wenige Meter an ihnen vorbei raste ein Ungeheuer, sechs Meter lang und beinahe schulterhoch, dem fliehenden

Neger nach. Sie sahen nur verschwommene Umrisse, und dann war es in der Nacht verschwunden.

Ein heiserer Aufschrei fuhr ihnen durch Mark und Bein. Er wiederholte sich ein paarmal. Dann folgte ein langes Wimmern – und wieder herrschte tödliche Stille.

Basils Handflächen waren feucht. De Brissac fuhr sich mit dem Taschentuch über das schweißnasse Gesicht. Yonita lag schluchzend an seiner Schulter. Eine Viertelstunde lang wagten sie sich nicht zu rühren.

Der Mond stieg höher. Jetzt konnten sie einen halben Meter weit sehen und gegenseitig ihre Gesichter erkennen.

»Was für ein Tier mag das gewesen sein?« flüsterte Basil.

Yonita stieß hervor: »Ich glaube – ich glaube, ich weiß es.«

De Brissac mahnte: »Ruhig! Da ist es wieder.«

Wieder erreichte das verstohlene Tapp – tapp – tapp ihre angestrengt lauschenden Ohren. Diesmal kam es aus der Richtung, in die Corncob gelaufen war. Das Tappen wurde zu einem schnellen, unregelmäßigen Trommeln. Steine sprangen über den harten Boden. Das Wesen kam näher.

Dann blieb es stehen – zehn Schritte von ihnen entfernt. Im nächsten Augenblick wurden sie von einem Ding angegriffen, das fünf große Höcker zu haben schien.

Die Gewehre krachten. Die Felswände der Höhle warfen das Echo hin und her. Das Mündungsfeuer erhellte die Nacht für einen Augenblick wie das Blitzlicht eines Fotografen.

Danach schien es dunkler als zuvor zu sein. Aber sie hatten ihren Feind gesehen. Was da auf sie zukam, waren fünf Riesenkrabben.

Die Geschöpfe waren größer als alles, was je in einem naturhistorischen Museum gezeigt worden war. Wenn sie sich auf ihre krummen, haarigen Hinterbeine stellten, waren sie schulterhoch. Ihre stumpfschwarzen Augen, die auf neun Zentimeter langen Stielen über ihre flachen Rücken emporragten, waren so groß wie Tennisbälle. Ihre ovalen Schalen überspannten die Rücken in einer Breite zwischen einem Meter fünfzig und einem Meter achtzig, und in der Luft schwenkten sie starke Scheren, die so dick wie Oberschenkel eines Mannes waren.

Basil und de Brissac feuerten von neuem ins Dunkle. Sie hielten die Waffen tief, weil sie hofften, die ungeschützten Bauchseiten zu treffen.

Kein Laut verriet, ob eines der Ungeheuer getroffen worden war, aber ein lautes Klicken bewies, daß eine Kugel von einem Panzer oder einer Klaue abgeprallt war. Beide Männer wußten, daß sogar Kugeln, die Panzerstahl durchschlugen, gegen die soliden Schalen eines Ungetüms von dieser Größe nichts ausrichteten. Ihre einzige Hoffnung bestand darin, die Weichteile zu treffen.

Die Schüsse hatten die Krabben ein wenig zurückgetrieben, aber jetzt krabbelten sie wieder mit finsterer Entschlossenheit seitwärts über die Felsen. Eine schwenkte eine große Klaue hoch in der Luft. Für einen Augenblick zerriß der Nebel, und das Mondlicht umfloß die Ungeheuer aus dem Tang.

De Brissac schoß auf den Bauch der ersten Krabbe. Sie klappte heftig mit den Scheren und fiel vornüber. Sofort stürzten sich die anderen mit kannibalischer Lust auf sie. Im Todeskampf schnitt sie einer ein Bein ab. Doch die unverletzten Krabben warfen die getroffene auf den Rücken, knipsten ihr die Augen ab und gruben ihre Klauen tief in ihren Körper, bis sie sie völlig ausgehöhlt hatten.

Mit ungeheurer Willensanstrengung unterdrückte Basil sein Zittern, zielte sorgfältig und schoß von neuem. Weder er noch Brissac dachte mehr an die Explosionsgefahr. Seine Kugel riß die weiche Schale an der Kehle einer der gewaltigen Krabben weg.

Sofort wurde sie von zwei anderen angegriffen. Schere verfing sich in Schere. Ein lautloser, grauenhafter Kampf begann. Aber das dritte Ungeheuer kam seitwärts und mit großer Schnelligkeit auf seine menschliche Beute zu.

De Brissac und Basil schossen gleichzeitig. Offenbar hatten sie in dem schlechten Licht nicht getroffen. In der nächsten Sekunde war das Monstrum über ihnen. Eine Klaue streckte es nach de Brissacs Hals und die andere nach Yonita aus.

De Brissac sprang zur Seite und entkam der zuschnappenden Schere um Zentimeter.

Yonita schrie und fiel unter den Körper der Bestie. Basil packte sein Gewehr am Lauf und schlug mit einem schnellen Streich der Krabbe beide Augen ab.

Das geblendete Tier griff links und rechts nach ihnen. Basil bückte sich, um Yonita hervorzuziehen, aber eine der Klauen erwischte ihn an der Schulter und warf ihn zwei Meter zur Seite. De Brissac stieß den Lauf seiner Winchester in das schlitzförmige, geifernde Maul des Ungeheuers und drückte ab. Es zuckte wild zurück, fuhr mit den Klauen durch die Luft und brach zusammen. Yonitas Beine lagen unter dem massigen Leib.

Sie schrie, während die beiden Männer versuchten, die Krabbe hochzuzerren. Das Gewicht war so groß, daß sie sie nicht bewegen konnten.

Im nächsten Augenblick mußten sie ihre Bemühungen aufgeben, weil die beiden letzten Krabben sie angriffen. Yonitas gellende Schreie sanken zu einem entsetzten Wimmern herab. Die Gesichter der Männer waren aschgrau vor Furcht. Lieber hätten sie gegen eine Legion von Wilden gekämpft als gegen diese stummen, grimmigen Giganten aus der Meerestiefe. Ein Übelkeit erregender Gestank nach totem Fisch ging von den Riesenkrabben aus. Das Aufblitzen der Schüsse zeigte die in Schwärmen auf ihnen herumkrabbelnden Seeläuse.

Sie feuerten auf das ihnen nächste Ungeheuer. Basil leerte sein ganzes Magazin in die Brust des Tieres. Es blieb stehen und sank neben dem einen, unter dem Yonita eingeklemmt war, zusammen. Aber das andere kletterte darüber weg und kam genau auf Basil zu.

Er drückte den Abzug, doch es war nur ein schwaches Klicken zu hören. Er versuchte, den Lauf zu fassen, um das Gewehr wieder als Keule zu benutzen. Da war das stinkende Biest schon über ihm. Eine gewaltige Schere streckte sich aus, um seinen Kopf anzugreifen. Basil duckte sich und hob den Kopf wieder innerhalb der Schere. Noch ehe er merkte, was geschah, bekam er einen heftigen Schlag auf den Rücken und wurde gegen die Vorderseite der Krabbe gedrückt. Wie von einer Stahlklammer festgehalten, fühlte er sich von den Füßen gerissen. Das Ungetüm lief mit ihm auf den Seetang zu.

Eine neue Nebelbank trübte das Mondlicht, so daß de Brissac nicht deutlich sehen konnte. Atemloses Schweigen senkte sich auf die gräßliche Szene herab. Gebrochen wurde es nur durch Yonitas Stöhnen und das Trappeln des Monstrums, das Basil wegtrug. Dann schrie er auf einmal durchdringend um Hilfe. Die Riesenkrabbe hatte bereits fünfzehn Meter zurückgelegt, und erst jetzt erfaßte de Brissac, was geschah. Er stürzte sich in die Richtung, aus der der Schrei gekommen war.

Zwanzig Meter vor dem Wasser holte er die Krabbe ein. Seine Winchester war jetzt nutzlos. Ohne eine Sekunde zu zögern, ließ de Brissac sie fallen, sprang dem Ungeheuer auf den Rücken, ergriff die hervorstehenden Augenbälle und riß sie heraus. Das Tier ließ Basil sofort fallen und versuchte, den Mann auf seinem Rücken mit den Scheren zu packen.

De Brissac klammerte sich mit einer Hand fest und zog mit der anderen sein silbernes Zigaretten-Etui aus der Tasche. Mit aller Kraft stieß er es dem Geschöpf in den Hals.

Das kostete ihn beinahe den Arm. Haarscharf vor der niederfahrenden Klaue konnte er seine Hand zurückreißen. Die Krabbe stellte sich auf die Hinterbeine, und de Brissac rutschte von ihrem Rücken. Er suchte nach seinem Gewehr.

Basil war der Klaue entschlüpft und stand nun drei oder vier Meter entfernt. Wieder einmal durchdrang ein Mondstrahl den Nebel. Basil hob einen großen Stein hoch über seinen Kopf und schleuderte ihn mit der übermenschlichen Kraft eines Wahnsinnigen gegen die Brust der Bestie. Sie begann, sich wild im Kreise zu drehen.

De Brissac erblickte seine Winchester, hob sie auf, kniete nieder und zielte sorgfältig. Als das Ungeheuer ihm die Vorderseite zuwandte, leerte er sein ganzes Magazin und gab ihm den Rest.

Basil war auf dem Felsen zusammengebrochen. De Brissac taumelte zu ihm und sank neben ihm nieder. Eine Zeitlang lagen sie keuchend da.

»Bist du verletzt?« fragte de Brissac endlich.

»Nein, Gott sei Dank«, japste Basil. »Ich habe nur ein paar blaue Flecken. Das Untier hatte eine Kraft wie ein Eisbär. Ich dachte, es würde mir die Rippen eindrücken. Was ist mit Yonita?«

»Sie lebt. Ihre Beine sind unter der zweiten Krabbe, die wir getötet haben, eingeklemmt. Sobald wir wieder Luft bekommen, werden wir sie befreien.«

Basil ächzte. »Gott, das war knapp. Wenn du nicht noch rechtzeitig eingegriffen hättest, würde mich das Vieh irgendwo im Tang verspeisen. Welch ein Alptraum!«

De Brissac stellte sich mühsam auf die Füße. »Hoffen wir, daß nicht noch mehr von ihnen in der Nähe sind. Wir müssen zurück zu Yonita und unsere Gewehre wieder laden.«

Die tote Krabbe war so schwer, daß die beiden Männer mit ihren Messern die gummiartigen Sehnen durchschneiden mußten, die die beiden großen Klauen mit dem Körper verbanden, um so eine Höhlung zu schaffen, unter die sie ihre Schultern stemmen konnten. Nach einer halben Stunde schafften sie es, den Körper um die wenigen Zentimeter hochzuwuchten, die es Yonita ermöglichten, hervorzukriechen.

Ihre Beine waren von den Füßen bis unterhalb der Knie böse gequetscht, aber sie vermochte ohne Hilfe zu stehen. Jetzt endlich konnte sie aussprechen, was sie hatte sagen wollen, als de Brissac sie unterbrach.

»Ich hatte diese scheußlichen Kreaturen noch nie mit eigenen Augen erblickt, aber auf unserer Insel wird von gelegentlichen Zusammenstößen mit ihnen berichtet. In dem Augenblick, als sie auf uns zukamen, wußte ich, das mußten die Riesenkrabben sein. Mir ist beinahe das Herz stehengeblieben vor Entsetzen.«

De Brissac versuchte sie zu beruhigen, indem er behauptete, die Nacht sei bald vorbei. Doch ein Blick auf seine Armbanduhr zeigte ihm, daß es erst ein Viertel nach zwei war. Sie mußten noch mehr als zwei Stunden auf das Tageslicht warten.

Auf bleiernen Füßen schlichen die Sekunden vorbei. Wären noch mehr Krabben in der Nähe gewesen, so hätten sie keinen Widerstand mehr leisten können.

Sobald es hell wurde, fand de Brissac die Automatik wieder, die Corncob fallengelassen hatte. Sie entschlossen sich, sofort aufzubrechen. Um Yonita mit ihren verletzten Beinen zusätzliche Unterstützung zu geben, befestigten sie Corncobs Ballon an ihrem eigenen. Vorsichtig sprangen sie an den Strand hinunter.

Die letzte Krabbe, die de Brissac getötet hatte, lag noch dort, und ein Schwarm von kleineren, angefangen von winzigen daumennagelgroßen Dingern bis zu häßlichen fußgroßen Schalentieren, fraßen an dem Kadaver. De Brissac vertrieb sie mit zwei Schüssen, die er auf die beiden größten richtete. Er hielt sich mit einer Hand die Nase zu, denn der Gestank war unerträglich, und mit der anderen schlitzte er der Riesenkrabbe den Hals auf und rettete sein Zigaretten-Etui.

In der Zwischenzeit entdeckte Basil ein grauenhaftes Andenken an die nächtlichen Ereignisse. Es waren fünfzehn Zentimeter eines schwarzhäutigen menschlichen Beins mit einem vollständigen Fuß.

Jetzt standen sie vor der Schwierigkeit, mitsamt den Stelzen für einen ersten Sprung hoch genug in die Luft zu kommen. De Brissac bestand darauf, als erster einen Versuch zu machen. Er kniete sich auf einen flachen Felsen und stieß sich mit den Knien ab. Die Stelzen schleiften nach, aber mit Hilfe der Skistöcke gelang es ihm, eine aufrechte Haltung einzunehmen, bevor er auf dem Tang niedersank. Während er dort herumhüpfte, folgten die beiden anderen seinem Beispiel. Dann ergriffen die Männer Yonitas Arme und nahmen sie zwischen sich.

Um sechs Uhr landeten sie sicher auf Yonitas Insel.

Das Ufer sah genauso kahl und verlassen aus wie das der kleinen Insel, auf der sie die Nacht verbracht hatten. Yonita berichtete, die Bewohner kämen nur selten zum Strand hinunter. Sie befreiten sich von den Stelzen und kletterten, von ihren Ballons unterstützt, eine hohe Klippe hinauf. Oben angekommen, wies Yonita auf das nächste Haus. Es lag, von einem kleinen Gehölz halb verborgen, etwa eine und eine halbe Meile entfernt. Nachdem sie die Ballons an einer geschützten Stelle festgebunden hatten, machten sie sich auf den Weg dorthin.

Yonita behauptete, sie könne allein gehen, aber sie hinkte so mühselig über den unebenen Boden, daß de Brissac darauf bestand, sie zu tragen. Nach einiger Zeit löste Basil ihn ab.

Sie kamen an einem Maisfeld vorbei und dann in einen Obstgarten, in dessen Mitte das Haus lag.

Der Farmer wollte gerade auf die Felder gehen. Als er sie erblickte, ließ er seine Werkzeuge fallen und rannte ihnen entgegen. Er erkannte Yonita, und seine Verwunderung verwandelte sich in aufgeregte Freude.

De Brissac, der sie gerade wieder trug, setzte sie ab, und sie stellte dem Farmer ihre Retter vor. Sein Name war Silas Randel. Er war der Sohn eines der amerikanischen Walfänger, die 1879 auf der Insel gelandet waren.

»Ist das nicht die beste Neuigkeit, die es je gegeben hat!« rief er aus und klopfte den beiden Männern freundschaftlich auf den Rücken. »Kommen Sie, kommen Sie ins Haus! Wir sind mit dem

Frühstück schon fertig, aber meine kleine Elsa wird gern ein neues kochen.«

Seine *kleine* Elsa erwies sich als eine blühende Frau in den Vierzigern. Sie war die Enkelin von einem der norwegischen Seeleute und drei früheren Kolonisten. Sofort nahm sie sich Yonitas an. Sie versuchte, gleichzeitig die Füße des Mädchens in einem heilenden Kräuteraufguß zu baden und eine frische Mahlzeit zu bereiten. Ihr einziger Sohn, ein rothaariger Zwölfjähriger, der aufgeregt umhersprang, behinderte sie mehr, als er ihr half.

Das Essen war einfach, aber reichlich. Es bestand aus Getreideflocken, Schinken, Eiern und hausgemachtem Brot. Dazu gab es dampfendheißen Pfefferminztee. Basil bemerkte, daß es weder Milch noch Butter oder Zucker gab. Als er erklärt hatte, was das sei, berichtete Yonita, Kühe besäßen sie nicht. Sie wisse jedoch, wie eine Kuh aussehe, da sich in einem der aus Wracks geretteten Bücher ein Bild befinde. Den Inselbewohnern fehlte es auch an Zuckerrohr und an Rüben, aber sie hatten Bienen und benutzten Honig zum Süßen. Tee oder Kaffee konnten in diesem Klima nicht gedeihen, selbst wenn sie Pflanzen gehabt hätten. Die üblichen Getränke waren Pfefferminz- oder Verbenentee, Apfelwein und Birnenschnaps.

Gestärkt und neu belebt machten sie sich wieder auf den Weg. Silas hatte seinen Sohn bereits in das im Zentrum der Insel gelegene Dorf geschickt, um Sir Deveril Barthorne über Yonitas Rettung zu benachrichtigen, und jetzt stellte er ihnen einen Schubkarren zur Verfügung. Eine halbe Meile weit begleiteten die Randels ihre Gäste, und dann kamen ihnen schon Sir Deveril und sämtliche Bewohner des Dorfes entgegen. Die Männer waren in altmodische lange Westen und beutelige Kniehosen gekleidet, die Frauen in kurze Faltenröcke wie Yonita.

Sie Deveril Barthorne war ein schöner, hochgewachener Mann von sechsundzwanzig. Immer wieder umarmte er Yonita. Er weinte beinahe vor Freude über ihre Rückkehr. Die anderen, Männer, Frauen und Kinder, drängten sich um Basil und de Brissac, schüttelten ihnen die Hände, küßten sie und dankten ihnen mit überströmender Herzlichkeit.

Es dauerte eine gute Viertelstunde, bis sich die Aufregung ein wenig legte. Dann schritten sie durch fruchtbares kultiviertes Land auf das Dorf zu. Die Häuser lagen weit auseinander, und jedes hatte seinen eigenen Garten. Basil fühlte sich an Kent oder Sussex erinnert. Nur die Häuser selbst hatten ein merkwürdiges, fremdartiges Aussehen.

Sie waren aus dicken Baumstämmen gebaut und mit einer Ausnahme nur ein Stockwerk hoch, aber sie hatten nichts von Hütten an sich. Die meisten waren von beträchtlicher Größe, aber unregelmäßigem Grundriß, als sei von Zeit zu Zeit angebaut worden. Die Fenster glichen Bullaugen.

Die ganze Gesellschaft hielt auf das eine zweistöckige Gebäude zu. Es hatte keine Fenster und machte den Eindruck einer großen Scheune. De Brissac vermutete, es sei eine Kirche, doch Yonita berichtete ihm, daß nach der Ankunft Vater Jeromes zwar einmal eine Kirche gebaut worden sei, dies aber nur zu Zwistigkeiten zwischen den verschiedenen Konfessionen geführt habe. Dann sei die Kirche niedergebrannt, und seitdem nehme der jeweilige Sir Deveril Trauungen und Beerdigungen vor, wie es auf einem Schiff der Kapitän tue.

»Und doch tragen Sie ein Kreuz«, bemerkte de Brissac.

»Das ist etwas anderes«, lächelte sie. »Wir alle lieben Gott und beten im stillen zu ihm. Unsere Mütter unterrichten uns in den Lehren Jesu Christi, und wir folgen ihnen, so gut das möglich ist. Aber das Kreuz hat für uns noch eine besondere Bedeutung. Sie werden es nicht bemerkt haben, daß unsere Insel die Form eines Kreuzes hat. Wir sind an der Nordküste gelandet, die den Fuß bildet. Vielleicht halten Sie es für Unsinn, daß wir glauben, der liebe Gott habe diese Insel mitten in den schrecklichen Seetang als Zuflucht für arme Schiffbrüchige gelegt.«

Sie betraten das Gebäude, und de Brissac und Basil sahen, daß es aus einem einzigen, hohen Raum bestand. Von den Dachbalken hingen zwei Reihen von verblaßten Flaggen. Sie stammten von den Schiffen, die den Weg in die östliche Bucht gefunden hatten.

Immer mehr Leute strömten herbei. Unter ihnen war auch Yonitas Onkel Cornelius, ein großer, spanisch aussehender Mann mit einer feinen, gebogenen Nase und schwarzem Hängeschurrbart. Er eilte auf Yonita zu und umarmte sie temperamentvoll. Und wenn er tausend Jahre alt würde, versicherte er

Basil und de Brissac, er werde ihnen den Dienst, den sie ihm geleistet hätten, nie vergelten können.

Inzwischen wurden lange Brettertische aufgestellt, und die olivenhäutigen Frauen der Insel trugen herbei, was zu einem Festmahl nötig war. Die Besucher protestierten vergeblich, sie hätten gerade ein gutes Frühstück zu sich genommen.

Nachdem zum Abschluß ein sehr schmackhafter Pflaumenschnaps gereicht worden war, fiel Yonita vor Müdigkeit beinahe um, und auch Basil und de Brissac hatten Ruhe dringend nötig. Sir Deveril führte sie durch einen schönen Park zu seiner eigenen Residenz, die nur ein paar hundert Meter entfernt lag.

Die beiden Männer badeten in einer altmodischen Sitzbadewanne, für die das heiße Wasser in Kesseln von der Küche herbeigetragen werden mußte. Zehn Minuten später lagen sie auf bequemen Lagerstätten und schliefen ungeachtet der fremdartigen Umgebung ein, sobald ihre Köpfe das Kissen berührten.

XII

EIFERSUCHT

Vicente hatte sich erholt, wenn er auch von dem Kampf mit dem Oktopus immer noch blaue Flecken hatte und sich steif fühlte. Damit Luvia ihm nicht wieder zuvorkam, forderte er gleich nach dem Abendessen Synolda auf, mit ihm an Deck zu kommen.

»Nein, danke.« Sie erschauerte. Inzwischen hatte jeder an Bord sich zusammengereimt, wie Bremer tatsächlich zu Tode gekommen war. »Nach Einbruch der Dunkelheit gehe ich mit niemanden an Deck, wenn ich nicht unbedingt muß.«

»Dann kommen Sie bitte mit mir auf die Brücke. Bis dahin reicht kein Tentakel.«

Luvia warf einen Blick zu ihnen hinüber. »Tut mir leid, Ihnen den Abend zu verderben, Vedras, aber Sie scheinen vergessen zu haben, daß Sie Wache im Maschinenraum haben. Wir müssen das Feuer in Gang halten, oder wir können morgen das Schiff nicht manövrieren.«

Vicente schlug wütend auf den Tisch. »Ich bin ein Passagier! Ich habe es nicht nötig, als Heizer zu arbeiten.«

»Ach, hören Sie auf«, winkte Luvia ab. »Die Frage ist schließlich schon seit langem geregelt.«

Vicente stand auf. »Ich habe die Überfahrt bezahlt, und ich weigere mich, Kohlen zu schaufeln. Sie sind von der Schifffahrtsgesellschaft angestellt. Tun Sie es doch selbst.«

»Sind Sie vom tollen Affen gebissen worden?« fragte Luvia. »Wir sitzen für den Rest unseres Lebens hier fest, und da ist es völlig gleichgültig, wer Passagier und wer Angestellter ist. Wir haben manche Gefahr überstanden, weil wir zusammengehalten haben.«

»Wenn es, wie Sie behaupten, keine Passagiere mehr gibt«, brüllte Vicente mit feuerrotem Kopf, »dann gibt es auch keine Offiziere mehr! Warum soll ich arbeiten, während Sie faul herumsitzen und trinken?«

»Ganz so ist es doch nicht«, gab Luvia kalt zurück. »Wenn wir Yonitas Insel erreichen wollen, müssen wir alle arbeiten. Ich habe in den letzten vierzehn Tagen sehr viel weniger Schlaf gehabt als Sie. Ich kann Ihre Arbeit tun, aber Sie nicht die meine. Deshalb gebe ich die Befehle, ob Ihnen das gefällt oder nicht.«

»Dann will ich wenigstens zu der Zeit arbeiten, die mir paßt, von zwei bis vier oder von vier bis sechs. Im Augenblick bleibe ich hier.«

»Vicente, benehmen Sie sich doch nicht wie ein Kind«, fiel Synolda ein.

»Sie wollen mich also loswerden, wie?« fragte er mißtrauisch.

»O nein, das wollen wir nicht«, versicherte sie schnell. »Nur hat es keinen Sinn, alles umzuwerfen. Was soll denn dabei herauskommen?«

»Mir stände es zu, diesen Vorwurf zu machen«, fauchte er.

Luvia stand auf. »Hören Sie, Vedras. Wenn Sie eine neue Einteilung wollen, läßt sich das machen. Allerdings kann ich es keinem der anderen zumuten, auf der Stelle für Sie einzuspringen. Entweder gehen Sie jetzt an die Arbeit, oder ich packe Sie beim Hosenboden und stecke Sie in die Arrestzelle.«

Vicentes rotes Gesicht wurde kreidebleich. »Sie drohen mir? Gut, ich gehe, aber das letzte Wort ist darüber noch nicht gesprochen.« Wütend stampfte er davon.

Auch Luvia ging, aber nur, weil er eine Flasche Champagner holen wollte.

Synolda lächelte. Sie hatte keine Angst mehr vor Vicente. Im tiefsten Herzen fühlte sie ein wenig Mitleid für ihn. Drei Abende zuvor war die Situation ganz anders gewesen. Da hatten sie noch damit gerechnet, in wenigen Tagen einen südamerikanischen Hafen anzulaufen. Jetzt schien nicht mehr die leiseste Hoffnung zu sein, jemals wieder die Welt außerhalb des Tangkontinents zu erreichen. Synolda war völlig zufrieden, sich auf Yonitas Insel niederzulassen. In Juhani Luvia hatte sie den Mann ihrer Träume gefunden, und sie war entschlossen, ihm eine treue, liebende Frau zu werden.

Was konnte Vicente ihr noch antun? Nun, er konnte natürlich Luvia und allen anderen erzählen, was er von ihrer Vergangenheit wußte. Aber wenn Luvia sie wirklich liebte, würde er Verständnis zeigen. Angst hatte sie nur vor der Polizei, und vor der war sie auf Yonitas Insel sicher.

Im stillen faßte sie den Entschluß, Vicente zuvorzukommen und bei der ersten Gelegenheit Juhani alles über ihre Flucht aus Kapstadt zu beichten. In den nächsten beiden Stunden würde sie kaum jemand stören. Aber sollte sie auch sagen, daß sie sich Vicente erst kürzlich hingegeben hatte? Nein, das Risiko war zu groß. Vicente hatte keine Spur eines Beweises dafür, daß er eine Nacht in ihrer Kabine verbracht hatte, und wenn sie es energisch leugnete, würde Juhani ihr glauben und nicht ihm.

Soweit war sie mit ihren Überlegungen gekommen, als Juhani zurückkehrte, unter jedem Arm eine Flasche Champagner. Er stellte sie auf den Tisch, beugte sich zu Synolda herab und küßte sie. Sie legte einen Arm um seinen Hals und flüsterte, ihren Mund dicht an seinem Ohr: »Ist es nicht schön, daß wir einmal ganz allein sind?«

Er küßte sie erneut und lächelte sie an. »Ich glaube, genau das wollte Vicente vermeiden. Der arme Kerl, er begegnete mir auf seinem Weg nach unten und hat die Champagnerflaschen gesehen. Er machte ein Gesicht wie ein kranker Hund.«

»Er ist kein schlechter Mensch«, versicherte Synolda. »Nur eifersüchtig ist er, das ist alles.«

Luvia öffnete eine der Flaschen. »Das wäre ich auch, wenn ich glauben müßte, daß du dich für ihn interessierst.«

»Woher weißt du, daß ich es nicht tue?« lächelte sie.

»Hör auf, mich aufzuziehen, Schatz. Wie könnte sich ein sü
ßes Ding wie du für diesen ulkigen kleinen Kerl interessieren,
der noch dazu alt genug ist, um dein Großvater zu sein?«

Sie zuckte ungeduldig die Schultern und hielt ihm ihr Glas
hin. »Er ist nicht viel über Mitte Vierzig, und ich bin eine alte
Frau von sechsundzwanzig. Vergessen wir ihn.«

»Auf was wollen wir trinken?« fragte er.

»Auf Yonitas Insel«, schlug sie vor.

»Ja – und auf alles Glück, das wir dort finden werden.«

»Glaubst du wirklich, daß wir dort glücklich sein werden?«

»Ich werde dich glücklich machen, Synolda, oder bei dem
Versuch sterben.«

Sie sah ihn mit ihren schönen blauen Augen ernst an. »Ist das
dein Ernst, Juhani? Du willst mich für immer?«

»Ganz gewiß. Mir macht es nichts aus, daß es mit der Seefahrt
vorbei ist, denn ich möchte dich nie mehr verlassen. Mein Großvater war Bauer, und ich bin als Junge oft auf seinem Hof gewesen. Deshalb verstehe ich eine ganze Menge vom Ackerbau, und
ich habe keine Angst davor, mein Land zu bestellen. Auch müssen die Inselbewohner anständige Leute sein. Wir werden unter
ihnen ein einfaches, glückliches Leben führen. Stell dir vor –
keine Steuern, keine Kriege, keine doppelzüngigen Politiker. Es
wird großartig sein – einfach großartig.«

Wieder lächelte sie. »Juhani, eine so lange Rede habe ich noch
nie von dir gehört. Aber du hast mir aus dem Herzen gesprochen.«

Er zog sie auf seinen Schoß. »Wir werden uns auf der Insel sofort trauen lassen. Keine lange Verlobungszeit, keine Notwendigkeit, Geld zu sparen und Möbel zu kaufen oder sonst etwas.
Und dann können wir Tag für Tag und Nacht für Nacht beisammen sein. Wie schön wird das werden!«

Sie strich ihm über das helle Haar. »Wir werden es viel einfacher haben als andere Paare. Aber, mein Liebster, ich möchte
wissen, ob du dir auch ganz sicher bist. Ich habe nämlich so etwas wie eine Vergangenheit. Du weißt, ich war bereits zweimal
verheiratet.«

»Das hat nichts zu bedeuten.«

114

»Aber davon abgesehen, hat es auch andere Männer gegeben.«

»Viele Mädchen haben heutzutage ihren Spaß, bevor sie heiraten.«

»Ja, aber ich hatte ihn hinterher.«

Verlegen antwortete er: »Sprechen wir nicht davon. Keinem von diesen Männern werden wir hier begegnen. Wir fangen ganz von vorn an, und nichts kann uns mehr trennen.«

Es klopfte an den Türrahmen, und sie fuhren zusammen. Hansie, ganz bedeckt mit Kohlenstaub, stotterte: »Ich bitte um Verzeihung, Sir, aber Mr. Vedras hat mich gerade abgelöst und mich gebeten, Mrs. Ortello dies Briefchen zu bringen.«

Synolda glitt von Luvias Knie und nahm den weißen Umschlag entgegen, auf dem ein schwarzer Daumenabdruck prangte. »Danke, Hansie.« Sie legte ihn auf den Tisch.

»Gern geschehen, Mrs. Ortello.« Grinsend zog sich Hansie zurück.

Synolda setzte sich wieder auf Juhanis Schoß. Aber er nahm den Brief vom Tisch und reichte ihn ihr.

Unschlüssig drehte sie ihn zwischen den Fingern.

»Nun mach schon auf«, drängte er. »Was mag der arme alte Vicente geschrieben haben?«

»Es kann nichts Wichtiges sein.« Sie ließ den Brief auf den Fußboden fallen und bot Juhani ihre Lippen dar.

Schnell nahm er den Brief auf. »Schatz, wenn er nicht gewollt hätte, daß du ihn sofort bekommst, hätte er Hansie damit nicht heraufgeschickt. Öffne ihn und bring es hinter dich.«

Synoldas Herz begann zu rasen. »Jetzt möchte ich aber mit dir reden. Vicente kann mir morgen früh selbst sagen, was er will.«

»Wie du meinst«, gab Luvia nach. Synolda unterdrückte ein erleichtertes Aufseufzen. Doch in diesem Augenblick erschien Hansie wieder am Eingang. Er wischte sich die Hände an einem schmutzigen Handtuch ab.

»Verzeihung, Mrs. Ortello. Ich hatte es ganz vergessen, aber Mr. Vedras sagte, ich möchte ihm eine Antwort auf diesen Brief bringen.«

»Zum Teufel!« rief Luvia. Wieder nahm er den Umschlag und drückte ihn Synolda in die Hand. »Was will der Bursche nur?«

Synolda schlitzte den Umschlag mit ihrem Daumen auf und

zog ein Blatt Papier heraus. Angstvoll überflog sie die große, deutliche Schrift.

Synolda, meine Schöne,
Deinem armen Vicente bricht das Herz, weil er sieht, daß Du die Absicht
hast, ihn zu betrügen. Ich liebe dich so sehr, daß ich Dir schon im voraus
verzeihe. Denn ich hoffe, morgen oder übermorgen nacht werde ich wie-
der der Glückliche sein. Wenn ich Dir unrecht tue, bitte ich Dich, es mir
zu vergeben und das Licht in Deiner Kabine brennen zu lassen. Ich
werde es durch die Türritze sehen, wenn ich um Mitternacht von meiner
Schicht komme. Schicke mir, um mir Todespein zu ersparen, durch
Hansie eine Antwort. Ein »Ja« genügt, damit ich weiß, ich darf heute
nacht zu Dir kommen. Inzwischen küsse ich im Geiste das entzückende
Muttermal, das Du genau unter dem Herzen hast.
Dein verzweifelter Vicente

Synolda las nur die ersten Worte und versuchte, das Papier zusammenzuknüllen. Juhani hatte durchaus nicht die Absicht gehabt, den Brief zu lesen, aber sein Blick fiel auf die letzte Zeile. Sofort faßte er ihr Handgelenk und hielt es fest, bis jedes Wort wie Tropfen brennender Säure in sein Gehirn eingedrungen war.

Langsam ließ er ihre Hand los, schob sie sacht von sich und stand auf. Mit schwerer Zunge sagte er zu Hansie: »Gut, Hansie, richten Sie Mr. Vedras aus, die Antwort laute ›Ja‹.«

»Geht in Ordnung, Sir.« Hansie warf einen verwirrten Blick auf das graue Gesicht seines Offiziers und entfernte sich schnell.

Im Salon herrschte tödliche Stille.

»Juhani«, stammelte Synolda.

»Du Schlampe!« brüllte er. Seine blauen Augen flammten. »Nie hätte ich das von dir geglaubt.«

»Juhani, laß es mich dir doch erklären«, flehte sie.

»Da gibt es nichts zu erklären. Der verdammte Venezolaner hat erst gestern oder vorgestern mit dir geschlafen, das geht einwandfrei aus diesem Brief hervor. Großer Gott, wie konntest du das tun? Dieser schmierige Kerl! Wenn ich nur daran denke, wird mir speiübel.«

»Juhani«, hauchte sie, »es ist nicht wahr. Es ist nicht wahr.«

»Das sagst du.« Seine große Hand schoß vor und riß ihr Kleid vom Halsausschnitt bis zur Taille auf. Ihre rechte Brust blieb bedeckt, aber die linke wurde entblößt. Darunter hatte sie ein unübersehbares feuerrotes Muttermahl.

»Da!« Wütend zeigte er darauf. »Das kannst du ebensowenig abwaschen wie die Lügen von deinem Mund. Gott, wenn ich daran denke, daß ich zum erstenmal eine Frau wirklich geliebt habe, und dann muß es eine Hure sein! Und du hast mir vorgemacht, du liebtest mich.«

»Aber ich liebe dich«, wimmerte sie. »Juhani, bitte, ich kann es dir erklären. Ich mache mir gar nichts aus Vicente, ich . . .«

»Schon wieder eine neue Lüge.«

»Ich hasse ihn, das schwöre ich dir.«

»Dann bist du noch schlechter, als ich gedacht habe. Du hast den armen Teufel nur zum Spaß angelockt, und jetzt treibst du ihn vor Eifersucht zum Wahnsinn. Und wenn man mich dafür bezahlte, will ich das nicht haben, was Vicente übriggelassen hat. Uch ich will auch nicht, daß er wie Dreck behandelt wird. Wenn du vorher mit ihm geschlafen hast, kannst du das auch weiterhin tun.«

»Aber Juhani, ich will es doch nicht«, schluchzte Synolda. »Ich möchte lieber sterben.«

»Dann stirb!« wütete er. »Vicente verzehrt sich vor Verlangen nach dir – ich nicht. Du hast ihn dir selbst ausgesucht. Er hat die Botschaft erhalten und wird um Mitternacht zu dir kommen. Wenn er kein rückgratloser Schwächling ist, wird er dich verprügeln, weil du ihn betrügen wolltest. Nun, du kannst schreien, bis dir die Luft ausgeht. Ich werde dir nicht helfen.«

Synoldas Tränen versiegten. »Ich brauche deine Hilfe nicht«, fuhr sie ihn an. »Ich werde Vicente gar nicht erst in meine Kabine lassen, heute und auch in Zukunft nicht. Ich gehöre ihm nicht.«

»O doch, du gehörst ihm! Keine Frau hat das Recht, einen Mann, dem sie Liebe vorgeheuchelt hat, ohne ein Wort der Erklärung auszusperren, wie du es mit Vicente vorhast. Ich werde dich jetzt in deine Kabine bringen, die Tür abschließen und Vicente den Schlüssel schicken.« Juhanis blaue Augen glitzerten vor Wut hart wie Saphire.

»Du Schwein!« schrie Synolda. »Wie kannst du so etwas tun? Ich werde ihn töten, wenn er mich berühren will!«

Er zuckte die Schultern. »Tut mir leid, wenn dir das nicht gefällt. Vielleicht lehrt es dich, einen einfachen Burschen wie mich nicht zum Narren zu halten. Jetzt komm!«

Synolda versuchte, ihm zu entschlüpfen, aber er packte sie beim Nacken und drängte sie auf die Kajütentreppe zu. Sie belegte ihn mit allen englischen und spanischen Schimpfwörtern, die ihr einfielen, doch ihre Flüche wie ihre Tränen blieben wirkungslos. Er stieß sie in ihre Kabine und warf sie auf ihre Koje.

XII

TOD AUF DER GAFELBORG

Juhani war in seinem blinden Zorn kaum noch bei Verstand. So machte er seine Drohung wahr, schloß die Tür ab und schickte Vicente den Schlüssel.

Er kehrte in den Salon zurück, und da standen noch die beiden Champagnerflaschen, von denen erst eine geöffnet war. Juhani tat, was manch ein anderer verzweifelter Mann auch getan hätte. Er leerte eine halbe Champagnerflasche, kam zu dem Schluß, daß sein Elend davon nicht genügend betäubt wurde, und half mit Whisky nach. Da sich Champagner und Whisky nicht vertragen, war er bald betrunken.

Als er aufstand, um sich eine zweite Flasche Whisky zu holen, fiel sein Blick auf die Uhr. Es war zehn Minuten nach zwölf. Also hatte Vicente seine Schicht am Heizofen beendet und war nun schon bei Synolda. Oder, wenn er eine Verzögerung in Kauf genommen hatte, um sich erst zu waschen, würde er doch bald bei ihr sein. Lebhafte Bilder, wie sie in seinen Gorillaarmen lag, tanzten durch sein Gehirn.

Plötzlich lachte er laut auf. Welch ein Narr war er gewesen! Vermutlich gehörte sie zu den Frauen, die sich mit jedem Mann einlassen. Wäre er kein romantischer Idiot gewesen, hätte er nicht vom Heiraten gesprochen, dann könnte er jetzt an Vicentes Stelle sein. Vermutlich hielt sie ihn, Juhani, für eine Schlafmütze. Nun, er war eine Schlafmütze. Warum hatte er nicht genommen, was ihm angeboten worden war?

Die zweite Flasche Whisky war halb leer. Der Salon drehte sich um ihn. Ein neuer Gedanke stieg in ihm auf. War es schon zu spät? Warum ging er nicht hinunter, setzte Vicente an die Luft und vertrug sich wieder mit Synolda? Und wenn sie nicht wollte? Auch das würde ihn nicht aufhalten. Er wurde noch wahnsinnig, wenn er länger hier herumsaß.

Juhani schwankte auf die Kajütentreppe zu. Er hielt sich am Geländer fest und lachte wie ein Irrer. Sorgfältig peilte er die Stufen an und schaffte sechs; den Rest rutschte er auf dem Rücken hinunter. Eine Weile blieb er liegen und konnte sich nicht mehr erinnnern, warum er unter Deck gegangen war.

Dann fiel es ihm wieder ein. Er raffte sich auf und taumelte den Gang entlang bis zu Synoldas Kabine. Zornige Stimmen waren zu hören. Juhani donnerte mit der Faust gegen die Tür. »Vedras, komm raus!«

Sofort war es ruhig.

Juhani schlug beinahe die Tür ein. Ein Schlüssel wurde gedreht, und Synolda öffnete. Ihre Augen sprühten vor Zorn. »Was willst du?«

»Dich«, antwortete Juhani mit alkoholisiertem Grinsen.

»Du bist betrunken!« rief sie. »Verschwinde!«

Er blieb auf der Schwelle stehen und schaukelte vor und zurück. Mühsam richtete er seine Augen über Synoldas Schulter auf Vicente, der auf der Kante ihrer Koje saß. Der Venezolaner trug einen seidenen Schlafrock über seinen Hosen. Sein offenes Hemd zeigte einen Teil seiner haarigen Brust. Synolda dagegen war nicht nur vollständig bekleidet, sie hatte auch noch einen Regenmantel mit fest zugezogenem Gürtel an. Offensichtlich war es ihr Ernst gewesen, daß sie Vicente nicht haben wollte, und er hatte eben mit ihr gestritten oder sie zu überreden versucht.

Juhani machte einen unbeholfenen Schritt vorwärts. Synolda versuchte vergeblich, ihn zurückzudrängen. Vicente stand auf.

»Was hat denn das zu bedeuten?« fragte der Venezolaner. »Sie sind betrunken. Sinnlos betrunken. Gehen Sie und lassen Sie uns in Frieden.«

»Geh' selber, du Laus«, murmelte Juhani. »Oder ich breche dir den Hals.«

Vicente sah ihm gerade ins Gesicht. »Wenn Synolda sagt, sie wünsche, daß ich gehe, dann gehe ich. Andernfalls werde ich *Sie* hinauswerfen.«

Juhani drehte sich langsam um. Synoldas Gesicht tanzte undeutlich vor seinen Augen. »Willst du diesen Knilch haben – oder – soll ich ihn – mir mal vornehmen?«

»Ich will meine Kabine für mich allein haben«, fauchte sie. »Verschwindet – alle beide!«

»Siehst du wohl«, wandte sich Juhani an Vicente. »Die schöne Dame sagt, du sollst gehen. Ich bleibe noch – will mit ihr reden.«

Unsicher langte Juhani nach Vicentes Schulter. Vicente trat schnell zurück, faßte unter seinen seidenen Schlafrock und brachte eine Automatik zum Vorschein. Seine dunklen Augen glühten vor Haß und Eifersucht.

»Jetzt ist es zu Ende mit meiner Geduld!« schrie er. »Wären wir in Südamerika, hätte ich Sie schon längst getötet. Junge Gockel muß man lehren, daß sie sich nicht in die Angelegenheiten erwachsener Männer zu mischen haben. Hinaus – oder ich schieße.«

Juhanis Unterkiefer klappte herab. Doch im nächsten Augenblick biß er die Zähne zusammen und griff wie ein wütender Bulle an.

Mit erschrecktem Aufkeuchen warf Synolda sich auf Vicente und versuchte, ihm die Waffe zu entreißen. Der Schuß ging los. Die Explosion schien das ganze Schiff zu erschüttern. Die Kugel pfiff Zentimeter an Synoldas Oberschenkel vorbei und bohrte sich in den Türrahmen.

Eine Sekunde lang standen alle drei wie angewurzelt da. Die Pistole fiel aus Synoldas schlaffen Fingern klappernd zu Boden. Aus ihrem Lauf stieg ein blaues Rauchwölkchen auf.

Plötzlich warf sich Juhani mit einem lauten Schrei von neuem auf Vicente, legte ihm beide Hände um den Hals und drängte ihn rückwärts.

Vicente krachte gegen das Waschbecken. Gleich darauf hatte er die Wasserkaraffe ergriffen, die auf einem Brett darüber stand, hob sie hoch und schmetterte sie auf Juhanis Kopf.

Der junge Ingenieur gab einen Grunzlaut von sich und brach zusammen. Das Wasser tropfte von seinem goldenen Bart. Rings um ihn lagen Glasscherben verstreut.

Synolda warf sich über ihn. »Du Vieh!« schrie sie Vicente an. »Du kannst ihn getötet haben!«

»Und wenn?« Vicente zuckte die Schultern. »Dieser große

Barbar ist nur gekommen, um dich zu belästigen, und wer anders als ich sollte dich vor ihm verteidigen?«

Sie schluchzte. »Es ist alles deine Schuld! Dein Brief hat den armen Jungen halb verrückt gemacht – und da hat er sein Elend eben ertränkt.«

Sie griff sich ein Handtuch, bettete Juhanis Kopf in ihren Schoß und begann, Wasser und Blut aus seinen hellen Locken zu wischen.

Ehe Vicente noch etwas sagen konnte, hörte man Laufschritte auf dem Gang. Als erster erschien Li Foo, danach aus der anderen Richtung Harlem-Joe, und schließlich war das ganze Schiff versammelt. Zornige Fragen klangen auf. Außer Harlem und Nudäa hingen alle sehr an ihrem Offizier, und es war offensichtlich, daß Vicente ihn niedergeschlagen hatte.

Der alte Jansen drängte sich durch die Menge. »Was ist geschehen, Missus?« fragte er Synolda. »Er ist doch nicht tot?«

»Nur betäubt, glaube ich«, stammelte sie. »Mr. Vedras hat ihn angegriffen – hat ihm die Wasserkaraffe über den Schädel geschlagen.«

»So!« Der alte Zimmermann bedachte Vicente mit einem steinernen Blick. Die Mannschaft murmelte Drohungen.

»Ich habe Madame Ortello beschützt. Er war betrunken und versuchte, sie zu belästigen«, gab Vicente herausfordernd zurück.

»Lüge!« schrie Synolda. »Er hat versucht, Sie aus meiner Kabine zu werfen!«

»Jawohl, Mr. Vedras lügt«, mischte sich Hansie ein. »Mr. Luvia trinkt gern einmal einen Schluck, aber er kann ihn auch vertragen. Ich fahre seit zwei Jahren mit ihm, und ich habe ihn noch nie betrunken gesehen.«

»Schlagen wir ihn zusammen«, klang die Stimme des jungen Largertöf. Der Vorschlag wurde mit Begeisterung aufgenommen.

Vicente ließ sich auf die Knie fallen und nahm die Automatik auf. Jansen, Largertöf und Hansie sprangen ihn über Luvias Körper hinweg an. Es gab eine ohrenbetäubende Detonation. Der alte Jansen hustete, ächzte und fiel seitwärts auf Synoldas Koje. Die anderen beiden landeten auf Vicente und nagelten ihn auf dem Fußboden fest.

Kurze Zeit war die Kabine gestopft voll mit kämpfenden, fluchenden Männern, während Synolda versuchte, Juhanis Kopf vor weiteren Verletzungen zu schützen.

Das Knäuel entwirrte sich. Der um sich tretende Vicente wurde auf den Gang hinausgezerrt. Nur Li Foo blieb zurück. Jansen war von der Koje gerutscht und aufs Gesicht gefallen. Der Chinese drehte ihn auf den Rücken. Ein Blick auf die starren Augen sagte ihm, daß Jansen tot war.

»Das ist schlecklich – ganz schlecklich für Missie«, lispelte er. Er faßte den toten Zimmermann bei den Schultern und schleppte ihn fort.

Jetzt kam Unity von ihrer weiter weg gelegenen Kabine herbei. Sie unterdrückte einen Aufschrei.

»Hiel viel Älgel, Missie, abel alles volbei jetzt«, sagte Li Foo leise und trat zur Seite, um sie durchzulassen.

»O Gott!« Ihr Blick fiel auf Juhani. »Er ist doch nicht auch tot?«

Synolda blickte auf. »Nein, Gott sei Dank.«

Li Foo und die beiden Mädchen legten Juhani auf die Koje. Synolda gab Unity einen kurzen Bericht. Sie wuschen und verbanden Luvias Kopf. Er atmete schnarchend. Synolda erkannte, daß er aus der Bewußtlosigkeit in den Schlaf der Trunkenheit hinübergeglitten war. Sie zogen ihn aus und machten es ihm bequem.

Unity ging fort, um in Erfahrung zu bringen, was mit Vicente geschehen war. Bald kehrte sie zurück und berichtete, man habe ihn nach einer gehörigen Tracht Prügel in seine Kabine eingesperrt. Alles sei wieder ruhig. Sie bot Synolda an, bei ihr zu bleiben, aber Synolda drängte sie, sich wieder schlafen zu legen.

Li Foo wischte den Fußboden auf. Dann brachte er Synolda eine Tasse Tee. Dankbar trank sie sie aus. Sie küßte Juhani zart auf die Stirn, rollte sich auf dem Sofa zusammen und löschte das Licht. Li Foo schlief auf einer Matte im Gang.

Juhani erwachte in aller Frühe. Er führte eine Hand an seinen schmerzenden Kopf und wunderte sich, daß dieser seine normale Größe hatte. Anfühlen tat er sich wie ein Mühlstein und doch wie eine einzige Breimasse, und es stach darin wie mit Messern. Ohne ihn zu bewegen, rollte er die Augen und erblickte Synolda, die auf dem Sofa gegenüber fest schlief. Die Ereignisse des vergangenen Abends fielen ihm wieder ein. Er fragte sich, was aus Vicente geworden sein mochte. Zwar erinnerte er sich daran, wie er niedergeschlagen worden war, aber sonst wußte er nur noch wenig von der Szene im Salon und wie er sich hinterher betrunken hatte.

Vermutlich hatte Synolda ihn zu Bett gebracht, nachdem sie Vicente losgeworden war. Sie sah jünger als je aus, und um ihren traurigen Mund lag ein so rührender Zug, daß er am liebsten seine Arme nach ihr ausgestreckt und sie getröstet hätte. Doch er verhärtete sein Herz. Das war eine Frau, die sich mit jedem beliebigen Mann einließ. Er wollte nichts mehr mit ihr zu tun haben.

Ganz vorsichtig stellte er einen Fuß auf den Boden. Zu seiner Befriedigung stellte er fest, daß er keinen Schmerz in seinen Gliedern verspürte. Nur der Kopf brummte ihm, und im Mund hatte er einen ekelhaften Geschmack. Seine Kleider lagen sauber zusammengefaltet da. Er nahm sie und schlich sich auf Zehenspitzen zur Tür. Synolda wachte nicht auf.

Li Foo erhob sich wie ein Schatten. Er zog sich sofort wieder zurück, als Juhani ihm mit einer herrischen Geste Schweigen befahl. Juhani schloß die Tür leise von außen zu, zog den Schlüssel heraus, ging den Gang hinunter und winkte dem Chinesen, ihm zu folgen.

Sobald er in seiner eigenen Kabine war, steckte er den Kopf in kaltes Wasser. Dann stellte er Li Foo ein paar Fragen. Erschüttert vernahm er, daß Jansen tot war. Er mußte sich sagen, daß er die eigentliche Ursache gewesen war. Abrupt entließ er den Chinesen, zog sich an und ging an Deck.

Unity lief in Angst und Sorgen auf dem Vordeck auf und ab. Sie hielt sich stets in der Mitte, damit kein Oktopus sie erwischen konnte. Juhani wäre ihr gern aus dem Weg gegangen, aber das ließ sich nicht gut machen.

»Morgen. Wie geht's?« Er fragte sich, was sie über die Geschehnisse der vergangenen Nacht wußte.

»Nicht sonderlich«, antwortete sie. »Ich werde erst dann ruhig sein, wenn Basil wohlbehalten zurück ist.«

»De Brissac wird nicht vor Mittag aufbrechen. Er wird sich das Dorf, in dem auch wir leben müssen, genau ansehen wollen, und er weiß, daß es mit der Rückkehr keine besondere Eile hat.«

Unity nickte. »So wird es sein. Nur hoffte ich, Basil würde

gleich am frühen Morgen zurückkommen und uns alles erzählen. Was macht der Kopf?«

»Es geht schon wieder.« Juhani blickte beschämt zur Seite. »Sie wissen wohl alles über die Schlägerei?«

»Ein bißchen. Ich kam erst an, als das meiste schon vorbei war. Es muß Ihnen viel an Synolda liegen.«

»Diese . . .!« Er bezwang sich. »Ach was, ich habe ihr ein wenig den Hof gemacht, aber sie hat mir die kalte Schulter gezeigt. Ich hätte mehr Verstand haben sollen.«

»Armer Juhani.« Unity lächelte in schwesterlichem Mitgefühl. »Es tut mir leid, daß es Streit zwischen euch gegeben hat. Wenn Sie hätten sehen können, wie zärtlich sie Ihren Kopf in den Armen hielt, als Sie das Bewußtsein verloren hatten, dann wüßten Sie, wie sehr sie Sie liebt. Sie und Synolda sind wie füreinander geschaffen.«

»Das dachte ich auch«, gab Juhani widerstrebend zu. »Aber das stimmt nicht. Sie ist schmutzig – innerlich schmutzig. Ich will nichts mehr mit ihr zu tun haben.«

»Das kann doch nicht wahr sein! Synolda gibt zu, daß sie eine Vergangenheit hat, aber niemals würde sie irgendwem einen häßlichen Streich spielen.«

»Jetzt hören Sie mal zu, Unity. Ich möchte sie nicht bei Ihnen schlechtmachen, aber ich muß bei irgendwem Dampf ablassen, sonst platze ich.«

Alle seine selbstquälerischen Gedanken sprudelten aus ihm heraus. »Also, so eine ist sie«, schloß er. »Was würde nun jeder Mann tun?«

Unity schwieg einige Zeit. Endlich sagte sie: »Das ist keine hübsche Geschichte. Ich mache Ihnen keinen Vorwurf, daß Sie böse auf sie sind. Aber Synolda hat ein ganz anderes Leben hinter sich als die meisten Frauen. Wenn Sie sie lieben, müssen Sie ihr Zugeständnisse machen.«

»Ich habe sie geliebt. Und jetzt weiß ich nicht mehr, ob ich sie liebe oder hasse. Ich werde dafür sorgen, daß sie in ihrer Kabine eingeschlossen bleibt, bis wir die Insel erreichen. Hansie oder Li Foo können ihr das Essen bringen.«

»Und was ist mit Vicente?«

»Das gleiche gilt auch für ihn. Das Schwein hat den armen alten Jansen erschossen, und wenn wir einen richtigen Hafen anliefen, würde er wegen Mordes vor Gericht gestellt werden.«

»Er dachte, die Männer wollten ihn umbringen, und schoß in Selbstverteidigung. Das wäre alles nicht geschehen, wenn Sie sich nicht betrunken hätten. Also sind Sie ebenso schuld wie er.«

»Das weiß ich.« Juhani grinste kläglich. »Am besten wäre wohl, ich würde mich auch einschließen und jemand anders das Schiff führen lassen.«

»Hauptsache, daß Sie drei sich vorläufig nicht wieder begegnen«, meinte Unity. »Und für Synolda und Vicente ist es ja nicht weiter schlimm, daß sie einen Tag unter Deck bleiben müssen.« Unity dachte bei sich, dadurch werde jedenfalls weiterer Ärger vermieden, bis Basil und de Brissac zurückkehrten. »Ich glaube, ich mache jetzt das Frühstück.«

Juhani verließ sie an der Tür zur Kombüse und ging nach achtern. Dort traf er Gietto Nudäa an. »Ich wollte gerade kommen und Sie wecken, Mr. Luvia«, sagte der Mischling.

»Weshalb?«

»Wegen Harlem, Sir. Er ist weg, zusammen mit dem Neger, der die Kopfverletzung hat. Gleich nach Sonnenaufgang haben sie sich die beiden übrigen Ballons genommen.«

»Zum Teufel!« brüllte Luvia. »Sie wollen zur Satansinsel, wie? Warum haben sie Sie nicht mitgenommen?« fragte er mißtrauisch. »Es waren doch drei Ballons da.«

Nudäa fuhr ärgerlich auf: »Ich bin ein Weißer, und die Inselnigger bringen alle Weißen um, die sie in die Finger bekommen.«

Luvia nickte langsam. Armer Teufel, dachte er. Die Schwarzen hatten ihn nicht mitnehmen wollen, und zu den Weißen gehörte er auch nicht.

»Nun, dann sind wir sie los«, erklärte er kurz, »und Harlem kann keinen Ärger mehr machen.«

Juhani Luvia wußte noch nicht, was die nächsten vierundzwanzig Stunden bringen würden.

XIV

DIE LIEBE AUF YONITAS INSEL

Es war später Nachmittag, als Basil erwachte. Nach einer Sekunde erkannte er die fremdartige Umgebung und setzte sich auf. Da durch die beiden bullaugenähnlichen Fenster nur wenig Licht fiel, meinte er, es sei schon Abend.

Er sprang aus dem Bett und sah hinaus. Zu seiner Erleichterung stand die Sonne noch ziemlich hoch hinter den Zedern des Parks und ließ die Farben der Blumen hell aufleuchten. Er wußte, Unity hatte ihn schon am Morgen zurückerwartet, und jetzt würde sie sich schreckliche Sorgen um ihn machen. Schnell zog er sich etwas über und eilte in den anstoßenden Raum zu de Brissac.

Der Franzose blinzelte verschlafen.

»Steh auf«, drängte Basil, »wir müssen weg, sonst wird es dunkel.«

De Brissac gähnte. »Weshalb die Eile? Hier haben wir es doch recht gemütlich. Sir Deveril und seine Freunde sind reizende Menschen und werden sicher wünschen, daß wir wenigstens über Nacht bleiben. Morgen ist es auch noch früh genug.«

»Die anderen werden Angst um uns haben, das mußt du doch einsehen. Sie wissen ja nicht einmal, daß wir sicher hier angelangt sind.«

»Du redest Unsinn, *mon vieux*. Das setzen sie ebenso voraus, wie wir es ursprünglich getan haben, sonst hätten wir nämlich das Wagnis nie unternommen.«

»Wie dem auch sei, ich möchte, daß wir heute noch zurückkehren«, beharrte Basil auf seiner Meinung. »Bis zu der Klippe, wo wir die Ballons gelassen haben, ist es kaum eine Stunde, dann brauchen wir noch eine Stunde zur Überquerung des Tangs. Um halb sieben könnten wir wieder auf der *Gafelborg* sein.«

»Wir werden sehen«, meinte de Brissac unverbindlich. Er freute sich schon auf das Wiedersehen mit Yonita.

Ein altmodischer Klingelzug hing über dem Bett. De Brissac läutete, und ein paar Minuten später erschien ein älterer dunkelhäutiger Diener mit heißem Rasierwasser. Basil ging wieder in sein eigenes Zimmer.

Sobald sie fertig waren, gingen sie durch einen Gang in den Hauptraum des Hauses.

Sir Derevil erhob sich lächelnd aus seinem Sessel und fragte, wie sie geschlafen hätten. Von einem sofortigen Aufbruch wollte er nichts wissen.

»Ihr Erscheinen ist ein großen Ereignis in unserem gleichförmigen Leben, und Ihnen haben wir die Rettung meiner angebeteten Verlobten zu verdanken. Wir alle brennen darauf, Sie so zu ehren, wie Sie es verdienen«, versicherte er. »Während Sie sich ausgeruht haben, sind schon alle Vorbereitungen zu einem Festbankett getroffen worden.«

De Brissac wäre dieser Einladung nur zu gern gefolgt, aber Basil wußte eindringlich darzustellen, in welcher Unruhe die Unglücksgefährten auf der *Gafelborg* seien und daß zumindest er unbedingt noch heute abend aufbrechen müsse. Natürlich konnte de Brissac es nicht zulassen, daß Basil allein ging. Also wurde beschlossen, daß den beiden Männern nur schnell eine Mahlzeit hergerichtet werden solle.

»Aber Yonita schläft noch«, sagte Deveril. »Sie wird sehr böse auf mich sein, wenn ich Sie ohne Abschied von ihr gehen lasse.«

»Nach allem, was sie durchgemacht hat, wird sie viele Stunden Schlaf brauchen«, meinte de Brissac. »Es wäre nicht richtig, sie zu wecken. Wirklich, Basil, ich halte es für besser, wir verschieben unsere Rückkehr auf morgen.«

»Dann bleib du hier. Ich komme ganz bestimmt allein zurecht«, entgegnete Basil entschlossen.

»Nein, nein, entweder wir bleiben zusammen hier oder wir gehen zusammen. Sir Deveril wird so freundlich sein und Yonita unsere Abschiedsgrüße ausrichten.«

Der Baronet lachte. »Das würde ich niemals wagen. Sie ist das süßeste Mädchen, aber sie hat ein höllisches Temperament. Ich lasse sie rufen und gleichzeitig einen Imbiß für Sie herrichten.«

Während seiner Abwesenheit betrachteten de Brissac und Basil die merkwürdigen alten Karten, mit denen der Raum dekoriert war. Als Sir Deveril wieder hereinkam, brachte er einen Diener mit, der das Essen auftrug.

»Solange wir auf Yonita warten, können wir ebensogut essen«, schlug de Brissac vor. Das taten sie auch, und Sir Deveril bot ihnen eine Auswahl der aus Früchten hergestellten alkoholischen Getränke der Insel vor.

Die Zeit verging, aber Yonita erschien nicht. De Brissac plauderte freundschaftlich mit Sir Deveril. Basil dagegen wurde immer ungeduldiger. Schließlich sagte er:

»Hör mal, wir müssen jetzt wirklich gehen. Ich habe keine Lust, noch einmal eine Nacht im Kampf mit Riesenkrabben zu verbringen.«

»Ich auch nicht«, versicherte de Brissac. »Wir können jedoch unmöglich in diesem Augenblick weg, wo doch Sir Deveril Yonita eigens hat rufen lassen, um uns auf Wiedersehen zu sagen.«

»Ich werde sie bitten, sich zu beeilen«, bot Sir Deveril an. »Ich glaube, sie braucht so lange für eine ganz besondere Toilette.«

Er war länger als eine Viertelstunde weg und kam allein zurück. »Yonita bittet Sie sehr um Nachsicht«, meldete er, »aber sie lehnt es ab, sich in Hast anzukleiden.«

De Brissac lachte und setzte sich gemütlich in seinem Sessel zurück. Basil begann, nervös im Raum hin und her zu laufen.

Endlich trat Yonita ein. Sie schien ein ganz anderer Mensch zu sein als die hinkende, halb bekleidete kleine Kreatur, die sie heute morgen auf die Insel gebracht hatten. Jetzt trug sie ein wundervolles Seidenkleid aus einer längst verschollenen Mode, dessen weiter Rock beinahe eine Krinoline war. Der Stoff war mit Blumen bestickt, und durch die weiten Puffärmel sahen ihre goldenen Arme und ihr Busen aus wie aus zartem Porzellan. Ihr dunkles Haar war sorgfältig in der Mitte gescheitelt und zu Korkenzieherlocken aufgedreht, die ihr in der Art des späten siebzehnten Jahrhunderts zu beiden Seiten ihres ovalen Gesichtchens niederfielen.

Sie knickste übermütig. »Ihre Dienerin, meine Herren! War es des Wartens wert, daß Sie mich jetzt in meinem Gala-Kostüm sehen?«

De Brissac zog heftig den Atem ein. Schnell trat er vor, ergriff eine ihrer kleinen Hände und küßte sie. »Sie sind bezaubernd, Mademoiselle, absolut bezaubernd. Aber wie sind Sie in Ihrem Inselgefängnis an dies entzückende Kleid gekommen?«

»Es gehörte einer meiner Ahnen und ist auf mich vererbt worden. Wir bewahren solche Vermächtnisse mit äußerster Sorgfalt und tragen sie nur bei denkwürdigen Gelegenheiten.

Man sieht dem Kleid nicht an, daß es zweihundert Jahre alt ist, nicht wahr?«

»*Mais non*, und es paßt Ihnen vorzüglich.«

»Ich danke Ihnen für das Kompliment, denn ich habe es mit meiner eigenen Nadel geändert.«

Während de Brissac müßige Komplimente mit dem Mädchen tauschte und Basil vor Ungeduld schäumte, lächelte Sir Deveril nachsichtig. Ganz offensichtlich betete er seine Verlobte an, aber seine Haltung war eher die eines zärtlichen Bruders als die eines Liebhabers.

Schließlich hielt Basil es nicht länger aus. Er betonte nochmals, daß sie sich auf den Weg machen müßten. Das Strahlen auf Yonitas Gesicht erlosch. Sie wollte es nicht glauben. Basil mußte zu seinem Ärger feststellen, daß Sir Deveril ihr über den unmittelbar bevorstehenden Aufbruch ihrer beiden Freunde nichts gesagt hatte. Nun fing die Diskussion darüber, ob sie gehen oder bleiben sollten, wieder von vorne an.

Basils eiserne Entschlossenheit zwang die anderen, ihm nachzugeben. Doch Yonita bestand darauf, sie wolle sie bis an die Klippen begleiten. Da ihre Beine sie immer noch ein wenig schmerzten, verging weitere Zeit, in der nach einem Schubkarren geschickt wurde, mit dem sie transportiert werden sollte.

Onkel Cornelius und eine Anzahl anderer Inselbewohner wollten ihnen ebenfalls das Geleit geben. Es war eine richtige Prozession, die sich über den schmalen Fußweg bewegte. Vornean marschierte Basil mit Sir Deveril. Er hätte gern ein schnelleres Tempo eingeschlagen, aber de Brissac schob den Karren, in dem Yonita saß, damit er sich unterwegs mit ihr unterhalten konnte. Er weigerte sich, seine Kräfte zu erschöpfen, und hielt einen gemächlichen Schlenderschritt bei. Onkel Cornelius und die anderen Notabeln des Dorfes bildeten den Schluß.

Basil bemühte sich, mit Sir Deveril eine höfliche Konversation zu führen, aber mit jeder zurückgelegten Viertelmeile sank sein Herz mehr. Über zwei Stunden waren vergangen, seit er und de Brissac in ihren Betten erwacht waren, und das Licht wurde bereits trüber. Gestern waren sie kurz vor sechs vom Schiff aufgebrochen. Nun war es bereits halb sieben.

Als sie die Klippe erreicht hatten, war es sieben Uhr vorbei. Wieder standen sie an der kahlen, unfruchtbaren Küste und sahen auf den Seetang hinaus. Die *Gafelborg* schien in den letzten vierundzwanzig Stunden um wenigstens zwei Meilen näher herangetrieben worden zu sein. Basil begann, einen der Ballons aus dem Versteck herauszuziehen.

»Es tut mir leid, mein Freund«, hielt de Brissac ihn auf. »Du warst so versessen darauf, noch heute abend zum Schiff zurückzukehren, daß ich es für das beste hielt, bis an die Klippe zu gehen. Jetzt kannst du nämlich selbst sehen, wie es steht. Ich wußte von vornherein, daß schon zuviel Zeit verstrichen war. Sieh mal den Nebel an, der aus dem Tang aufzusteigen beginnt.«

»Im Sommer kommt der Nebel jeden Abend ungewöhnlich schnell«, informierte Sir Deveril sie. »Nur steigt er selten höher als neun Meter über den Tang auf.«

Basil schoß einen ärgerlichen Blick zuerst auf de Brissac, dann auf das Schiff. So ungern er es tat, er mußte eingestehen, daß de Brissac recht hatte. Es wäre der reine Wahnsinn gewesen, sich jetzt noch auf den Tang zu wagen. Basil schob den Ballon wieder in die Höhle zurück.

»Können wir nicht wenigstens ein Signal geben?« fragte er.

»Daran hätten ich eher denken sollen«, meinte de Brissac. »Aber warte – selbst wenn wir sie nicht sehen können, werden sie uns gegen den Himmel noch erkennen. Und drüben haben sie Teleskope und Ferngläser.«

»Hätte ich nur meine Signalflaggen mitgebracht«, bemerkte Sir Deveril bedauernd.

»Das macht nichts. Die Skistöcke sind wegen der Ballons an ihren Spitzen sogar besser. Schnell, holen wir sie, bevor das Licht noch schlechter wird.«

De Brissac nahm drei Skistöcke in die Hand, so daß die Ballons an ihren Enden einen großen schwarzen Klumpen bildeten. Er lief auf den höchsten Punkt des Landvorsprungs und signalisierte im Morse-Kode: »Corncob tot, Rest sicher, Rückkehr morgen.«

Als er die Botschaft wiederholt hatte, begann auf der *Gafelborg* ein Licht aufzublinken. Die Antwort lautete: »Letzte Nacht Zwischenfall an Bord, Jansen und Harlem verloren, jetzt alles wohl. Unity sendet Basil Liebe. Auf Wiedersehen morgen.«

Basil stieß einen Seufzer der Erleichterung aus, daß es Unity gutging. Aber alle machten sie sich Sorgen wegen des nicht näher erklärten Vorkommnisses und rätselten vergeblich herum, um was es sich dabei handeln mochte.

Sie machten sich auf den Weg zurück ins Dorf. Yonita fragte de Brissac, ob er noch nicht zu müde dazu sei, den Karren zu schieben.

Er zeigte lachend seine ebenmäßigen weißen Zähne unter dem kleinen schwarzen Schnurrbart. »*Mais non*, Mademoiselle. Ich bin nur zu glücklich, daß ich noch hier bin und es tun kann. Ich hatte richtig Angst, daß mein dummer Freund mich hinaus auf den Tang entführen würde.«

»Warum war er denn so darauf bedacht, uns zu verlassen?« fragte sie neugierig.

De Brissac beugte sich über ihre Schulter und flüsterte: »Er liebt Unity, das schlanke braunhaarige Mädchen, das Sie gestern kennengelernt haben. Natürlich brennt er darauf, zu ihr zurückzukehren.«

Yonita nickte weise mit ihrem dunklen Köpfchen. »Das erklärt alles. Aber ich war ebenso entschlossen, Sie nicht gehen zu lassen. Ich habe nur so getan, als sei ich über Ihren Entschluß erstaunt, denn Deveril hatte mich darüber informiert. Selbst mit diesem Kleid brauche ich sonst keine volle Stunde für meine Toilette.«

De Brissacs Blick streifte den Baronet, der mit Basil ein paar Schritte vor ihnen ging. Es war sehr unschicklich, sich der Verlobten seines Gastgebers zu nähern. Aber Yonita forderte ihn offensichtlich dazu auf, und die Versuchung erwies sich als unwiderstehlich.

»Mademoiselle«, begann er. »Sie wollten mir heute nacht erzählen, inwiefern Ihre Sitten sich von den unseren unterscheiden. Erinnern Sie sich noch? Es war kurz bevor die Krabben uns überfielen.«

»Jetzt ist nicht der richtige Zeitpunkt für ein solches Gespräch«, antwortete sie leise. »Aber da Sie eine so große Wißbegier zeigen, werde ich es Sie vielleicht, falls ich in der richtigen Stimmung dazu bin, heute abend beim Bankett wissen lassen.«

»Das Bankett wird also doch noch stattfinden?«

»Natürlich; Sir Deveril und ich waren uns ja einig darüber, daß wir Sie nicht fortlassen wollten. Sie dürfen uns ruhig ein wenig Raffinesse zutrauen, Sir.«

Um acht Uhr waren sie wieder an Sir Deverils Haus angelangt. Das Bankett war auf neun Uhr gelegt worden, und jeder ging nach Hause, um sich dafür umzuziehen. Auch der hakennasige Onkel Cornelius verließ sie. Doch Yonita hatte sich im Laufe des Nachmittags ihre Kleider herüberschicken lassen und beabsichtigte, die Nacht unter dem Dach ihres Verlobten zu verbringen. Sir Deveril zog sich in seine Privaträume zurück, während Yonita, die bereits angekleidet war, die beiden Besucher in dem großen Raum, der jetzt von Kerzen erhellt wurde, unterhielt.

Zwanzig Minuten später gesellte sich Sir Deveril wieder zu ihnen. Er machte eine blendende Figur in einem Kostüm aus der napoleonischen Zeit mit feinen Spitzen um den Hals und die Handgelenke.

Basil hatte beschlossen, sich seine Enttäuschung nicht anmerken zu lassen und ein fröhliches Gesicht aufzusetzen. De Brissac, der heftig mit Yonita flirtete, schien überhaupt keine einzige Sorge zu haben.

In der Zeit, die ihnen noch blieb, bis sie in den großen Festsaal hinübergehen mußten, zeigte Sir Deveril seinen Besuchern einige seiner Kuriositäten, darunter auch eine alte eisenbeschlagene Kiste mit vielen Schlössern, die eine überwältigende Kollektion altmodischer Schmucksachen enthielt. »Das ist die Beute aus den Piratenzügen des ersten Sir Deveril Barthorne, der 1680 hier strandete«, erkärte er.

»Ich wußte nicht, daß er ein Pirat war«, bemerkte Basil.

Der junge Mann zuckte die Schultern. »Seine glanzvolle Laufbahn und die Tatsache, daß er nur Schiffe überfiel, die England feindlichen Nationen gehörten, entschuldigen ihn in etwa. Er war ein Kavalier aus Cornwall. Als sein Schiff in den Seetang geriet, war er sechzig Jahre alt, und hier auf der Insel erreichte er das gesegnete Alter von siebenundachtzig.«

»Und was geschah dann?« wollte Basil wissen.

»Sein Sohn, den er im ersten Jahr mit der schönen spanischen Contessa Maria Silvestre a Costa zeugte, folgte ihm als ungekrönter König. Der Sohn starb mit neunundvierzig, und ihm folgte der dritte Sir Deveril. Dieser heiratete die Tochter des französischen Gouverneurs einer der Westindischen Inseln, die

Anno Domini 1726 mit einem französischen Kriegsschiff hier eintraf.

Aber leider war der dritte Sir Deveril ein Schwächling und konnte dem Roten Barrakuda, einem berühmten Freibeuter, keinen Widerstand leisten. Dieser erlitt 1744 mit seinen dreiunddreißig Mann und einigen Frauen an unserer Küste Schiffbruch. Seine Piraten plünderten die Insel, als sei es eine unglückliche Stadt auf dem spanischen Festland. Viele der männlichen Bewohner wurden erschlagen, darunter auch der dritte Sir Deveril. Schließlich wurde es den Piraten klar, daß sie für den Rest ihres Lebens hierbleiben mußten, und sie verwandelten sich in friedliche Kolonisten.

Doch aus dem Roten Barrakuda wurde ein tyrannischer Herrscher. Keine Frau war vor ihm sicher, und wenn ein Mann Einspruch erhob, schoß er ihn über den Haufen. Glücklicherweise war der vierte Sir Deveril bei dem anfänglichen Massaker verschont geblieben, da er damals noch ein Kind war. Fünfzehn Jahre später führte er eine Revolte an, die damit endete, daß man den Tyrannen über der Tür seiner eigenen Residenz aufhängte. Die Barthornes übernahmen erneut die Herrschaft und haben sie seither behalten.«

Deveril erzählte ihnen noch einige andere Episoden aus der Geschichte der Insel, und dann war es Zeit, in die große Halle hinüberzugehen.

Hier hatte sich fast die ganze Bevölkerung versammelt und bereitete den beiden Gästen ein königliches Willkommen. Sir Deveril führte sie an den Tisch, der an der Stirnseite stand. Erstaunt sahen de Brissac und Basil sich um. Es hatte den Anschein, als ob die Teilnehmer sich zu einem Kostümball versammelt hätten. Die Frauen wie die Männer hatten für diese Gelegenheit ihre Staatsgewänder aus den alten Zedernholztruhen geholt. Die lachende Menge bot einen farbenprächtigen Anblick.

Ein kleines Orchester aus sechs Musikern stimmte auf der Galerie die Instrumente. Die Gäste waren entzückt, als sie die Melodien lange toter Komponisten mit beträchtlicher Kunstfertigkeit spielen hörten. Wie Sir Deveril berichtete, war eine der besonderen Freuden an den langen Winterabenden, wenn die Insel unter einer Schneedecke lag, das mehrstimmige Singen, und es gab kaum einen Bewohner, der nicht irgendein Instrument spielte. Bescheiden fügte er hinzu, daß er selber als guter Spinettspieler gelte.

Die Halle wurde durch Fackeln erleuchtet, und auf den Tischen standen die unterschiedlichsten Kerzenleuchter, viele davon aus schönem georgianischem Silber. Die Speisen waren erstklassig, wenn sich die Fleischgänge auch auf Schwein und Geflügel beschränkten. Der Inselrat hatte den Gemeinschaftskeller geplündert und ein Dutzend Flaschen von dem kleinen Weinvorrat, den sie aus einem Wrack geborgen hatten, auf den Tisch gebracht.

Der Wein reichte bei so vielen Personen nur für ein paar Fingerhüte voll, und de Brissac stellte im stillen fest, daß er, abgesehen von dem Madeira, seine beste Zeit hinter sich hatte. Aber dafür hielten sie sich an den guten Apfelwein und schließlich an ausgezeichneten alten Pflaumen- und Kirschlikör.

Nach dem Essen wurde musiziert und getanzt. Es war nach ein Uhr morgens, als Yonita, die gerade einen Walzer mit de Brissac beendet hatte, zu ihm sagte: »Entschuldigen Sie bitte, aber meine armen Füße wollen mich nicht mehr länger tragen. Wollen Sie die Güte haben und mich zu Sir Deverils Haus zurückbegleiten?«

»*Certainement*, verzeihen Sie mir, daß ich nicht selbst daran gedacht habe. Es war mir ein solches Vergnügen, mit Ihnen zu tanzen, daß ich Ihre Verletzungen vollständig vergessen hatte. Gehen wir.«

»Es tut mir leid, Ihnen die Freude verkürzen zu müssen.« Sie lächelte zu ihm auf. »Solche Feste kommen bei uns selten vor, und mich dünkt, die meisten werden bis zum Morgen weiterfeiern.«

»Ohne Ihre Freunde beleidigen zu wollen – für mich wäre es nach Ihrem Weggang eine langweilige Angelegenheit geworden«, versicherte er ihr. Mit beträchtlicher Befriedigung hatte er festgestellt, daß Deveril mit einem blonden Mädchen namens Corisande flirtete. Er war seit dem Dinner kaum von ihrer Seite gewichen.

Yonitas Hand drückte leicht de Brissacs Arm. Über Müdigkeit kann ich eigentlich nicht klagen, nur meine Füße sagen mir den Dienst auf. Falls Sie nicht den Wunsch haben, sich zurückzuziehen, würde ich Sie gern unterhalten, soweit es meine Fähigkeiten erlauben.«

Zwanzig Meter von der Halle entfernt blieb er stehen. »Ich denke, Ihrer Füßchen wegen sollte ich Sie tragen.«

»Wenn Sie die Kraft dazu haben«, scherzte sie. »Andernfalls können Sie ja Mister Sutherland zu Hilfe rufen, wie Sie es heute morgen getan haben.«

»Ich werde mich hüten.« Mit einer schnellen Bewegung hob er sie hoch, und sie lehnte ihren Kopf an seine Schulter. Ihr kleiner Körper war keine schwere Last und wurde ihm auf den paar hundert Metern zur Sir Deverils Haus keinen Augenblick zuviel.

Als er sie absetzte, legte sie die Hände auf seine Schultern und lachte schelmisch zu ihm auf. »Gibt es nichts, um was Sie mich als Lohn für Ihre Mühe bitten wollen?«

Er zögerte eine Sekunde lang. Sie zu küssen, schien ein abscheulicher Mißbrauch von Sir Deverils Gastfreundschaft zu sein. Yonita hingegen wartete nicht, bis er zu einem Entschluß gekommen war. Sie hob sich auf die Zehenspitzen und drückte ihren Mund fest auf den seinen.

Ein wenig atemlos gingen sie ins Haus. Im Wohnzimmer zündete sie eine einzige Kerze an, kuschelte sich in die Ecke eines großen altmodischen Sofas und zog ihn neben sich. Er legte seinen Arm um sie und drückte sie an sich. Sie seufzte zufrieden auf und streichelte seine Wange.

Sein Herz schlug, als wolle es ihm die Brust sprengen.

Sein Verlangen war so groß, doch plötzlich zog er sich zurück, setzte sich auf und wischte sich den Schweiß von der Stirn. Er verschlang die Hände so fest ineinander, daß es schmerzte.

»Yonita«, stieß er mit halberstickter Stimme hervor, »das geht nicht. Ich bete Sie an, aber wir befinden uns im Haus Ihres Verlobten.«

Sie lachte silberhell. »Ich dachte mir schon, daß Sie das stört, aber heißt es nicht, wenn man in Rom ist, soll man sich benehmen wie die Römer?«

»*Bon dieu!*« rief er aus. »Sie haben schon einmal eine solche Andeutung gemacht. Erklären Sie sie mir, erlösen Sie mich aus dieser Qual!«

»Das will ich, denn Sie sind sehr geduldig gewesen.« Sanft nahm sie seine zusammengeballten Fäuste in ihre kleinen Hände. »Deveril hat Ihnen heute abend von dem Roten Barrakuda erzählt. In den fünfzehn Jahren, die er hier die Herrschaft ausübte, haben sich unsere Sitten völlig verändert. Er war ein schrecklicher Mann, grausam und lüstern. Bei seinem Tod gab es auf der Insel keine einzige Jungfrau über fünfzehn mehr. Für eine Frau oder ein Mädchen muß es schlimm gewesen sein, wenn sie einem alten oder abstoßenden Piraten zum Opfer fiel. Aber meistens scheinen ihnen die Männer des Roten Barrakuda durchaus gefallen zu haben. Wir Frauen unterscheiden uns gar nicht so sehr von euch Männern. Nur durfte es damals keine Frau eingestehen, daß die Liebe ihr Vergnügen bereitete.«

»Ja, dies alte System zielte darauf ab, daß die Männer die Frauen als Eigentum behandeln konnten«, stimmte de Brissac bei.

Yonita nickte. »Und nachdem der vierte Sir Deveril den Roten Barrakuda gehängt hatte, weigerten sich die Frauen, ihr Recht, Liebhaber wählen zu dürfen, wieder aufzugeben. Seitdem haben die Jungen und Mädchen auf dieser Insel ab dem sechzehnten oder siebzehnten Lebensjahr unbegrenzte Freiheit.«

»Und wie hat sich diese Lockerung der Sitten auf die Gesellschaft ausgewirkt?« erkundigte sich de Brissac.

»Leider drohte sie das Familienleben zu zerstören, und ohne das kann kein Staat, sei er groß oder klein, gedeihen. Auch entsprangen viele Streitigkeiten aus der Eifersucht. Wenige Paare lebten länger als ein Jahr zusammen, und so kamen die älteren Männer der Insel zu dem Schluß, daß etwas dagegen unternommen werden müsse.«

»Und was war die Lösung für dies schwierige Problem?«

Yonita lächelte. »Ein feierlicher Rat wurde abgehalten und ein Gesetz erlassen, das seitdem die Beziehungen zwischen den Geschlechtern regelt. Für jeden Jungen und jedes Mädchen arrangieren die Eltern eine Verlobung, wenn die Kinder siebzehn beziehungsweise alt genug sind, daß sie sagen können, ob sie für den ausgewählten Partner Sympathie empfinden oder nicht. Die Verlobung wird mit der Zustimmung der Betroffenen veröffentlicht, aber die Heirat findet erst statt, wenn das Mädchen fünfundzwanzig ist. In der Zwischenzeit haben beide Partner jede Freiheit, ohne daß einer dem anderen Vorwürfe machen dürfte.«

De Brissac starrte sie sprachlos an.

»Da ich einiges über die Sitten der Außenwelt weiß«, fuhr Yonita fort, »fürchte ich, wir kommen Ihnen sehr unmoralisch vor. Aber unser System hat sich seit zwei Jahrhunderten bewährt, und die weiblichen Inselbewohner würden jetzt eher sterben, als ihr Recht, in ihrer Jugend volle Freiheit zu genießen, wieder aufgeben. Auch ist es sehr angenehm, schon als junges Mädchen einen Verlobten zu haben, ohne ihm verpflichtet zu sein, denn er spielt die Rolle eines liebevollen Bruders. Den verlobten Paaren ist keine weitere Vertraulichkeit gestattet, weil das der Frische ihrer Liebe zum Zeitpunkt der Heirat schaden würde. Ist es dann soweit, haben Männer wie Frauen ihre Abenteuerlust befriedigt, und es gilt als selbstverständlich, daß sie sich von nun an absolut treu sind. Es gibt keine Regeln, die eine perfekte Gesellschaft schaffen, weil die Menschen sich in ihren Temperamenten so sehr voneinander unterscheiden. Trotzdem glaube ich, daß unsere Ehen glücklicher sind als eure in der großen weiten Welt, weil sie ein dauerhaftes Fundament haben als bloße körperliche Anziehung. Hier bei uns kommt es nur einmal unter hundert Fällen vor, daß eine Ehe zerbricht oder sich als wirklich unglücklich erweist.«

»Ich verstehe«, sagte de Brissac nachdenklich. »Sie sind also bis zu Ihrem fünfundzwanzigsten Lebensjahr frei wie der Vogel in der Luft.«

»Ja, Sir. Ich bin zwanzig und habe erst drei Liebhabern meine Neigung geschenkt. Von dem letzten habe ich mich vor beinahe einem Monat getrennt.« Sie lächelte verschmitzt. »Vielleicht ist Ihr lästiges Gewissen jetzt beruhigt, und Sie haben keine Skrupel mehr, mir die kleine Zerstreuung zu gönnen, die meinem Alter und unserer augenblicklichen Situation angemessen ist.«

De Brissac konnte kaum glauben, daß das kein Traum war. Er fürchtete jeden Moment aufzuwachen, aber das geschah nicht. Einschlafen tat er jedoch auch nicht, bevor sich die ersten Sonnenstrahlen durch die Bullaugenfenster stahlen. Und als er die Augen schloß, ruhte Yonitas dunkles Köpfchen an seiner Schulter, und einer ihrer weichen Arme war um seinen Hals geschlungen.

XV

DAS SCHWEIGENDE SCHIFF

Wie Yonita es vorhergesagt hatte, dauerte das Fest bis zum Morgengrauen. Basil hätte es aus vollem Herzen genossen, wenn nicht eine unbestimmte Sorge um Unity an ihm genagt hätte. In der Botschaft von der *Gafelborg* hatte es zwar geheißen, alles sei wohl und Unity sende ihm ihre Liebe, aber sie hatte nicht erklärt, durch welche neue Katastrophe sie Jansen und Harlem verloren hatten. Das grausige Geschick, dem Bremer vor drei Nächten zum Opfer gefallen war, und seine eigenen schrecklichen Erfahrungen mit den Riesenkrabben gingen ihm nicht aus dem Kopf. Vielleicht bedrohte gerade in diesem Augenblick, wo er mit einem der bronzehäutigen Inselmädchen Walzer tanzte, eine neue Gefahr die auf dem Schiff Zurückgebliebenen. Vielleicht kämpften sie gerade jetzt um ihr Leben.

Da de Brissac verhältnismäßig früh verschwunden war, fühlte Basil sich verpflichtet, seine Pflicht als dankbarer Gast getreulich zu erfüllen und bis zum Schluß zu bleiben. Doch er war fest entschlossen, sofort zum Schiff zurückzukehren, sobald es sich ermöglichen ließ.

Am gestrigen Tag hatte er nur ein paar Stunden Schlaf gehabt, und die Nacht davor wie auch diese Nacht hatte er durchwacht. Da war ihm klar, daß es die größte Dummheit wäre, sich jetzt, müde zum Umfallen, auf den Tang zu wagen, selbst wenn er de Brissac hätte aufstöbern können. Basil nahm sich vor, erst einmal ein paar Stunden zu schlafen und um zehn Uhr vormittags aufzubrechen.

Deveril hatte wie die meisten seiner Freunde und Verwandten einen kleinen Schwips, als die Gesellschaft sich auflöste. Es schien ihm überhaupt nichts auszumachen, daß Yonita mit de Brissac verschwunden war. Auch er hatte sich einmal für längere Zeit mit der goldhaarigen Corisande entfernt, und er küßte sie vor aller Augen leidenschaftlich zum Abschied. Basils Meinung nach war das ein merkwürdiges Betragen für einen verlobten Mann. Aber es ging ihn nichts an, und er sagte sich, daß er über die Sitten und Gebräuche der Insel nicht Bescheid wisse.

Arm in Arm durchquerten die beiden Männer im Licht des frühen Morgens den Park. Basil bat darum, um neun Uhr geweckt zu werden.

»Sind Sie ein ruheloser Mensch«, lachte Sir Deveril. »Hier kann man den ganzen Tag im Bett oder die ganze Nacht aufbleiben, wie es einem paßt. Für uns spielt die Zeit weiter keine Rolle, als daß gesät und geerntet werden muß. Neue Siedler, so hat mir mein Vater erzählt, sind anfangs immer von dem Wunsch besessen, sich mit einer Menge sinnloser Arbeiten mehr Mühe zu machen, als notwendig ist. Aber bald geben sie das auf. Wir haben reichliche Nahrung, bequeme Häuser und genug Beschäftigung, daß wir nicht in Trägheit versinken. Einer der deutschen Seeleute, die im Jahre 1904 hier eintrafen, hatte Bücher von einem Mann namens Marx dabei. Es wird berichtet, daß er stundenlang über die sogenannte ›Diktatur des Proletariats‹ reden konnte. Kein Mensch verstand, worauf er eigentlich hinauswollte, wenn uns natürlich auch klar war, daß das Leben der unteren Gesellschaftsschichten in Europa, so wie er es beschrieb, schrecklich sein mußte. Doch wurde aus seiner ständigen Beschäftigung mit diesem Thema ein harmloses Hobby, denn trotz seiner anfänglichen Versuche, hier bei uns alles umzukrempeln, bestellte er schon bald wie jeder andere seinen Acker und lebte glücklich in den Tag. Entschuldigen Sie, ich schweife ab. Wenn Sie um neun Uhr aufstehen wollen, tun Sie es nur. Ich werde eine Botschaft hinterlassen, daß Sie geweckt werden.«

Als Basil erwachte, zeigte seine Uhr jedoch auf kurz vor zwölf. Er machte dem alten Diener, der auf sein Läuten hin erschien, Vorwürfe. Doch dieser schien überhaupt nicht zu begreifen, warum Basil so ärgerlich war. Ja, Sir Deveril hatte eine Botschaft auf eine Tafel geschrieben, aber erstens habe er es für das beste gehalten, den Gast ausschlafen zu lassen, und zweitens sei er selbst erst vor einer halben Stunde aufgestanden.

Basil erinnerte sich an Sir Deverils Bemerkungen und mußte einsehen, daß es in einer Gemeinschaft ohne Telefon, Post, Büros und Geschäftsstunden zuviel verlangt war, Pünktlichkeit zu erwarten. Doch seine Angst um Unity kehrte verstärkt zurück. Er sprang aus dem Bett und fragte, ob de Brissac schon aufgestanden sei.

»Nein, nein.« Der Mann lächelte fröhlich. »Miß Yonita hat auf

meine Tafel geschrieben, sie und der Capitaine wollten nicht gestört werden, bis sie von selbst aufwachen.«

Bei dieser erstaunlichen Ankündigung blieb Basil der Mund
offenstehen. Er hielt es jedoch nicht für richtig, die Sache mit
dem Diener zu diskutieren. Gleich nachdem er sich entfernt hatte, klopfte Basil erst an de Brissacs und dann – mit einigem Zögern – an Yonitas Tür.

Yonitas verschlafene Stimme, in der eine Spur von Ärger mit-
schwang, rief: »Was ist? Habe ich nicht gesagt, wir wollten nicht
gestört werden?«

Basil nannte seinen Namen und fragte geniert, ob sie wisse,
wo de Brissac sei.

»Natürlich. Hier ist er«, gab sie zornig zurück. »Verschwinden
Sie. Schämen Sie sich gar nicht, Ihre Mitmenschen so rücksichts-
los im Schlaf zu stören?«

»Es tut mir schrecklich leid«, rief Basil durch die Tür, »aber es
geht auf ein Uhr zu, und wir müssen unbedingt zurück zum
Schiff.«

Er hörte ein lautes Gähnen und dann de Brissacs Stimme.
»*Mon ami!* Kennst du überhaupt keine Diskretion? Bitte, laß uns
in Ruhe. Es kommt doch auf eine oder zwei Stunden nicht an.
Wir gehen heute nachmittag. Störe uns bis dahin nicht mehr.«

»Schon gut«, knurrte Basil. Da ihm nichts anderes übrigblieb,
faßte er sich in Geduld und machte einen Spaziergang

Die Festhalle war leer. Die großen Türen standen weit offen,
und die Überreste des Banketts waren noch nicht weggeräumt.
In keinem einzigen Haus zeigte sich eine Spur von Leben. Of-
fenkundig dachte ebenso wie Sir Deveril und Yonita keiner der
Inselbewohner daran, an dem Morgen nach dem großen Fest zu
arbeiten.

In der Halle fand Basil unter der Musiker-Galerie einen weiteren Raum, der sich als Bibliothek erwies. Einige Zeit beschäftigte
er sich damit, die buntscheckige Sammlung durchzusehen, die
sie enthielt. Die Inselbewohner mußten hier alle Bücher aufbe-
wahren, die sie aus zahlreichen Schiffen gerettet hatten.

An einer Wand hing eine große Karte von den beiden Inseln.
Der Amateur-Kartograph hatte wohl nur eine schwache Vorstellung von der Beschaffenheit der Satansinsel gehabt. Die gegenüberliegende Küste war deutlich gezeichnet, aber die sonstigen

Umrisse waren nur oberflächlich angedeutet. In der Mitte stand das Wort »Wald«. An seinem oberen Ende war das Dorf markiert. Dahinter kam eine dicke Linie, die das südliche Ende völlig abschnitt. Davor stand in Blockschrift: »DIE GROSSE BARRIERE«. Die andere Insel war sorgfältig und detailgetreu gezeichnet. Sie hatte die Gestalt eines Kreuzes, an dessen Fuß sie gelandet waren. Das Dorf lag in der Mitte, und in einer Bucht unter dem östlichen Arm, etwa zwei Meilen von Sir Deverils Haus entfernt, war eine Anzahl von Schiffswracks eingetragen.

Basil stellte sich selbst eine Mahlzeit aus den kalten Speisen zusammen, die noch auf den Tischen standen, und öffnete eine neue Flasche Apfelwein. Dann beschloß er, sich die Bucht mit den Wracks anzusehen.

*

Es wurde vier Uhr, bis sie aufbrechen konnten. An diesem Tag war es sonnig ohne eine Spur von Nebel. Sir Deveril ließ sich nicht davon abbringen, sie zu begleiten, und da sie über vier Ballons verfügten, ließ sich das gut bewerkstelligen.

Aber sie waren kaum eine Viertelstunde unterwegs, als sie sich eingestehen mußten, daß es ihnen viel schwerer fiel, sich fortzubewegen, als auf dem Hinweg. Die Ballons hatten Gas verloren und konnten ihr Gewicht kaum tragen. Bei jedem Sprung sanken Stelzen und Skistöcke tief in den gefürchteten Tang ein, und sie brauchten ihre ganze Kraft, um sich wieder in die Höhe zu schwingen.

De Brissac wäre am liebsten umgekehrt. Aber er setzte den Weg nicht nur Basils wegen fort. Auch er sagte sich jetzt, daß sie am vorhergehenden Abend hätten aufs Schiff zurückkehren sollen. Verschoben sie es nochmals, würden die Ballons ganz unbrauchbar werden. Dann blieb ihnen nichts übrig, als darauf zu warten, daß das Schiff angetrieben wurde. Und bis dahin würden sie nicht erfahren, was vorgefallen war. Entschlossen biß er die Zähne zusammen und sprang weiter.

Sie kamen an der Insel der Riesenkrabben vorbei. Alle drei Männer, jetzt atemlos und schwitzend, warfen einen sehnsüchtigen Blick auf die Felsen. Aber sie kannten die Gefahr zu gut, um auch nur mit dem Gedanken zu spielen, dort zu übernachten.

Basils Gedanken wurden von der augenblicklichen Situation durch neue Sorgen um die Leute auf der *Gafelborg* abgelenkt. Er hatte fest damit gerechnet, irgendwer würde nach ihnen Ausschau halten. Jetzt berührte es ihn als merkwürdig, daß an diesem angenehmen, sonnigen Nachmittag weder auf der Brücke noch auf den Decks ein Mensch zu sehen war.

Das fiel auch de Brissac auf. Die *Gafelborg* hatte sich noch mehr genähert, und dafür dankte er Gott. Aber das Schiff lag wie verlassen auf dem leuchtendgrünen Tang. Er fürchtete, in der letzten Nacht sei eine neue Katastrophe passiert, und machte sich Vorwürfe, weil er den Aufbruch verzögert hatte.

Deveril war den beiden anderen ein Stück voraus. Er war sehr viel schlanker und kam deshalb besser voran. Trotzdem wurde auch er immer ängstlicher. Jedesmal, wenn er sich in die Luft erhob, sah er unruhige Bewegungen direkt unter der Oberfläche des Tangs. Er wußte, die Ungeheuer wurden lebendig.

Jetzt waren sie schon ziemlich nahe am Schiff, und doch war es fraglich, ob sie es noch schaffen würden. De Brissac fiel ein, Luvia könne ihnen eine Rettungsleine zuschießen. Er stieß einen halb erstickten Hilfeschrei aus.

Nichts regte sich.

Mit einem Seufzer der Erleichterung erreichte Deveril das Schiff und warf sich über die Reling. Basil folgte unmittelbar darauf. De Brissac kam bei seinem letzten Sprung nicht mehr hoch genug. Aber es gelang ihm, sich an den Anker zu klammern.

Für einen Augenblick hing er an einer Hand. Die anderen beiden waren durch ihre Stelzen behindert, doch Deveril streckte einen seiner Skistöcke hinaus. De Brissac ergriff ihn mit der freien Hand und hielt sich daran fest, bis Deveril und Basil ihn an Bord ziehen konnten.

Das Vordeck der *Gafelborg* bot einen grausigen Anblick. Die Bewohner der Satansinsel mußten einen neuen Angriff gemacht haben.

Auf dem Deck unter ihnen lag ein halbes Dutzend tote Wilde in Blutlachen.

Mit einem Schrei des Entsetzens raste Basil nach achtern. Er war außer sich vor Angst um Unity. De Brissac hingegen hielt es für das Wichtigste, zuerst nach Luvia zu suchen.

Vor der Tür zum Salon lagen zwei weitere Neger. Einer hatte eine Kugel in den Oberschenkel, der andere in den Magen bekommen. Dem Franzosen fiel auf, daß die Toten, die er bisher gesehen hatte, unterschiedliche Schußverletzungen aufwiesen. Aber jedem einzelnen war die Kehle durchgeschnitten worden.

Der Salon sah aus, als sein ein Wirbelsturm hindurchgefegt. Die mit Drehringen am Deck befestigten Tische und Stühle waren herausgerissen und zerbrochen. Der Fußboden war dick mit Glassplittern bedeckt. In der Luft hing ein Geruch nach Blut und nach verschütteten Spirituosen. In den Trümmern lagen drei Neger. Zweien war der Schädel mit einer Flasche eingeschlagen worden, wie die zerfetzte Kopfhaut zeigte. Der gutmütige dicke Hansie lag tot hinter der Bar, eine unzerbrochene Flasche immer noch fest in der Hand.

Basil stürzte die Treppe herauf. »Sie ist nicht da!« schrie er. »In Unitys Kabine herrscht größte Unordnung. Diese Teufel müssen sie fortgeschleppt haben, um sie anderswo zu ermorden.«

Sein Blick fiel auf Hansie, und er stöhnte auf.

»Wir müssen das Schiff durchsuchen, ob wir noch einen von den anderen finden«, brachte de Brissac ihn in die Wirklichkeit zurück.

»Um Gottes willen, gebt mir erst einen Drink«, verlangte Basil mit kreidebleichem Gesicht und zitternden Händen.

De Brissac sah auf den Regalen nach. Es war keine einzige heile Flasche mehr da. Er bückte sich und entwand Hansies toter Hand die Brandy-Flasche.

Basil brach in hysterisches Lachen aus. »Armer alter Hansie, so versorgt er uns zum letztenmal mit einem Schluck.« Er führte die Flasche an den Mund. Auch de Brissac und Deveril tranken. Dann machten die sich alle drei zu ihrer traurigen Suche auf.

Die Tür vor Unitys Kabine war aufgebrochen worden. Ebenso war es mit der von Vicente. Auf der Schwelle lagen drei tote Neger, auf der Koje Vicente Vedras mit eingeschlagenem Schädel. Die Tür von Synoldas Kabine hing an einer Angel; der Raum war leer. Zerbrochene Möbel und verstreute Kleidungsstücke verrieten, daß ein erbitterter Kampf stattgefunden hatte.

Als nächstes sahen sie in dem alten Speisesaal nach, den die

Mannschaft als Messe benutzt hatte. Hier entdeckten sie die Leiche Gietto Nudäas mit einem Speer in der Brust.

In grimmigem Schweigen gingen sie weiter zur Brücke. Hinter dem Windschutz fanden sie den jungen Largertöf. Er hatte zwei der Angreifer getötet, bevor andere ihn überwältigt hatten.

Der Kartenraum war leer. De Brissac stieg die Leiter zur Kapitänskajüte hinunter, die Luvia seit der Rückkehr zur *Gafelborg* bewohnt hatte. Er stieß einen Schrei der Überraschung aus.

Luvia lag, die Decke bis ans Kinn gezogen, mit verbundenem Kopf in seiner Koje. Zuerst fürchteten sie, auch er sei tot, doch sein schweres Atmen verriet ihnen, daß er schlief. Sie schüttelten ihn, sie riefen, aber trotzdem wachte er nicht auf.

»Zum Teufel, was hat das zu bedeuten?« fluchte de Brissac. »Da liegen alle diese Schwarzen, einige mit tödlichen Schußverletzungen, andere nur mit Streifschüssen, aber alle mit aufgeschlitzter Kehle. Und hier schnarcht Luvia, mit einem Pyjama bekleidet! Es ist ein Rätsel aus einem Alptraum!«

»Gott kennt die Antwort«, stöhnte Basil. »Aber die Mädchen! Wo sind die Mädchen? Wir müssen sie finden.«

Sie entdeckten weitere tote Angreifer, aber keine Spur von Unity und Synolda. De Brissac konnte sich bereits denken, was mit ihnen geschehen war, scheute sich aber, dies vor dem verzweifelten Basil auszusprechen. Einige Aufklärung erhielten sie erst, als sie die Kombüse betraten. Dort lag Li Foo schlafend auf dem Fußboden.

Bei der ersten Berührung erwachte er und begann aufgeregt zu schwatzen. Es dauerte zehn Minuten, bevor sie einen zusammenhängenden Bericht aus ihm herausbringen konnten.

Kurz zusammengefaßt, war folgendes geschehen. Vor zwei Tagen hatte es zwischen Luvia und Vicente einen Streit gegeben. Der Venezolaner hatte dem finnischen Ingenieur in Synoldas Kabine eine Wasserkaraffe über den Kopf geschlagen. Die herbeieilenden Männer hatten sich auf Vicente gestürzt. Vicente hatte den alten Zimmermann Jansen erschossen, bevor die anderen ihn packten und einsperrten. Luvia war am nächsten Morgen still und in düsterer Stimmung gewesen. Er hatte Synolda und Vicente in den verschlossenen Kabinen gelassen und, abgesehen von kurzen Befehlen, mit niemandem außer Unity gesprochen.

Inzwischen mußte Harlem, der Luvia außer Gefecht wußte, das Schiff verlassen haben. Zusammen mit dem einen noch lebenden verwundeten Neger hatte er sich zwei der vorhandenen Ballons angeeignet. Weiter war an diesem Tag nichts geschehen, nur daß sie alle natürlich in Sorge um de Brissac und Basil waren, bis sie vor Sonnenuntergang die Signale von der Insel auffingen.

Am nächsten Morgen war Li Foo sehr früh aufgestanden und hatte im ersten Dämmerlicht mindestens dreihundert Neger auf das Schiff zukommen sehen. Luvia und Largertöf konnte er rechtzeitig genug wecken, daß sie die Brücke erreichten, aber Hansie und Nudäa waren noch nicht an Deck, als die Schwarzen schon über die Reling schwärmten. So hatten sie versucht, den Salon zu halten.

Li Foo hatte keine Feuerwaffe und wurde auf seinem Weg zu Synolda abgeschnitten. Er war seinen Verfolgern entkommen und hatte sich in der vorderen Kombüse versteckt. Er war Zeuge von einem Teil des Massakers geworden. Aber er wußte, er würde nutzlos sein Leben hingeben, wenn er sich mit nichts als seinem Messer in die Masse der Angreifer stürzte. Durch das Oberlicht sah er die Neger die Brücke stürmen und Luvia mit seinem Gewehr auf das Kartenhaus klettern. Er schaffte es, von da aus die Leiter am Schornstein zu erreichen, stieg bis oben hinauf und schoß eine Reihe von Negern nieder. Schließlich traf ihn ein Speer am Kopf, und er fiel rückwärts in den Schornstein.

Li Foo hatte sich gerettet, indem er die Deckplatte des Ventilators löste, hineinkletterte und die ganze Zeit, die die Wilden das Schiff plünderten, drinnen blieb. Als wieder Ruhe herrschte, kroch er hinaus und sah sie mit den beiden Mädchen in Richtung ihrer Insel davonspringen. Ihre Toten und die Verwundeten, die die Rückreise über den Tang nicht schaffen konnten, hatten sie zurückgelassen. Li Foo war von einem zum anderen gegangen und hatte der Sicherheit wegen jedem einzelnen die Kehle durchgeschnitten.

Ihm war eingefallen, daß jeder Schiffsschornstein innen Verstrebungen hat. Es war also möglich, daß Luvia hängengeblieben war und weder nach oben noch nach unten konnte. Deshalb war Li Foo die Leiter hinaufgestiegen und hatte seinen Offizier bewußtlos, aber lebend gefunden. Er hatte ein Tau um seinen Körper gebunden und ihn hinausgezogen. Als Luvia wieder zu sich kam, hatte der Chinese versucht, ihn zu überreden, daß er sich hinlegte. Luvia war jedoch wegen der Entführung der Frauen in einem derartig aufgeregten und verzweifelten Zustand, daß er sich rundweg weigerte. Der schlaue Li Foo brachte ihm einen heißen Grog, den er mit einer gehörigen Prise geschmuggelten Opiums gewürzt hatte. Gleich nachdem der Ingenieur ihn getrunken hatte, war er eingeschlafen. Der Chinese hatte ihn ausgezogen, seinen Kopf neu verbunden und ihn ins Bett gesteckt.

»Wann wird er erwachen?« fragte de Brissac.

»Will nachsehen«, meinte Li Foo. »Hab ihm viel Tlaumdloge in seinen Dlink gegeben, abel el schlafen jetzt schon zehn Stunden.«

Sie gingen in Luvias Kabine und fanden ihn immer noch im Tiefschlaf. Lächelnd zog der Chinese eine kleine Phiole aus der Innentasche seines blauen Leinenkittels.

»Sie welden ihn nicht aufwecken«, lispelte er. »Ich gebe ihm das hiel, und el wild sich bald viel bessel fühlen.« Er löste zwei Tabletten in einem halben Glas Wasser auf.

Sie öffneten Luvias Mund und zwangen ihn zu schlucken. »Jetzt walten«, sagte Li Foo. »Vielleicht zehn Minuten, vielleicht halbe Stunde.«

»Verdammt, was sollen wir machen?« jammerte Basil. »Unity – Synolda –, was mögen diese Teufel ihnen antun?«

Deveril legte ihm freundlich eine Hand auf die Schulter. »Sie haben mein volles Mitgefühl, Sir. Auch ich habe sehr gelitten, als ich glauben mußte, meine liebste Yonita sei den Feinden in ihrem Heiratshaus hilflos ausgeliefert.«

»O Gott, ich werde wahnsinnig!« rief Basil aus. »Wir müssen doch irgend etwas *tun!* Wir können doch nicht einfach hier herumstehen!«

»Ich fürchte, wir können gar nichts tun«, bemerkte Sir Deveril traurig.

»Ganz im Gegenteil«, fiel de Brissac schnell ein. »Wir haben die Ballons der getöteten Schwarzen. Ein ganzes Bündel hängt am Stern. Sobald der arme Luvia zu sich kommt, werden wir wie der Blitz hinter ihnen her sein.«

Basils Gesicht erhellte sich. »Gott segne dich. Die Ballons hatte ich ganz vergessen. Um Himmels willen, gehen wir!«

»Versuche, noch ein bißchen Geduld zu haben«, redete de Brissac ihm zu. »Es wäre weder recht noch vernünftig, ohne Luvia aufzubrechen. Wir werden jeden Mann und jedes Gewehr brauchen können.«

Sir Deveril schüttelte langsam den Kopf. »Ich fürchte, Sie werden nur Ihr Leben wegwerfen. Es stimmt, daß die Schwarzen keine Feuerwaffen haben, aber wie können drei Männer, und seien sie noch so mutig, gegen eine so große Anzahl kämpfen?«

»Ehrlich gesagt, habe ich auf Ihre Hilfe gerechnet.« Der Franzose sah ihn scharf an.

»Ich begleite Sie gern, wenn Sie irgendeinen Plan entwickeln können, der uns die Möglichkeit bietet, Ihre Damen zu retten. Aber es hat keinen Sinn, unser Leben für nichts hinzugeben.«

»Dies ist mein Plan«, verkündete de Brissac. »Er fiel mir in dem Augenblick ein, als wir die Kabinen der Mädchen leer fanden. Ich war überzeugt, sie müßten entführt worden sein. Auf dem Achterdeck sind fünfzehn bis zwanzig frischgefüllte Ballons angebunden. Wir können sie beschweren, so daß sie in einer Höhe von drei Metern über dem Tang dahintreiben. Dann können Sie eine ganze Reihe auf Ihre Insel bringen. Die Skistöcke und Stelzen binden wir Ihnen auf den Rücken. Wenn Sie zwölf Ballons mitnehmen, können Sie und elf Ihrer Freunde oder Verwandten den Kanal überqueren. Einer führt die Ballons wieder zurück und holt die nächsten elf Mann. So geht es weiter, bis Sie alle Männer, die Waffen tragen können, am Ufer der Satansinsel versammelt haben. Auch dann sind wir, verglichen mit der Anzahl der Schwarzen, immer noch ein kleines Häuflein, aber wir haben Feuerwaffen, und sie haben keine. Wenn wir gemeinsam zu ihrem Dorf marschieren und einen Überraschungsangriff machen, bin ich überzeugt, daß wir die Frauen retten können.«

»Eine großartige Idee!« strahlte Sir Deveril. »Seit beinahe achtzig Jahren haben wir und unsere Vorfahren unter den Überfällen der Neger zu leiden. Unter uns gibt es keinen Mann, der nicht freudig die Gelegenheit ergreifen würde, einmal zurückzuschlagen. Das hätten wir längst getan, wenn wir jemals mehr als einen oder zwei Ballons erbeutet hätten.«

»Der Plan ist gut«, stimmte auch Basil zu. »Aber ich habe mir heute nachmittag einen wenn auch ungenauen Plan der Satansinsel angesehen. Das Dorf liegt meilenweit landeinwärts, beinahe am anderen Ende der Insel. Wenn unser Angriff Erfolg hat, bleibt immer noch die Frage, wie wir die Mädchen wegschaffen.«

»Du meinst, die Schwarzen werden uns den Weg abschneiden, noch ehe wir die Küste wieder erreicht haben?« fragte de Brissac.

»So ist es. Ich mache auf jeden Fall mit. Aber es wird eine ziemlich verzweifelte Angelegenheit werden, selbst wenn Sir Deveril drei oder vier Dutzend Männer mit Feuerwaffen aufbieten kann.«

»Gibt es keine Möglichkeit, die Wilden in Panik zu versetzen, so daß wir auf dem Rückweg einen guten Vorsprung gewinnen?« fragte Sir Deveril.

»*Ciel!* Ich hab's!« rief de Brissac.

»Mein Maschinengewehr! Meine Erfindung, die immer noch im Frachtraum liegt! Ich habe tausend Schuß Munition für einen Schnellfeuertest mit, zu dem ich auf Madagaskar keine Zeit mehr hatte. Das MG ist leicht, und ich brauche nicht viel Zeit, es zusammenzusetzen. Wenn wir es auf die Insel transportieren könnten, hätten wir eine Waffe, die wohl geeignet ist, Panik zu erzeugen.«

Basil lief zur Tür. »Komm, holen wir es!«

»Warten Sie!« hielt Sir Deveril ihn auf. »Keiner meiner Männer kann etwas unternehmen, bevor ich zurückgekehrt bin. Das Wichtigste ist, daß ich mich mit den Ballons auf den Weg mache.«

»Sie haben recht«, stimmte de Brissac zu. »Los, aufs Achterdeck!«

So schnell sie konnten, sortierten sie die großen gasgefüllten Blasen aus und stellten fest, daß sie zusammen mit zwei Ballons, die noch an den Schultern von toten Negern hingen, einundzwanzig hatten. Allerdings hatten zwei davon Einschüsse und waren unbrauchbar. De Brissac band sechs von ihnen wieder fest. Den größten bekam Sir Deveril, und die übrigen zwölf wurden mit Tauen verbunden und mit Kartoffelsäcken, die sie aus dem Vorratsraum holten, beschwert. Sie probierten diese Anordnung über die ganze Länge des Schiffes aus, und nachdem das Gewicht einiger Säcke erhöht worden war, blieb die ganze Kette niedrig genug.

Der Abendnebel stieg aus dem Tang auf. Sie setzten ihre Vorbereitungen mit größter Geschwindigkeit fort. Glücklicherweise verdeckte heute keine Wolke die Sonne. Und das Schiff war in den letzten beiden Tagen viel weiter an Yonitas Insel herangetrieben. Also bestand keine Gefahr, Sir Deveril könne von der Richtung abkommen.

Sie machten aus, daß die Gruppe, die das Maschinengewehr mitnahm, auf einem erhöhten Punkt am Strand der Satansinsel Laternen aufstellen würde, so daß Sir Deveril und seine Männer nicht erst den Küstenstreifen meilenweit nach der Vorhut absuchen müßten.

Eineinhalb Stunden, nachdem sie die *Gafelborg* erreicht hatten, waren sie fertig, und Sir Deveril machte sich auf den Weg. Zuerst fürchteten sie, er werde mit der langen Kette von Ballons hinter sich das Gleichgewicht verlieren, aber bald hatte er herausgefunden, wie er seine Bewegungen darauf einrichten mußte.

Sobald sie die Gewähr hatten, daß er sicher vorankam, eilten Basil, de Brissac und Li Foo zurück in Luvias Kabine. Er war inzwischen aufgewacht, saß auf dem Rand seiner Koje und hatte den Kopf in den Händen vergraben. Als sie eintraten, fuhr er zusammen und griff nach seinem Revolver. Dann sah er, wer es war, und ein Ausdruck unendlicher Erleichterung zog über sein Gesicht.

Sie berichteten ihm so kurz wie möglich, was sich ereignet hatte, nachdem er in den Schornstein gefallen war. Luvia verwünschte sich und seine Dummheit, die alles Unheil heraufbeschworen habe.

Basil versuchte ihn aufzumuntern, indem er sagte, Harlem wäre wahrscheinlich in jedem Fall zur Satansinsel entflohen. Doch Luvias Herz war zu schwer. Er machte sich für Jansens Tod verantwortlich, und er sagte sich, daß er besser imstande gewesen wäre, das Schiff zu verteidigen, wenn er nicht in einem so scheußlichen Zustand gewesen wäre.

Während Luvia sich anzog, gingen de Brissac und Li Foo in den Frachtraum, um das Maschinengewehr und die Munition zu holen. Basil blieb da, weil er weitere Einzelheiten des Überfalls erfahren wollte.

Juhani hatte den Mitteilungen Li Foos wenig Neues hinzuzufügen, aber durch ihn erfuhr Basil, was sich am Abend zuvor abgespielt hatte. Luvia gab sich die Schuld an dem Streit mit Vicente. Basil hatte allerdings den Eindruck, Synolda habe absichtlich beide Männer gegeneinander ausgespielt.

»Da wundert mich gar nichts mehr«, meinte Basil. »Synolda hat sich ganz abscheulich benommen.«

Luvia, der sich gerade eine Socke anzog, blickte auf. »Was sie getan hat, spielt für mich überhaupt keine Rolle mehr. Es ist wohl ihr gutes Recht, sich auf ihre eigene Weise zu amüsieren, und ich bin ein Dummkopf gewesen. Mich quält der Gedanke, was die Neger ihr antun werden, und dagegen ist alles andere geringfügig.«

»Sprechen Sie nicht davon«, stöhnte Basil. »Unity haben sie ja auch mitgenommen.«

Sie verharrten in düsterem Schweigen, bis de Brissac und Li Foo zurückkamen. Der Franzose begann, sein Maschinengewehr zusammenzusetzen. Li Foo holte mit Basil die Munition aus dem Laderaum. Als de Brissac seine Arbeit beendet hatte, war es Viertel vor acht geworden. Draußen war es stockdunkel.

Es war für jeden der vier Männer ein Ballon da, und an die zwei restlichen befestigten sie die beiden schweren Munitionskisten. De Brissac wollte das kostbare Maschinengewehr selbst tragen. Die anderen banden es ihm unter dem Ballon auf den Rücken. Die beiden Blasen, die die Munition trugen, wurden an Luvias und Basils Körpern befestigt. Sie und Li Foo nahmen je zwei der sechs Gewehre und ein Messer oder einen Säbel von den toten Negern auf dem Deck. Li Foo hatte noch zwei Laternen an seinen Gürtel gebunden.

De Brissac sagte dem Chinesen, er solle sie auslöschen, damit die Wilden das Licht von der Insel aus nicht sehen konnten. Diesmal fürchteten sie nicht, sich im Nebel zu verirren, weil die Satansinsel eine viel längere Küstenlinie hatte als der Fuß des Kreuzes, das Yonitas Insel bildete, und außerdem war die *Gafelborg* nur noch eine halbe Meile vom Eingang des Kanals entfernt.

Um halb neun hatten sie die Satansinsel erreicht. Sie mußten eine Meile laufen, bis sie sich gegenüber dem Vorsprung auf Yonitas Insel befanden, von wo Deverils Männer starten würden. Unterwegs hielten sie sich so weit wie möglich von der Wasserlinie entfernt, um nicht von Riesenkrabben angegriffen zu werden. Am richtigen Ort angekommen, kletterten sie einen Abhang hoch, befestigten die Ballons und zeigten ein Licht.

Beinahe sofort kam vom gegenüberliegenden Ufer ein antwortendes Aufblitzen. Es begann, rhythmisch zu flackern. Sir Deveril gab in Morsezeichen durch, er habe sechs Männer bei sich, und einundvierzig weitere würden aus verschiedenen Teilen der Insel zusammengeholt. Alle hätten Feuerwaffen, wenn auch teilweise ziemlich veraltete. Sobald dreizehn Männer beisammen seien, werde er die erste Reihe hinüberbringen, doch könne das eine Stunde dauern.

»Eine Stunde!« keuchte Basil auf. »Was kann den Mädchen in der Zwischenzeit zustoßen!«

»Höchstwahrscheinlich werden die Wilden erst eine Siegesfeier veranstalten«, versuchte de Brissac ihn zu beruhigen.

»Aber es ist schon neun Uhr, und wir müssen noch die ganze Insel überqueren.«

»Und die Ballons müssen siebenmal über den Kanal gebracht werden, bis Deverils vier Gruppen da sind«, setzte Luvia hinzu. »Heiliger Michael! Daran hatte ich gar nicht gedacht. Es wird zwei Uhr sein, bis sie alle gelandet sind.«

»Solange können wir unmöglich warten«, stieß Basil hervor. »Ich werde wahnsinnig, wenn ich hierbleiben muß.«

De Brissac verzog einen Mundwinkel. »Ich weiß, wie dir zumute ist, *mon vieux*, aber was bleibt uns übrig?«

»Wir können allein gehen, das Land auszukundschaften und den Feind irgendwie ablenken, bis Deverils Leute da sind.«

»Fünf Stunden lang ablenken? Wie denn?« fragte de Brissac.

»Wenn wir ein gutes Versteck in der Nähe des Dorfes finden, können wir von da aus hineinschießen. Das wird ihnen etwas zu denken geben.«

»Ich komme mit Ihnen«, brummte Luvia. »Aber wie finden wir das Dorf?«

»Ich weiß es«, erklärte Basil. »Am anderen Ende der Insel befindet sich eine hohe Felsenbarriere, und das Dorf liegt unmittelbar an ihrem Fuß – etwas weiter östlich als westlich von der Küste.«

»Gut.« De Brissac faßte einen plötzlichen Entschluß. »Gehen wir. Es ist der helle Wahnsinn, aber du hast recht, wir dürfen mit der Rettung der Mädchen nicht bis zum Morgengrauen warten.«

Luvia signalisierte Sir Deveril eine dementsprechende Botschaft. Eine Laterne ließen sie als Markierung für ihn zurück. Sie luden sich ihre Lasten auf und marschierten landeinwärts. Fünf Minuten später umfing sie dunkler, schweigender Wald.

XVI

EIN VERZWEIFELTES UNTERNEHMEN

Der Wald bestand hauptsächlich aus Kiefern und Lärchen mit gelegentlichen hohen Zedern. Der Vormarsch war verhältnismäßig einfach, da es nur wenig Unterholz gab.

Allerdings waren das Maschinengewehr, die Gewehre und die Munitionskisten eine schwere Last. Deshalb bestand de Brissac darauf, daß sie alle zehn Minuten einen kurzen Halt machten, um sich nicht völlig zu verausgaben.

Sie sprachen wenig. Jeder war in seine eigenen Gedanken versunken.

Nach der fünften Pause flüsterte Basil: »Hört mal!«

Durch die windstille Nacht klang gedämpftes Trommeln. »Teufel!« rief Luvia. »Das Fest hat begonnen.«

De Brissac nickte. »Sie haben darauf gewartet, daß der Mond aufgeht.«

»Wir müssen uns beeilen!« Basil griff nach den Munitionskisten.

»Hinstellen!« befahl de Brissac scharf. »Wir warten noch eine Minute. Du wirst deine volle Kraft brauchen, wenn wir da sind. Denke daran, daß wir erst die halbe Strecke zurückgelegt haben.«

»Nicht solgen, Mistel«, tröstete Li Foo. »Die schwalzen Teufel essen und tlinken elst.«

»Und in der Zwischenzeit werden die Mädchen sicher sein – hoffe ich wenigstens«, fiel Luvia ein.

»Das gebe Gott«, murmelte Basil. Sie gingen weiter.

Die Trommeln wurden lauter. Das rhythmische Pochen konnte einen verrückt machen.

Etwa fünf Meilen von der Küste entfernt hörte der Wald auf. Sie kamen an eine offene, leicht ansteigende Fläche. Die Trommeln wurden schneller und versetzten die Luft in Schwingungen. Die Männer begannen die Anstrengung zu spüren. Waffen und Munition schienen ihr Gewicht verdoppelt zu haben.

Noch eine halbe Meile, und sie hatten den höchsten Punkt des Abhangs erreicht. Weit unter ihnen sahen sie ein Feuer brennen. De Brissac blickte durch sein Nachtglas. Er erkannte vor dem hellen Feuerschein eine Reihe niedriger Gebäude und ein wenig weiter östlich ein paar dunklere Flecke, die keine Bäume sein konnten. Jenseits des Dorfes erhob sich eine schwarze Masse, die die große Klippe sein mußte.

Sie machten sich an den Abstieg. Hundert Meter weiter kamen sie an ein Maisfeld. Links von ihm führte ein Weg in Richtung des Dorfes. Sie folgten ihm und kamen jetzt an verschiedenen Krals vorbei, die aber verlassen waren. Offenbar hatten sich alle Bewohner um das Feuer versammelt.

Noch eine halbe Meile, und der Boden stieg wieder an, so daß das Feuer eine Zeitlang vor ihnen verborgen war. Wieder blieben sie stehen, als sie den Kamm erreicht hatten. Das Dorf war nur noch eine Viertelmeile entfernt. Sie konnten schon Einzelheiten erkennen. Im Osten standen mindestens zweihundert Hütten. Dort war kein Licht zu sehen. Die Neger hatten sich alle auf einem offenen Platz versammelt, der von einigen größeren Bauwerken umgeben war. In der Mitte loderte das Feuer, und darum bewegte sich eine lange Kette von Männern mit schlangenhaften Bewegungen. Jeder Krieger machte zwei Schritte vorwärts, einen Schritt zurück und stampfte dann im Rhythmus der Trommeln mit dem Fuß auf. Das Stampfen rief dumpfe Echos zurück. Sie tanzten mit lebhaften Gesten, schüttelten die Speere und Keulen über ihren Köpfen, gaben aber keinen Laut von sich.

Hundert Meter weiter westlich von dem offenen Platz stand ein einzelnes Gebäude, das drei Seiten eines Quadrats einfaßte und viel größer war als alle anderen. Das Mondlicht fiel auf einen hohen Palisadenzaun. Die Beobachter erkannten sofort, daß dies das sogenannte Heiratshaus sein mußte, in das die Neger die gefangenen Frauen zu bringen pflegten.

De Brissac studierte das Gelände, um den geeignetsten Ausgangspunkt für ihren wahnwitzigen Angriff zu finden. Er wußte, daß es den Wilden nicht an Mut gebrach. Nachdem sie unter schweren Verlusten zurückgeschlagen worden waren, hatten sie die *Gafelborg* zwei Tage später von neuem angegriffen, obwohl sie damit zu rechnen hatten, daß der Raub der Frauen viele Todesopfer kosten werde. Wenn er mit seinem Maschinengewehr das Feuer eröffnete, würden sie ganz bestimmt angreifen, und es waren Hunderte. Deshalb mußte die Rettungsmannschaft sich sehr sorgfältig einen Platz aussuchen, der ihnen sowohl freies Schußfeld als auch den bestmöglichen Schutz gewährte.

De Brissac kam zu dem Schluß, daß sie – auch wenn es sie weitere Zeit kostete – das Dorf in einem weiten Bogen umgehen mußten. Dann hatten sie die hohe Klippe als Rückendeckung. Dagegen konnten auch die anderen nichts einwenden. Sie nahmen ihre Lasten wieder auf und hielten sich in schräger Richtung auf die westliche Ecke des Palisadenzaunes zu.

Als sie bis auf hundert Meter an den Zaun herangekommen waren, wandte sich de Brissac noch weiter westwärts, damit sie nicht von irgendwelchen Wachen gesehen würden. Basil hielt ihn zurück.

»Die Mädchen sind in diesem Haus. Es scheint kein Mensch in der Nähe zu sein. Wir können die Palisade übersteigen, wenn sich einer auf die Schultern des anderen stellt. Das ist unsere Chance, sie herauszuholen, solange die Wilden noch tanzen.«

De Brissac schüttelte Basils Hand ungeduldig ab. »Mon dieu! Du mußt wahnsinnig sein. Wahrscheinlich befinden sich zwei- oder dreihundert weitere Frauen in diesem Gebäude. Selbst wenn keine Wachen da sind und wenn du hineingelangst, werden die Frauen anfangen zu schreien. Wir werden alle innerhalb von zehn Minuten massakriert sein.«

Widerstrebend folgte Basil ihm in die neue Richtung. Als sie sich gegenüber der nordwestlichen Zaunecke befanden, flüsterte Luvia plötzlich: »Wartet!« und ließ sich auf die Knie sinken. Die anderen folgten seinem Beispiel. Luvia zeigte auf die hohe, dunkle Gestalt eines einzelnen Negers, der am Zaun stand und sich auf seinen Speer lehnte.

Sie krochen weiter, bis sie aus seinem Sichtbereich waren. Dann richteten sie sich wieder auf. Über höher gelegenen Grund erreichten sie schließlich die Klippe.

Glatt und steil und offensichtlich unersteigbar erhob sie sich über ihnen. Nur ganz weit oben war die Fläche zerklüftet, wie sie im Mondlicht erkennen konnten. Weiter östlich, gegenüber von dem Feuer entdeckte de Brissac ein paar große Steine am Fuß der Klippe. Das war genau der Ort, den er suchte.

Keuchend und schwitzend legten sie die letzten vierhundert Meter zurück. Der Steinhaufen war Teil eines Erdrutsches. Er bildete ein Plateau, das an den Seiten steil und nach vorn, zum Dorf hin flach abfiel. Sie konnten das Dorf in etwa sechshundert Metern Entfernung liegen sehen. Oben auf den höchsten Steinen fanden sie ein ebenes Stück, vor dem sich zwei Felsspitzen erhoben, die ein natürliches Fort bildeten.

De Brissac brachte sein Maschinengewehr in Stellung, während die anderen die Munitionsstreifen vorbereiteten und die sechs Winchester in einer Reihe hinlegten.

Von ihrem erhöhten Standpunkt aus konnten sie das Dorf deutlicher sehen als vorher. Hunderte von Männern und Frauen bildeten einen großen Kreis um das Feuer. Alle saßen sie mit gekreuzten Beinen auf dem Boden. Nur an einer Stelle war ein Baldachin aufgestellt, unter dem ein ungeheuer fetter Neger in phantastischem Aufputz thronte. Offensichtlich war das der Häuptling. Rund um sich hatte er seine wichtigsten Ratgeber und eine Anzahl von Hexendoktoren mit grotesken Tiermasken auf den Köpfen versammelt. Unter ihnen stach Harlem hervor, denn er trug immer noch seine weiten Hosen und ein altes Tweedjackett.

Der Tanz hatte sich verändert, er war heftiger geworden, und die Tänzer bewahrten auch kein Schweigen mehr. Sie stießen in unregelmäßifen Abständen ein wildes Geheul aus, das das Blut in den Adern stocken ließ. Das schnelle Klopfen der Kriegstrommeln versetzte sie in einen rauschhaften Zustand.

De Brissac hatte schnell einen Feldzugsplan entworfen. Lange Zeit konnten die Tänzer diesen schnellen Schritt nicht beibehalten. Der Tanz würde nicht mehr länger als zehn Minuten dauern. Danach mochte alles Mögliche passieren, und es bestand keine Hoffnung, daß Sir Deveril seine Streitmacht von siebenundvierzig Mann früher als in drei Stunden herbeischaffte. De Brissac mußte mit seiner Gruppe das Fort drei Stunden lang halten und in dieser Zeit die Neger ablenken. Da war es von größter Wichtigkeit, Sir Deveril Bescheid zu geben, auf welche Weise er eingreifen sollte, falls sie noch am Leben waren. De Brissac legte Li Foo die Hand auf die Schulter.

»Li Foo, ich habe einen Auftrag für Sie. Gehen Sie den Weg, den wir gekommen sind, um zwei Meilen zurück, bis Sie die Bodenerhebung auf der anderen Seite des Tales erreicht haben. Dort bleiben Sie, bis Sie Sir Deveril und seine Leute aus dem Wald kommen sehen. Sie werden unsere Schüsse deutlich über das Tal hinweg hören. Wenn wir nicht angegriffen haben oder nicht angegriffen worden sind, führen Sie Sir Deveril und seine Männer auf demselben Weg, den wir genommen haben, zu uns. Dann können wir alle zusammen einen Überraschungsangriff unternehmen. Wenn Sie hören, daß wir schießen und dann das Feuer einstellen, sind wir tot oder gefangen, und Sir Deveril muß nach eigenem Ermessen vorgehen. Aber wenn wir beim Erscheinen Sir Deverils immer noch kämpfen, möchte ich, daß er folgendes tut.

Er soll eine kleine Abteilung seiner Männer nach Südosten schicken, wo die jetzt verlassenen Hütten am dichtesten stehen. Sie sollen die Hütten in Brand setzen. Das wird die Neger, die uns angreifen, von uns abziehen. Inzwischen soll die Hauptgruppe nach Südwesten marschieren, bis sie zu dem Punkt kommt, von wo aus wir den Wachposten am Heiratshaus gesehen haben. Das Gebäude ist praktisch unverteidigt, so daß er es mit einem Überraschungsangriff einnehmen kann. Dann kann er es als Sammelplatz benutzen, wenn sich die Schwarzen als zu zahlreich für seine Männer erweisen. Ist er erst einmal drinnen, wird es ihm wegen des hohen Palisadenzauns keine Schwierigkeiten machen, es zu halten.

Gelingt es ihm, das Heitratshaus ohne Schwierigkeiten zu erobern, soll er nach Osten vorrücken, geradewegs über den Platz, auf dem die Wilden jetzt tanzen, bis zu der Stelle, wo die kleine Abteilung das Feuer gelegt hat. Dadurch wird es ihm möglich sein, die Krieger, die ihre Habseligkeiten retten wollen, im Rükken zu fassen. Ist das alles klar?«

»O ja, Mistel. Ich welde alles auslichten.«

»*Bien* ! Passen Sie auf, daß man Sie nicht fängt.«

Lächelnd nahm der Chinese sein Gewehr auf und verschwand in den Schatten der Klippe.

»Und was tun wir inzwischen?« fragte Luvia ungeduldig.

»Ich möchte nicht auf sie schießen, bevor es unbedingt notwendig ist«, antwortete de Brissac. »Jeder Augenblick, den sie noch tanzen, bringt uns Deveril um einen Augenblick näher.«

»Ja«, brummte Luvia, »aber wenn sie aufhören zu tanzen, haben wir nicht die geringste Chance mehr, die Frauen lebendig herauszuholen. Wir müssen etwas tun – und das schnell.«

»Wir müssen das Heiratshaus überfallen, solange die Männer noch beschäftigt sind«, fiel Basil schnell ein. »Wir haben nur einen Wachposten gesehen, und niemand wird eine Ahnung davon haben, daß eine Rettungsmannschaft unterwegs ist. Wahrscheinlich steht der Mann nur da, damit Unity und Synolda nicht entfliehen. Und wenn es auch mehrere sein sollten, könnten wir leicht mit ihnen fertig werden.«

»Na klar«, unterstützte Luvia ihn. »So ist es, und so werden wir's machen. Bleiben Sie mit Ihrem Maschinengewehr am besten hier, de Brissac, und wenn es Schwierigkeiten gibt, ballern Sie los.«

»Gut«, stimmte de Brissac zu. Ich werde nicht schießen bis ich merke, daß Ihr Versuch entdeckt worden ist. Es ist beinahe sicher, daß Sie getötet werden, aber Sie haben recht damit, daß wir die Mädchen sofort retten müssen.«

Basil und Juhani ließen ihre Gewehre zurück. Sie nahmen nur ihre Säbel und Pistolen mit. Nach einem schnellen Händedruck mit de Brissac glitten sie von den Steinen hinab und schlugen dieselbe Richtung ein wie Li Foo. Das Trommeln, Stampfen und Schreien machte ihre Schritte unhörbar, so daß sie auf dem ersten Teil des Weges nicht besonders vorsichtig zu sein brauchten. Fünf Minuten später erblickten sie schon den Wachposten.

Die beiden Männer krochen vorsichtig vorwärts. Basil streckte eine Hand aus und berührte Juhani. »Besser, wir trennen uns«, flüsterte er. »Wenn er einen von uns hört und sich ihm zuwendet, kann ihn der andere von hinten anspringen.«

»Okay.« Juhani schlug einen Halbkreis ein, während Basil sich gerade auf den Zaun zuhielt.

Er wurde aus dicken Baumstämmen gebildet, die so nahe beieinanderstanden, daß man nicht hindurchsehen konnte. Die Höhe schätzte Basil auf drei Meter. Jeder Stamm war zu einer häßlichen Spitze geschärft, wie er gegen den Himmel sehen konnte. Leicht würde des Übersteigen bestimmt nicht werden.

Zweifellos verfluchte der Wachposten sein Pech, daß er hier stehen mußte, während alle anderen feierten. Sehr wachsam war seine nachlässige Haltung nicht. Basil gelang es, sich ihm bis auf wenige Schritte zu nähern. Dann stieß er mit dem Knie gegen einen Stein, der an einen zweiten prallte. Der Neger fuhr herum und erblickte ihn. Basil sprang auf und zog seinen Säbel.

Der Neger öffnete den Mund zu einem Warnruf und hob seine Speer. Im nächsten Augenblick war Juhani ihm auf den Rücken gesprungen. Sie fielen zusammen zu Boden.

Es gab eine kurzen, heftigen Kampf. Basil stand mit erhobenem Säbel daneben, wagte aber nicht, zuzuschlagen, weil er Juhani hätte treffen können. Dann gab der Neger ein seltsames Gurgeln von sich. Juhani befreite sich und stand auf. »Ich habe ihm den Hals gebrochen«, flüsterte er heiser.

»Gut«, murmelte Basil. »Jetzt über den Zaun.«

Juhani spreizte die Beine und stützte die Hände gegen die Baumstämme. »Auf meinen Rücken«, keuchte er. »Schnell!«

Basil steckte den Säbel in die Scheide, sprang auf Juhanis breite Schultern, ergriff zwei der Spitzen und zog sich hoch. Glücklicherweise waren die Baumstämme so dick, daß er zwischen zweien mit einem Bein nach innen sitzen konnte.

Juhani wartete nicht darauf, daß er hochgezogen wurde. Als Seemann war er ein guter Kletterer, und seine Größe kam ihm zustatten. In einem Anlauf hatte er zwei Spitzen gefaßt, und im nächsten Augenblick saß er neben Basil. Ohne ein Wort ließen sie sich jenseits hinabgleiten.

Das Heiratshaus war ein langes, niedriges Gebäude, in dem zweihundert Menschen Platz finden konnten. Drinnen brannten Lichter. Sie hörten Stimmengemurmel. Offenbar warteten die Frauen darauf, daß die Krieger sie nach dem Tanz besuchten. Sehr vorsichtig schlichen Basil und Juhani näher.

XVII

IM HEIRATSHAUS

De Brissac hielt den freien Platz, auf dem das Feuer brannte, ständig im Auge. Vor beinahe einer Viertelstunde hatten seine Freunde ihn verlassen. Der Tanz hatte sich wieder verändert. Die Krieger bildeten jetzt Reihen von dreißig Mann, die die Gesichter dem fetten Häuptling auf dem Thron zugewandt hatten. Sie sangen irgendein wildes Siegeslied und stampften mit den Füßen so heftig auf die Erde, daß der Staub in einer Wolke aufstieg und ihre unteren Gliedmaßen verhüllte. Der obere Teil ihrer nackten Körper glänzte im Licht der Flammen vor Schweiß.

Die Tänzer bewegten sich vorwärts, schüttelten ihre Waffen und markierten unter Kriegsgeheul einen Angriff, der erst ein paar Schritte vor ihrem König zum Stehen kam. Das wurde mehrmals wiederholt, und de Brissac betete darum, es möge noch ein und noch ein Scheinangriff folgen, denn jeder gab seinen Freunden ein wenig kostbare Zeit.

Innerhalb der Einzäunung schlichen sich Basil und Juhani an das Gebäude. Sie sahen, daß es ein paar Fuß über dem Erdboden auf Stützen errichtet war. Etwa alle zehn Meter führten wackelige Stufen zu einem Eingang. Von den vier, die sie sehen konnten, waren zwei offen und zwei geschlossen, aber vor den beiden offenen hingen Vorhänge.

Die beiden Männer näherten sich der ersten Tür. Zwischen Vorhang und Fußboden klaffte ein drei Zentimeter breiter Spalt, der sich gerade in der Höhe von Juhanis Brust befand. Er beugte sich vor und lugte ins Innere.

Aus dem Stimmengemurmel konnte er schließen, daß das Gebäude aus einem langen Raum bestand, wenn er ihn auch nur teilweise überblicken konnte. Einige Frauen unterhielten sich, andere hatten sich zum Schlafen hingelegt.

Der nächste Eingang war verschlossen, bei dem übernächsten fiel der Vorhang ganz herab, hatte jedoch ein großes Loch. Wenn Juhani sich auf die Zehen stellte, konnte er einen neuen Blick auf die Bewohnerinnen des Heiratshauses werfen.

Hier war eine kleine Gruppe von Mädchen hellwach. Sie knieten im Kreis und begleiteten irgendein Würfelspiel mit schrillen Ausrufen. Immer noch war keine Spur von Synolda und Unity zu sehen.

Die Männer kamen an zwei weiteren geschlossenen Türen vorbei. Erst der dritte Eingang war wieder nur mit einem Vorhang verhüllt. Basil warf zum erstenmal einen Blick ins Innere und packte sofort Luvia beim Arm. Juhani beugte sich vor, und nun sah auch er es. Genau in ihrer Blickrichtung saßen Unity und Synolda mit dem Rücken an der Wand. Ihre Gesichter waren schmutzig und tränenfleckig, aber jetzt weinten sie nicht mehr. Sie hielten sich eng umschlungen und boten ein Bild der Verzweiflung.

Juhani fragte sich, warum sie nicht durch die offene Tür entflohen. Dann fiel ihm ein, daß sie es vermutlich versucht hatten und zurückgeholt worden waren. Er trat vorsichtig zurück und ließ Basil wieder nach vorn. Unity bewegte sich in diesem Augenblick ein wenig. Basil sah, daß der rechte Ärmel ihres Kleides ausgerissen war, und auf ihrem nackten Arm zeigten sich drei häßliche rote Striemen. Bei diesem Anblick verlor er den Verstand. Er zog seinen Säbel, schlug den Vorhang zur Seite und sprang in den Raum.

Juhani blieb nichts weiter übrig, als ihm zu folgen.

Im nächsten Augenblick war die Hölle los. Die Frauen schrien und kreischten und stoben auseinander. Basil bemerkte nichts davon. Er riß Unity in seine Arme und schleppte sie hinaus. Juhani hatte sich Synolda einfach über die Schulter geworfen.

»Bist du okay?« fragte Basil nach einem tiefen Atemzug in der reinen Nachtluft.

»Ja«, hauchte Unity. »Oh, Basil! Gott segne dich!«

»Kannst du laufen?«

»Ja, ja!« Sie riß sich von ihm los und rannte auf den Palisadenzaun zu, als seinen alle Teufel hinter ihr her.

»Laß mich hinunter«, flehte Synolda hinter ihnen. Juhani nahm keine Notiz davon und raste weiter. Bei seiner großen Stärke machte ihm die Bürde nichts aus.

Plötzlich merkte er, daß sich etwas verändert hatte. Was war geschehen? Eine Sekunde später kam es ihm zum Bewußtsein. Beinahe drei Stunden lang hatten sie ununterbrochen das Pochen der Kriegstrommeln gehört. Jetzt waren sie verstummt, und das Geheul der Wilden ebenfalls.

Basil, der soeben die Palisade erreicht hatte, machte die gleiche Entdeckung. Es war möglich, daß die Krieger sich nach dem anstrengenden Tanz eine Weile ausruhten oder sich erst mit Essen und Trinken stärkten. Doch ebenso war es möglich, daß sie gleich durch das große Tor in den Hof des Heiratshauses strömten.

Luvia setzte Synolda ab, bückte sich und stemmte die Hände auf die Knie.

»Hinauf«, keuchte er. »Schnell, um Gottes willen!«

Basil kletterte auf seinen Rücken. Gleich darauf saß er zwischen zwei Spitzen. Synolda stand bereits auf Juhanis breiten Schultern. Basil ergriff ihre Hände und zog sie neben sich. Dann ließ er sie vorsichtig auf der anderen Seite hinab.

In fieberhafter Eile neigte er sich Unity entgegen. Sie sprang und landete in seinen Armen. Ihr Gesicht war in einer Höhe mit dem seinen. Schnell küßte er sie auf den Mund und ließ sie neben Synolda hinuntergleiten.

Die Mädchen hatten sich noch kaum aufgerafft, als die Männer herabsprangen. Erst jetzt merkte Basil, daß sie in ihrer Aufregung die Richtung verloren hatten. Sie waren nicht an der Westseite der Anlage übergestiegen, sondern im Süden. Dieser Fehler hatte sie gute zweihundert Meter näher an de Brissac herangebracht, aber andererseits waren sie auch nicht mehr als hundert Meter von der nächsten Hütte entfernt. Jeder Krieger auf dem Tanzplatz, der zufällig in die Richtung sah, konnte sie deutlich erkennen.

Am Fuß der hohen Klippe sah de Brissac angestrengt durch sein Nachtglas. Mit Schrecken hatte er festgestellt, daß der Tanz endgültig zu Ende war. Nach einem letzten Scheinangriff genau auf die versteckten Beobachter zu und einem letzten lauten Kriegsgeschrei herrschte beinahe vollständige Stille. Zu seiner Erleichterung sanken die schwitzenden Tänzer zu Boden. Junge Negerinnen lösten sich aus der Menge und brachten ihnen Tongefäße, aus denen sie tranken. De Brissac hoffte, der Besuch der Krieger im Heiratshaus werde sich noch ein wenig hinauszögern.

Doch da gellte ein einzelner Schrei aus der Richtung des Heiratshauses, dem das Kreischen vieler Frauenstimmen folgte. Sicher würde der fette Häuptling unter dem Baldachin jetzt gleich jemanden nachsehen schicken, was der Aufruhr zu bedeuten hatte. Aber er achtete gar nicht auf den Lärm. Vermutlich waren die Männer daran gewöhnt, daß es unter den Frauen zum Streit kam.

Zwei weitere Minuten lang sah de Brissac durch sein Nachtglas. Er meinte, an der südlichen Seite des Zauns, die ihm am nächsten war, eine Bewegung zu erkennen. Einen Augenblick später war er sich sicher. Sein Herz tat einen Freudensprung. Vier Gestalten, die sich dicht beisammen hielten, schlichen vorsichtig auf die Klippe zu. Das konnten nur Basil und Juhani mit den beiden Mädchen sein. Aber zum Donnerwetter, dachte de Brissac, warum hatten sie das Risiko auf sich genommen, so nahe an dem Tanzplatz vorbeizugehen?

Plötzlich wurden am Rand der Menschenmenge Rufe laut. Wie ein Mann drehten sich alle Krieger in eine Richtung. Die weißen Frauen und ihre Retter waren entdeckt worden. Sofort waren die Schwarzen auf den Füßen und schrien wie die Wahnsinnigen. Die dichtgedrängte Masse brach auseinander. Diejenigen, die am weitesten entfernt waren, rannten über den offenen Platz. Ihre Silhouetten hoben sich deutlich vor den lodernden Flammen ab. Die Krieger, die dem Heiratshaus am nächsten waren, beeilten sich, den Flüchtigen den Weg abzuschneiden.

De Brissac richtete sein Maschinengewehr. Im gleichen Moment, als Juhani und Basil ihre Pistolen abfeuerten, drückte er den Abzug. Das Knattern zerriß die Nachtstille. Verwundete schrien auf. Die Neger gerieten in Verwirrung.

Der unerwartete Angriff brachte die Gruppe, die den vier Weißen am nächsten war, vorübergehend zum Stehen. Juhani, Basil, Synolda und Unity nahmen ihren Vorteil war und rannten los.

De Brissac gab ihnen Feuerschutz, aber aus jeder Richtung strömten neue Scharen von Angreifern. Juhani war schon auf halber Höhe des Hügels. Er zerrte Synolda mit sich. Basil und Unity liefen nebeneinander. Sie waren nur noch ein paar Schritte entfernt. Eine Gruppe stämmiger Krieger raste herbei, um sie abzufangen, und einer von ihnen schleuderte einen

Speer, der drei Zentimeter an Synoldas Schulter vorbeiflog. Weitere Speere folgten. Einer traf Basil in den Oberschenkel. Er riß ihn heraus und schoß den Mann nieder, der ihn geworfen hatte.

Luvia tötete die zwei vordersten Verfolger. Aber die anderen hätten sie überwältigt, wenn nicht de Brissac sein Feuer auf sie konzentriert hätte. Noch ein kurzer Augenblick, und die Weißen waren am Fuß der Steine. Juhani landete nach einem gewaltigen Sprung mit dem Oberkörper auf dem Sims neben de Brissac. Er wälzte sich herum, streckte seine langen Arme aus, faßte beide Mädchen an der Hand und riß sie hoch. Keuchend und fluchend stolperte Basil den steinigen Abhang hinauf, warf sich neben de Brissac nieder und ergriff ein Gewehr. Luvia nahm sich ein anderes.

Neue Horden von Wilden strömten brüllend den Hügel herauf. Für die drei Männer begann ein harter Kampf.

XVIII

AM FUSS DER KLIPPE

Das Mondlicht erhellte das ganze Tal. Von dem natürlichen Fort aus konnten seine Verteidiger in der Senkung zu ihrer Rechten die dichtgedrängten Hütten sehen. Geradeaus, in einer Entfernung von vielleicht fünfhundert Metern, brannte das Feuer noch auf dem Tanzplatz. Der Hof des Heiratshauses links war jetzt voll von schreienden, laufenden Gestalten.

In einem großen Halbkreis stürmten zahllose schwarze Krieger den flachen Hügel herauf. Es schien völlig unmöglich zu sein, sich gegen diese Scharen zu halten, und eine Rückzugmöglichkeit gab es nicht. Hinter ihnen erhob sich in einem Winkel von fünfundvierzig Grad ein fünfzehn Meter hoher Abhang aus loser Erde und Geröll. Das war der Erdrutsch, der die großen Steine herabgeschleudert hatte, zwischen denen sie nun hockten. Darüber stieg der nackte Felsen steil in die Höhe.

De Brissac legte einen neuen Munitionsstreifen ein. Das Maschinengewehr spie Feuer wie eine Azetylen-Lampe, und sein Rattern übertönte das Geräusch der vielen trampelnden Füße.

Das Fort konnte von den Seiten ebenso wie von vorn angegriffen werden. Luvia kauerte zwischen zwei großen Felsbrocken zu de Brissacs Rechter, Synolda neben ihm. Basil lag flach auf dem Bauch zur Linken des Franzosen. Synolda und Unity hatten sich noch kaum von ihrem ersten vereitelten Fluchtversuch erholt, aber sie taten ihr Bestes, den Männern zu helfen, indem sie die Winchester luden und die Munitionsstreifen für das Maschinengewehr bereitlegten.

Die Angreifer wichen zurück. Die Verteidiger hatten eine kleine Atempause, in der sie nach ihren Wunden sehen konnten. Basils Schenkelwunde war nicht schwer. Der Speer hatte den fleischigen Teil an der Außenseite des Beins getroffen und ein Stück Haut mitgenommen. Basil riß sich einen Hemdärmel ab, und de Brissac legte ihm geschickt einen Verband an. Aber Junity war eine Speerspitze in den Arm gedrungen und hatte den Muskel oberhalb des Ellenbogens durchbohrt. Die Wunde blutete stark. Sie legten eine Aderpresse an, und Synolda machte aus dem Schal, den sie trug, eine Schlinge.

»Wir sind noch einmal davongekommen«, murmelte Juhani.

»Aber es war knapp«, antwortete Basil. »Das nächste Mal haben wir vielleicht nicht soviel Glück.«

»Vielleicht gibt es gar kein nächstes Mal«, meinte Juhani optimistisch. »Die Wilden wissen jetzt, gegen was sie angehen, und werden wohl keinen Sturmangriff mehr wagen.«

De Brissac schwieg. Er wollte den anderen nicht den Mut nehmen. Solange der Mond schien, hatten sie sicher keinen Angriff mehr zu befürchten. Doch ein dunkler Fleck am nordöstlichen Himmel verriet ihm, daß die Wolken die Sterne verdeckten, und er fürchtete, in etwa zehn Minuten sei auch der Mond dahinter verschwunden.

Kurze Zeit saßen sie schweigend beieinander. Für die Mädchen war ihr schreckliches Erlebnis noch zu frisch, als daß sie darüber hätten sprechen mögen. Die Männer waren nach ihrem langen Gewaltmarsch müde und wußten, sie mußten ihre Kräfte für weitere Kämpfe schonen.

Basil saß mit dem Rücken gegen einen Stein, und Unity lehnte sich an seine Schulter. Juhani und Synolda hockten Seite an Seite auf einer Kante. Jetzt, wo sie so plötzlich wieder vereint waren, herrschte eine seltsame Befangenheit zwischen ihnen. Seit ihrem heftigen Streit und dem Tod des alten Jansen hatten sie nicht mehr miteinander gesprochen. Beide hielten die Augen zu Boden gerichtet. Keiner von beiden wagte es, in das Gesicht des anderen zu sehen.

Dann sagte Basil: »Deveril und seine Leute müssen jetzt schon unterwegs sein. Es wird für uns eine große Hilfe sein, wenn sie die Krals in Brand stecken.«

De Brissac schüttelte den Kopf. »Bis dahin wird noch eine lange Zeit vergehen. Es ist eine Menge geschehen, seit wir diesen Platz erreicht haben, aber es ist erstaunlich, wieviel Handlung in eine einzige Minute gepreßt werden kann. Tatsächlich ist erst eine halbe Stunde vergangen, und du wirst dich erinnern, daß die Inselbewohner nicht vor Ablauf von drei Stunden mit uns zusammentreffen können.«

Die Wolken zogen vor den Mond, und gleich darauf fand der zweite Angriff statt, wie de Brissac es vorhergesehen hatte.

Wieder erfüllte das Rattern des Maschinengewehrs das Tal, doch plötzlich verstummte es. Der letzte Munitionsstreifen war aufgebraucht. Allerdings war der Zweck erreicht. Die Schwarzen flohen den Hügel hinunter und ließen ihre Toten und Verwundeten zurück.

»Jetzt haben wir Luft«, keuchte Luvia. »Die da müßten ja verrückt sein, wenn sie noch einmal blindlings in die Garben rennen würden.«

»Das wird uns das nächste Mal nichts mehr nützen«, erklärte de Brissac grimmig. »Die Munition ist alle.«

Das war eine neue Gefahr. Sie strengten ihre Augen an, um in der Dunkelheit auch die geringste Bewegung wahrzunehmen.

»Da kommen sie!« rief Juhani und hob sein Gewehr. Auch Basil war bereit. Aber die Vorderseite ihres natürlichen Forts war jetzt völlig ungeschützt. De Brissac konnte nur eine der übrigen Winchester auffangen, die Unity ihm zuwarf, und das Magazin in die anstürmenden Massen leeren. Alle hatten sie das Gefühl, daß jetzt ihre letzte Stunde gekommen sei. In wenigen Augenblicken würden sie von der Übermacht der Angreifer erdrückt und massakriert werden.

Noch hatten die Angreifer sie nicht ganz erreicht, da nahte Rettung von einer unerwarteten Seite. Unten in der Dunkelheit des Tals, da, wo die Hütten standen, flammte Feuer auf. Als wäre es ein Signal, knallten von jenseits des Heiratshauses Musketenschüsse herüber.

»*Dieu merci*!« rief de Brissac. »Das sind Deveril und seine Männer!«

Die Schwarzen hatten die Flammen auch gesehen. Sie zögerten, brachen die Attacke auf das Felsenfort ab, drehten sich um und rannten den Hügel hinunter. Ungestört konnten die Verteidiger der Szene zusehen.

Die leichten Bauwerke aus getrocknetem Lehm, Gras und Flechtwerk brannten lichterloh. Die nordöstliche Ecke des Palisadenzauns um das Heiratshaus wurde in Abständen von Schüssen erhellt.

»Gut gemacht, Deveril!« rief Basil. »Bei Gott, er hat es schnell bis hierher geschafft!«

»Beinahe zwei Stunden vor der errechneten Zeit«, setzte de Brissac hinzu.

»Oh, Gott sei Dank! Gott sei Dank!« seufzte Unity und ließ ihren Kopf auf Basils Schulter sinken.

Kurze Zeit später, als der Kampf im Tal noch tobte, kam der Mond wieder zum Vorschein, und sie konnten ihre Retter sehen. Deveril und seine Männer hatten sich aus dem Hof des Heiratshauses herausgekämpft und stiegen, nach allen Seiten feuernd, schnell den Abhang hinauf.

De Brissac blickte besorgt auf sie hinab. »Das kann nicht seine ganze Streitmacht sein. Es sind nicht mehr als zehn oder zwölf Männer. Zum Teufel, wo sind die anderen abgeblieben?«

»Sie stecken die Hütten an«, fiel Juhani schnell ein. »Da unten laufen eine Menge Leute umher. Da, Mann! Sie können sie gegen den Feuerschein sehen.«

Dichte Rauchwolken und Funkenschauer stiegen aus dem Dorf empor. Undeutliche Gestalten, die nur für Sekunden im Halbdunkel sichtbar wurden, rannten in äußerster Verwirrung umher.

Deverils Männer waren auf halber Höhe des Abhangs. De Brissacs Gruppe begrüßte sie mit lauten Zurufen. Die Neuankömmlinge antworteten mit Freudengeschrei. Sie hatten aufgehört zu schießen, denn auf beiden Seiten zogen die Schwarzen sich zurück. Mit verdoppelter Geschwindigkeit legten Sir Deveril und seine Männer die letzten zweihundert Meter zurück. Hände streckten sich ihnen entgegen und zogen sie hinter die Bastion, sobald sie am Fuß der Steine angelangt waren.

Keuchend, lachend, rufend begrüßten sie sich. De Brissac stellte zu seinem Erstaunen fest, daß sich Yonita bei der Rettungsmannschaft befand.

»Was in aller Welt tust du hier?« rief er, faßte ihre beiden Hände und küßte sie leidenschaftlich.

Deveril zuckte die Schultern. »Sie ließ sich ja durch nichts davon abbringen. Mit unseren dreizehn Ballons konnten wir auf jeder Tour zwölf Männer hinüberbringen. Bei siebenundvierzig Männern blieben für die letzte Überquerung zwei Ballons übrig. Das wußte Yonita, und sie hat mich so bedrängt, bis ich sie mitkommen ließ.«

»Aber warum sind Sie so wenige?« erkundigte sich Basil. »Sind Ihre anderen Männer alle unten im Dorf?«

»Gott, nein!« Deveril schüttelte den Kopf. »Dort sind nur Li Foo und noch ein anderer. Wir elf, Yonita eingeschlossen, und der Mann, der bei dem Chinesen ist, sind die erste Gruppe, die den Kanal überquert hat. Es war Yonitas Vorschlag, wir sollten auf den Rest nicht warten, sondern sofort zu Ihrer Hilfe aufbrechen.«

»Gott sei gedankt, daß Sie es getan haben.« Unity legte ihren gesunden Arm um Yonitas Schultern. »Hätten Sie gewartet, dann wären wir jetzt alle tot. Wir haben überhaupt nur solange ausgehalten, weil wir das Maschinengewehr hatten. Aber jetzt ist die Munition alle.«

Deverils junges Gesicht verlor plötzlich den fröhlichen Ausdruck.

»Wir hörten das Maschinengewehr schon aus weiter Entfernung, und wir fragten uns, warum Sie uns keinen Feuerschutz gaben, als wir so hart in Bedrängnis waren. Der Himmel verhüte, daß die Neger noch einmal angreifen, bevor meine übrigen Männer hier sind.«

»Ach was«, lachte Juhani. »Jetzt, wo wir mehr als ein Dutzend sind, werden wir die Stellung leicht mit unseren Gewehren halten können.«

»Glauben Sie, es wird leicht sein?« fiel Yonita ein. »Wir haben eine Vielzahl von Feuerwaffen auf unserer Insel, aber ein Großteil ist sehr veraltet, und für einige Typen fehlt uns die Munition. Alles, was von den ersten Eigentümern stammte, ist bei den Überfällen dieser Heiden nach und nach verbraucht worden.«

»So ist es«, bestätigte Deveril. »An modernen Waffen haben wir nur ein Dutzend Karabiner von dem deutschen Kanonenboot, und dafür besitzen wir noch zwanzig Schuß. Meine Leute sind mit den unterschiedlichsten Schußwaffen ausgerüstet, und nur wenige haben mehr als einige Kugeln.«

Dadurch wurde die Begeisterung der Überlebenden von der *Gafelborg* sehr gedämpft. Ihre Lage schien nicht viel besser als vorher zu sein, wenn auch ihre Anzahl nun größer war. De Brissac war noch dazu die Sorge um Yonita aufgebürdet worden.

Der Himmel war klar und gab ihnen eine willkommene Erholungspause von einer halben Stunde. Deveril und seine Männer hatten Flaschen mit Apfelschnaps und Notrationen in ihren Taschen mitgebracht. Die Vorräte wurden verteilt. Als sie gegessen und getrunken hatten, fühlten sich alle gekräftigt und ermutigt.

Solange der Mond schien, kam es zu keinem neuen Angriff. Aber er stand nun schon niedrig über dem Horizont und würde bald hinter der östlichen Klippe untergehen. Mit besorgten Gesichtern verfolgten sie seinen Lauf.

De Brissac hatte gerade auf die Leuchtziffern seiner Armbanduhr gesehen und festgestellt, daß es fünf Minuten nach zwei war, als von rechts ein Ruf erklang. Das waren Li Foo und sein Gefährte. Um einer Gefangennahme zu entgehen, waren sie nach Osten beinahe bis an die Küste geflohen und dann an der Klippe entlanggekrochen. Die Freude über die sichere Rückkehr des Chinesen wurde noch dadurch erhöht, daß er sein Gewehr und beinahe hundert Schuß Munition bei sich hatte. Diejenigen, die eine Winchester hatten, teilten den Vorrat unter sich. Dann warteten sie weiter.

Zwanzig Minuten später sank der Mond unter die Klippe und beleuchtete nur noch die gegenüberliegende Wand des Tals. Alle wußten, daß die sie umgebende Dunkelheit erst dem Tageslicht weichen würde. Angespanntes Schweigen herrschte. Es war nun schon so lange ruhig, daß sie zu hoffen begannen, die Schwarzen hätten genug und würden nicht mehr angreifen.

Dann schrie eine Eule. Das war ein Signal. Von allen Seiten stürmten die schwarzen Krieger vor.

Fünf schreckliche Minuten lang regierte das Chaos. Die Weißen verschossen ihre letzte Munition, faßten dann ihre Gewehre beim Lauf und benutzten sie als Keulen. Das Handgemenge schien endlos zu dauern, aber schließlich zogen die Angreifer sich doch zurück und verschwanden in der Dunkelheit wie Geister.

Einem von Sir Deverils Männern war der Kopf eingeschlagen worden. Er war tot. Einem anderen waren die Finger gebrochen. Er wurde verbunden und ertrug den Schmerz mit großer Tapferkeit.

»Ich habe keinen einzigen Schuß mehr«, erklärte Luvia. »Wie steht es mit euch?«

Ein Chor von Gemurmel antwortete ihm. Wie sich herausstellte, hatten sie insgesamt noch fünf Patronen für die Winchester und sieben Kugeln für die altertümlichen Schußwaffen der Inselbewohner.

Basil drehte sich um und blickte nach oben. »Wir können nur eins tun. Werden wir noch einmal angegriffen, bedeutet das für uns das Ende. Gott weiß, ob wir es schaffen werden, aber wir müssen einen Versuch machen, die Klippe zu ersteigen.«

»*Mais non!*« rief de Brissac aus. »*Ce n'est pas possible.* Nach einem Drittel des Aufstiegs hängt die Klippe beinahe über!«

»Wir müssen es versuchen«, beharrte Basil. »Da oben mag es einen Kamin oder Riß geben, den wir von hier unten nicht sehen können. Ich wette, daß ich bis auf den Kamm käme, wenn ich nur eine richtige Bergsteigerausrüstung hätte.«

»Du schon, Darling«, warf Unity sanft ein. »Aber keiner von den anderen hat deine Erfahrung im Fels, und die Dunkelheit macht es doppelt schwierig.«

»Mein Mittelname ist Tarzan«, meldete Juhani sich zu Wort. »Ich bin als Kind zum Vergnügen an Hauswänden hochgestiegen, und ein Mast in einem Sturm ist auch keine Kleinigkeit. Wenn wir hierbleiben, werden wir ganz bestimmt abgeschlachtet.«

»Wenn wir ein Tau hätten, könnte es klappen«, meinte de Brissac zweifelnd.

»An den Munitionskästen sind noch die Stricke, mit denen wir sie an die Ballons gebunden hatten«, erinnerte Basil ihn. »Das ist genug, die beiden Mädchen zwischen Juhani und mir anzuseilen.«

Schnell knoteten sie die Stricke los und stellten fest, daß sie für vier Personen ausreichten. Man kam überein, daß Basil die Seilschaft anführen sollte. Unity, die in einem Jahr in der Schweiz ein wenig geklettert war, meldete sich freiwillig als zweite. Die Wunde an ihrem Arm war taub und hatte noch nicht zu schmerzen begonnen. Deshalb zog sie den Arm aus der Schlinge, denn sie würde beide Hände brauchen. De Brissac kam als dritter und Yonita als vierte ans Seil. Juhani, der sowohl ein guter Kletterer als auch ein starker Mann war, übernahm die Verantwortung für Synolda. Er schwor Stein und Bein, überall, wo die anderen vier hochgestiegen wären, würde er sie auch hinaufbringen. Er schlang den Gewehrriemen einer der Winchesters durch seinen und ihren Gürtel. Dann konnte er sie halten, wenn sie fiel.

Alle übrigen rüsteten sich provisorisch mit Schals, Schlingen, Gürteln und Hosenträgern aus, so daß immer zwei sich an gefährlichen Stellen gegenseitig helfen konnten.

Mit nüchternen Augen betrachtet, war es ein Wahnsinnsunternehmen, aber in ihrer verzweifelten Lage unterschätzten sie die Schwierigkeiten. In fieberhafter Eile, denn die Neger konnten jeden Augenblick wieder angreifen, beendeten sie ihre Vorbereitungen.

Basil begann den Aufstieg. Die ersten fünfzehn Meter war es verhältnismäßig leicht. Lose Erde und Steine rutschten unter ihren Füßen weg, aber sie kamen ungefährdet bis dahin, wo der nackte Felsen begann.

Während die anderen Pause machten, erkundete Basil schnell den Überhang.

Rechts wölbte sich eine Wand vor, die so glatt war, daß es einfach unmöglich schien, über sie bis zu der zerklüfteten Spitze vorzudringen. Aber links bot der Stein, der an den Erdrutsch anschloß, bessere Aussichten. In der Mitte des offensichtlich massiven Felsens, etwa dreieinhalb Meter über seinem Kopf sah Basil ein Glühen am Himmel, das eine Widerspiegelung des brennenden Dorfes war. Er erkannte, daß von einem Vorsprung aus eine hohe Felsnadel dicht vor dem eigentlichen Berg emporwuchs. Wenn er nur den Vorsprung erreichen konnte, mochte es durchaus möglich sein, in dem Zwischenraum wie in einem Kamin emporzuklettern.

Basil rief Luvia zu sich. Der Finne suchte sich einen festen Stand, und Basil stieg auf seine Schultern. Von hier aus konnte er sich in die Gabelung winden.

Kaum hatte er sie erreicht, als unter ihm ein neuer Aufruhr losbrach. Die Neger hatten sich bis an die Bastion geschlichen und stürzten plötzlich mit Siegesgebrüll über das natürliche Fort her – nur um zu entdecken, daß seine Verteidiger es verlassen hatten.

Das Kriegsgeschrei verstummte. Zorniges Geschnatter klang auf. Dann erspähte einer der Schwarzen die hellen Kleider der Mädchen, die sich schwach gegen den dunklen Hintergrund abhoben. Von neuem begann das Geheul. Die Neger kletterten den Erdrutsch hoch. Für die Weißen war es schwierig zu zielen, weil sie einen äußerst unsicheren Stand hatten. Dafür hatten sie den großen Vorteil, sich oberhalb ihrer Angreifer zu befinden.

Die Neger wurden zurückgeschlagen. Allerdings waren nun die letzten Kugeln verschossen.

Mit Juhanis Nachhilfe von unten zog Basil erst Unity, dann Yonita am Seil zu sich hoch. Auf dem Vorsprung, an dessen Ende die Felsnadel stand, war Platz für acht Personen, wenn sie dichtgedrängt zusammenstanden. Dann mußte Basil einen Weg nach oben finden, um Raum für die Nachfolgenden zu schaffen.

Er rief den anderen zu, sie sollten warten, band sich los und begann, den Kamin hinaufzusteigen. Die Nadel war beinahe fünfzehn Meter hoch. Erst kurz unterhalb ihrer Spitze entdeckte er einen weiterführenden Weg. Hier war links eine enge Plattform, die sich in flachem Anstieg und anscheinend ungebrochen die Klippe hinauf fortsetzte. Der Pfad führte zu einem schwarzen Fleck. Das mochte eine Höhle sein, in der sie Zuflucht finden konnten.

Die Plattform war nichts als ein Sims von höchstens dreißig Zentimetern, und als Basil über dem Abgrund balancierte, fragte er sich, ob die anderen wohl schwindelfrei seien.

An einer Stelle verengte sich das Felsband auf bloße zehn Zentimeter. Die Dunkelheit war eine zusätzliche Gefahr, denn die Stelle, wo der Weg endete, war nur gerade eben zu erkennen.

Als Basil den dunklen Fleck erreicht hatte, erwies er sich nicht als Höhle, sondern als stark zerklüfteter Felsen – leicht zu ersteigen, aber höchst ungemütlich als Aufenthaltsort.

Basil kam zu dem Schluß, daß sie es versuchen mußten, über den Sims weiterzugelangen. Deveril und seine restlichen Männer konnten unmöglich auf dem Erdrutsch bleiben, wo sie jederzeit von neuem angegriffen werden konnten.

Schnell, aber vorsichtig kehrte er zu der Felsnadel zurück, kletterte hinunter, band Unity von den anderen los und seilte sich mit ihr zusammen an. Er brachte sie den Kamin hinauf. Als sie die kleine Plattform erreicht hatten, stellte er sie mit dem Gesicht zur Wand und fragte:

»Weiter hinten wird es ziemlich eng. Glaubst du, daß du es schaffen wirst?«

»Ja«, antwortete sie ruhig. »Ich habe keine Angst.«

Er drückte ihr die Hand. »Ich kann wohl nicht hoffen, daß mir alle anderen so wenig Kummer machen wie du.«

»Auch für sie wird es leichter sein, daß man in der Dunkelheit nicht sehen kann, wie weit es bis nach unten ist, Darling.«

»Das stimmt. Bei Tageslicht würden wir sie nie über diesen Gemsenpfad bekommen.« Er legte seinen Arm über ihren Rücken, und gemeinsam tasteten sie sich von einer Ritze, in der sie sich festhalten konnten, zur nächsten, bis sie das zerklüftete Stück erreicht hatten. Dort konnte er sie in Sicherheit zurücklassen. Basil kehrte um und wiederholte das Manöver mit Yonita. Dann kam Synolda an die Reihe, und mit ihr war es schwieriger. Als er sie auf das Sims stellte, zitterte sie an allen Gliedern. Sie erklärte, sie habe schon immer unter Höhenangst gelitten, und sie fühle, wie die Beine unter ihr nachgäben.

Basil rief Juhani von unten herauf. Sofort kam er zu Hilfe. Für die beiden Männer war es eine nervenzerfetzende Arbeit, bis sie Synolda, die einer Ohnmacht nahe war, zwischen sich bis ans Ende des Weges halb gezogen und halb geschoben hatten. Dann nahmen die beiden anderen Mädchen die schluchzende Synolda in Empfang.

Einer nach dem anderen folgten Deverils Männer, Li Foo und de Brissac, und für Basil und Juhani, die beiden einzigen erfahrenen Kletterer, gab es manch angstvollen Augenblick. Deveril kam als letzter und brauchte keine Hilfe. Endlich war die ganze

Gesellschaft auf dem steilen, von Spalten und Rissen durchzogenen Felsen vereint.

Basil war halb tot vor Erschöpfung und Aufregung. Juhani ging es wenig besser. Aber nach einer kurzen Ruhepause waren beide wieder imstande weiterzusteigen. Das mußte sein, denn hier waren sie nur vorübergehend in Sicherheit. Alle hielten sich an Felsspitzen und Auswüchsen fest, und das konnten sie nicht unbegrenzt lange aushalten.

Nachdem sie den besten Weg erkundet hatten, kehrte Basil zurück, um die anderen auf den neuen Aufstieg vorzubereiten. Juhani dagegen stieg weiter, bis er eine Schulter des Massivs erreicht hatte. Sie erwies sich als ein ziemlich großes, ebenes Plateau, das ins Leere vorstieß.

Inzwischen führte Basil den Haupttrupp nach oben, und Juhani kam ihm entgegen. Es war eine schwere und gefährliche Arbeit. Zwei von Deverils Männern glitten aus und konnten nur durch Juhanis schnelles Eingreifen und seine große Stärke vor einem Absturz bewahrt werden.

Allen hämmerte das Herz in der Brust. Ihre Nägel waren gebrochen, die Schuhspitzen durchgestoßen, und jeder Muskel tat ihnen weh. Aber um vier Uhr hatten sie das Hochplateau erreicht. Hier war Platz genug, daß jeder sich der Länge nach ausstrecken konnte, und eine ganze Zeit lagen sie da wie im Koma.

Bisher hatten sie sich völlig darauf konzentrieren müssen, mit der Gefahr fertig zu werden, die jeder neue Augenblick brachte. Sie hatten überhaupt nicht mehr daran gedacht, was aus den übrigen Männern von Yonitas Insel geworden war. Erst als sie unten im Tal Schüsse hörten, wurden sie an ihre Existenz erinnert.

Schnell richteten sie sich auf. Ihre Schwäche war völlig vergessen. Sie spähten nach unten. Das Feuer im Dorf war von selbst niedergebrannt und rauchte nur noch. Auch das Freudenfeuer auf dem Tanzplatz war erstorben. Aber die Dunkelheit wurde durch unregelmäßiges Aufblitzen erhellt, und die Klippe warf das Echo von Musketenschüssen zurück.

»Onkel Cornelius!« rief Yonita. »Onkel Cornelius! Endlich ist er mit den anderen da!«

Angstvoll beobachteten sie, wie sich im Tal ein neuer Kampf entwickelte. Deveril und seine Vorhut hatten den Vorteil der Überraschung gehabt und die zusätzliche Hilfe, daß Li Foo im

Augenblick ihrer Ankunft das Dorf angezündet hatte. Aber der Haupttrupp wurde von den Negern schon gesichtet, als er ins Tal hinabzusteigen begann. Sie kämpften auf freiem Feld, und es sah aus, als ob sie umzingelt würden.

Nach zehn Minuten war es den Beobachtern klar, daß Onkel Cornelius' Männer vor der Übermacht hatten weichen müssen und sich in das Heiratshaus zurückgezogen hatten. Von dort fielen noch ein paar vereinzelte Schüsse. Wenigstens für diese Nacht hatten die Schwarzen es aufgegeben, die Befestigung zu stürmen. Stille senkte sich über das Tal.

De Brissac und einigen der anderen war klar, wie ernst ihre Lage jetzt war. Sie konnten nicht mehr höher hinaufsteigen. Die meisten ihres Trupps waren nur der Dunkelheit wegen fähig gewesen, den Fels zu erklimmen. Bei Tageslicht würden sie wahrscheinlich hysterisch werden, wenn sie absteigen sollten. Die einzige Methode, sie wieder ins Tal zu schaffen, war, sie von Stufe zu Stufe abzuseilen, bis sie von Freunden in Empfang genommen werden konnten. Alle hatten sie damit gerechnet, Onkel Cornelius werde die Wilden schlagen und ihnen zumindest die Möglichkeit verschaffen, in Sicherheit wieder hinunterzukommen. So, wie es jetzt aussah, war er im Heiratshaus abgeschnitten und belagert. Ihre eigenen Waffen nützten ihnen nichts mehr, weil sie keine Munition mehr hatten. Sie konnten Onkel Cornelius nicht helfen und er ihnen nicht. Am schlimmsten aber war, daß Deverils Männer einen verzweifelten Einsatz gewagt und verloren hatten, denn von ihrer Insel konnte keine weitere Hilfe mehr kommen.

IXX

JENSEITS DER BARRIERE

De Brissac drängte die übrigen zu schlafen. Weder zu ihrer eigenen Rettung noch zur Hilfe für Onkel Cornelius konnten sie vor Tagesanbruch irgend etwas unternehmen. Er selbst rollte sich in einer Vertiefung zusammen. Yonita, den Kopf auf Deverils Knie gelegt, schlief bereits fest. Bald waren alle anderen ihrem Beispiel gefolgt. Ihre Erschöpfung war so groß, daß sie den harten Felsen gar nicht mehr spürten.

Nur Juhani und Synolda, die mit dem Rücken an der Felswand nebeneinander saßen, blieben wach. Ihre Gedanken waren zu sehr mit ihrem eigenen Problem beschäftigt. Bisher hatten sie noch keine Gelegenheit gehabt, miteinander zu sprechen, und sie hätten es in Gegenwart der anderen auch nicht gewagt. Jetzt verriet ihnen das ruhige, regelmäßige Atmen von allen Seiten, das gelegentlich von einem Schnarchton unterbrochen wurde, daß sie so gut wie allein waren.

»Noch nicht eingeschlafen?« fragte Juhani leise, als er hörte, wie Synolda ihre Stellung wechselte.

»Nein. Vor einer Viertelstunde war ich halb tot, aber jetzt bin ich wohl zu übermüdet zum Schlafen. Und der Felsen ist so verdammt unbequem.«

Er zog sie an sich. »Lehne dich an. Dann wird es besser sein.«

Wortlos schmiegte sie sich an ihn und legte ihren Kopf auf seine Schulter.

»Juhani«, flüsterte sie einen Augenblick später, »was ist aus Vicente geworden?«

»Er ist tot. Ebenso wie dich hatte ich ihn in seine Kabine einschließen lassen, und da haben die Neger den armen Teufel erschlagen. Ich fürchte, daß ist eine schlechte Neuigkeit für dich – stimmt's?«

»Ja, es tut mir leid, daß er tot ist«, murmelte sie. »Er war eigentlich kein schlechter Kerl, aber das, was du geglaubt hast, habe ich nie für ihn empfunden.«

»Dafür hast du dich aber sehr merkwürdig benommen. Bist du zu allen Männern, für die du weiter nichts empfindest, so wie zu Vicente?«

»Natürlich nicht!« flammte sie auf. »Vicente war eine Art von Erbteil, das mir mein zweiter Mann hinterlassen hatte.«

»Das verstehe ich nicht.«

»Es ist nicht leicht zu erklären, und es ist eine lange Geschichte.«

»Das macht mir nichts, wenn es dir nicht zuviel wird. Ich bin verdammt müde, aber nicht schläfrig.«

»Gut, ich werde dir alles erzählen. Ich kann kaum hoffen, daß du mir glaubst, aber es ist die Wahrheit. Piet Brendon, mein erster Mann, nahm mich mit nach Caracas, und als er starb, war ich noch keine Zwanzig. Ortello war ein reicher Mann und sehr anziehend. In meiner Dummheit entschloß ich mich, lieber ihn zu heiraten, als nach Südafrika zurückzukehren, wo ich mir meinen Lebensunterhalt hätte verdienen müssen.

Damals war der Tyrann Gomez der Diktator von Venezuela. Er starb 1935, und bis dahin regierte er wie irgendein Räuberhauptmann. Ortello mußte sich, wenn er sein Geschäft weiterbetreiben wollte, mit seinen Kreaturen gut stellen. Ich war als Ortellos Frau venezolanische Staatsbürgerin, und er achtete streng darauf, daß mich keiner dieser legalisierten Gangster zu sehen bekam. Achtzehn Monate lang ging das gut. Eines Tages besuchte uns unerwartet ein gewisser Oberst Diaz und sah mich. Danach benutzte er alle Tricks, um mich wiederzusehen, und als er feststellte, daß ich nicht die Absicht hatte, meinen Mann zu betrügen, ließ er gegen Ortello Anklage erheben und ihn ins Gefängnis werfen.

Du kannst dir vorstellen, wie es weiterging. Diaz stellte mich vor die Wahl, entweder sei ich nett zu ihm, oder mein Mann werde erschossen. Das war keine leere Drohung. So etwas kam damals alle Tage vor. Ortello war freundlich zu mir gewesen. Also was sollte ich tun?

Wenn ich jedoch gewußt hätte, was sich daraus entwickelte, hätte ich es nicht getan. Denn das war erst der Anfang dieser abscheulichen Angelegenheit. Diaz berichtete seinen Freunden von mir, und ich wurde ein grauenvolles halbes Jahr lang gezwungen, auch ihnen zu Willen zu sein. Die ganze Zeit war Ortello im Gefängnis. Aber das Schlimmste kam erst, als er entlassen wurde. Da teilte er mir zynisch mit, er sei meiner sowieso müde gewesen, und auf diese Weise könne ich ihm am besten nützen.

Dann bekam ich ein Kind. Dem Gesetz nach war es Ortellos Kind, und er benutzte es dazu, mich mit der Drohung zu erpressen, er werde es mir wegnehmen und in ein Waisenhaus stecken. In Venezuela hat ein Vater absolute Rechte über seine Kinder. Ich aber liebte meinen kleinen Jungen.«

Synolda zuckte müde die Schultern. »Mehr gibt es darüber nicht zu sagen. Ich suche kein Mitleid. Aber du wirst verstehen, daß ich Ortello von Tag zu Tag mehr haßte. Meine Affäre mit Vicente wurde mir ebenso aufgezwungen wie alle anderen. Sie war das letzte Vermächtnis Ortellos an mich.«

»Armes Kind«, sagte Juhani leise. »Du hast die Hölle durchgemacht. Aber jetzt ist es vorüber, und du wirst Venezuela niemals mehr wiedersehen.«

»O Gott«, stöhnte sie. »Ich bin so müde – zum Sterben müde.«

Auch Juhani fielen jetzt die Augen zu, und so dachte er gar nicht daran, nach Einzelheiten über ihr Verhältnis zu Vicente zu fragen. Nichts schien mehr wichtig zu sein als die Tatsache, daß sie wieder zusammen waren. Auf dem Marsch über die Insel war er sich darüber klar geworden, daß er sie liebte, ganz gleich, was sie getan haben mochte, und er hatte sich nichts weiter gewünscht, als sie wieder in die Arme nehmen zu können. Dieser Wunsch wenigstens war nun erfüllt. Er hob ihr Gesicht und küßte sie zärtlich. Danach schliefen beide ein.

Alle hätten sie vermutlich bis tief in den Morgen hinein geschlafen, wären sie nicht vom Knall einer Explosion geweckt worden. Benommen richteten sie sich auf und spähten ins Tal hinunter.

Es war heller Tag. De Brissac warf einen Blick auf die Uhr. Die Zeiger standen kurz vor acht. Immer noch stiegen kleine Rauchwölkchen von den Hütten auf. Über die Palisade des Heiratshauses blickten die Köpfe der Weißen hervor, die sich irgendwie einen Wehrgang gezimmert haben mußten. Eine andere Gruppe von Weißen tauchte jedoch aus einem großen Maisfeld auf, und jeder von ihnen warf einen dunklen Gegenstand in die Luft. Eine zweite Explosion folgte, und die Hälfte eines der abseits gelegenen größeren Gebäude verschwand in Flammen und Rauch.

Die Neger, die in den Hütten um den Tanzplatz übernachtet hatten, nachdem ihr Dorf verbrannt war, stürzten ins Freie. Da eröffneten die Weißen hinter der Palisade das Feuer.

Weitere Bomben wurden geworfen. Onkel Cornelius' Truppe öffnete das Tor und machte einen Ausfall. Beide Abteilungen warfen sich jetzt auf den Feind und trieben ihn zurück.

Basil brüllte laut: »Hurra!«, und alle, die oben auf der Klippe standen, stimmten mit ein. Die Felsen warfen das Echo zurück, und als das Echo verhallt war, kam noch ein »Hurra!« von weiter oben.

Juhani sah sich um. »Donnerwetter, was war denn das?«Ein zweiter Ruf veranlaßte alle, sich umzudrehen und den nackten Felsen anzustarren.

»Hallo da oben!« rief Basil aufgeregt.

Eine englische Stimme mit starkem Cockney-Akzent antwortete:

»Hallo, da unten! Wo seid ihr?«

»Hier!« brüllte die ganze Gesellschaft. »Hier!«

Das Rufen ging noch eine Weile hin und her, bis beinahe direkt über ihnen ein rothaariger Kopf um eine Felsspitze lugte.

»Wer sind Sie?« fragte Basil.

»Bootsmann der *Sally Ann*, vor zwei Jahren hier festgefahren«, antwortete der Rotkopf. »Und wer seid ihr?«

»Überlebende des schwedischen Schiffes *Gafelborg*«, rief Basil zurück.

»Zum Teufel, wie seid ihr hier heraufgekommen?«

»Geklettert«, entgegnete Basil prompt. »Aber wie wir wieder hinunterkommen, weiß Gott allein.«

»Wartet einen Augenblick«, sagte der Bootsmann. »Ich hole den Maat, und dann ziehen wir euch hoch.«

Der Rotkopf verschwand. Sir Deverils Männer stellten aufgeregt Vermutungen über diese neue Gruppe von Überlebenden an. Sie wußten von keinem Schiff, das seit Vater Jeromes Zeiten die Satansinsel erreicht hatte. Bisher hatten sie immer vorausgesetzt, daß jedes Schiff, das in den Tang geriet, in die eine oder die andere von den beiden sich gegenüberliegenden Buchten getrieben wurde. Jetzt schien es so, als gebe es noch eine dritte Bucht, die von den mörderischen Negern durch die große Barriere, die das südliche Ende der Satansinsel abschnitt, geschützt war.

Während sie auf den Rotkopf und seinen Kameraden warteten, wandten sie ihre Aufmerksamkeit wieder dem Tal zu. Onkel Cornelius errang einen vollständigen Sieg. Fünfzig oder sechzig Neger flohen in verschiedenen Richtungen durch die Maisfelder. Die Hauptmacht, mindestens zweihundert Mann stark, wurde gegen die Felsenbarriere getrieben und warf als Zeichen der Kapitulation die Arme hoch.

Eine große Gestalt, die deutlich als Yonitas Onkel zu erkennen war, trat vor und begann mit seinen Armen wie ein Semaphor zu winken.

Deveril übersetzte die Botschaft. So erfuhren alle, daß Onkel Cornelius die Idee gehabt hatte, einen von dem deutschen Kanonenboot geretteten Vorrat an Explosionswaffen mitzunehmen. Der alte Mann hatte mit Recht vermutet, daß sie mit ihrer wenigen Munition einen zahlenmäßig weit überlegenen Gegner nie besiegen könnten. Deshalb hatte er eine Abteilung – diejenige, die sich später im Heiratshaus verschanzt hatte – vorausgeschickt, um Deveril zu helfen. Er selbst hatte darauf gewartet, daß die Explosionsstoffe über den Kanal transportiert wurden, bevor er mit der Haupttruppe nachkam. Ihre Verluste betrugen vier Tote und neun Verwundete. Doch die Neger hatten sich, abgesehen von den entflohenen, ergeben, so daß sie jetzt keinen Angriff mehr zu fürchten brauchten.

Deveril signalisierte zurück, was sein und de Brissacs Trupp inzwischen erlebt hatten. Er teilte Onkel Cornelius mit, er hoffe, später den Abstieg bewerkstelligen zu können. Doch zur Zeit seien die meisten zu erschöpft dazu, und so wolle man das freundliche Angebot des unerwartet aufgetauchten Fremden annehmen.

Noch ehe er mit dieser Botschaft zu Ende war, rief ihnen der rothaarige Bootsmann von oben wieder zu. Diesmal waren mehrere andere bärtige Männer bei ihm. Ein starkes Tau wurde herabgelassen. Deveril bestand darauf, es als erster zu erproben. Dann wurde einer nach dem anderen heraufgezogen. Sie fanden ihn in eifrigem Gespräch mit einem stämmigen kleinen Mann, den er als Mr. Thomas, den einzigen überlebenden Offizier der *Sally Ann*, vorstellte.

Thomas berichtete, auf seinem Schiff, einem 2400-Tonnen-Trampfrachter, hätten die Maschinen versagt. Sie waren mit Konserven, landwirtschaftlichen Geräten und Seidenstrümpfen vor zwei Jahren von New York nach Buenos Aires unterwegs gewesen, in einen Hurrikan geraten und in das Tangmeer getrieben worden. Seitdem lag das Schiff in einer kleinen Bucht im Süden der Satansinsel. Sie hatten viele Leute verloren, erst durch den Hurrikan, dann in den drei Wochen, die sie im Tang festgesteckt hatten, und schließlich durch einen Angriff der Riesenkrabben. Sie lebten an Bord und betraten den Strand nur, wenn es unbedingt sein mußte. Aber der nächtliche Feuerschein hatte ihre Neugier erregt. Deshalb hatten sie die Klippe erstiegen.

»Haben Sie nie versucht, auf der anderen Seite hinabzusteigen?« fragte Basil.

»Natürlich haben wir das getan«, erwiderte Mr. Thomas indigniert. »In der ersten Woche haben wir die gesamte Felsregion erkundet, und als wir unten im Tal das Dorf sahen, ließen wir einen unserer Männer an einem starken Tau hinab. Die mörderischen Teufel packten ihn, sobald er den Boden berührte, und schlachteten ihn vor unseren Augen ab. Stellen Sie sich das vor, Mann!«

De Brissac nickte. »Ja, sie sind schlimmer als echte Wilde, weil sie entwurzelt sind. Aber haben sie ihrerseits nie versucht, die Klippe zu übersteigen?«

»Nein, jedenfalls nicht, solange wir hier sind. – Hören Sie, Mann, die Damen sehen ganz erschöpft aus, und jeder von Ihnen könnte wohl eine anständige Mahlzeit gebrauchen. Kommen Sie mit auf die *Sally Ann*.«

Allen war seine Einladung sehr willkommen. Sie schritten über das meilenbreite Tafelland. Es endete am Meer in einer senkrecht abfallenden Klippe. Nur an einer Stelle gab es einen zwei- oder dreihundert Meter langen Strand, und dort befand sich eine kleine Bucht. In ihrer Mitte lag die *Sally Ann* vor Anker.

Als die Neuankömmlinge hinunterblickten, schrien sie laut auf vor Überraschung, denn die Bucht und das Meer dahinter boten einen höchst merkwürdigen Anblick. Auf beiden Seiten erstreckte sich der Seetang, soweit das Auge reichte, aber die Bucht selbst sowie ein aus ihr hinausführender Kanal waren völlig frei davon. Statt dessen zeigte das Wasser im Sonnenlicht alle Regenbogenfarben.

Thomas lachte. »Das ist Öl«, erklärte er. »Hier gibt es eine Ölquelle. Schon dreimal, seit wir hier festsitzen, ist sie übergeflossen. Sehen Sie da die schwarzen Streifen auf dem Felsen? Das Öl tötet alles, was im Wasser lebt. Sogar der Tang weicht auf beiden Seiten zurück. Seit wir hier sind, ist das Wasser der Bucht immer klar gewesen, und jedesmal, wenn das Öl hervorströmt, bildet sich ein Kanal offenen Wassers, so weit wir sehen können. Aber in ein bis zwei Tagen, nachdem der Ölfluß aufgehört hat, wächst der Tang darauf wieder zusammen.«

»Herr im Himmel!« rief Basil aus. »Warum bleiben Sie dann hier? Sie könnten doch bestimmt das offene Wasser gewinnen und heimwärts dampfen.«

Thomas schüttelte den Kopf. »Habe ich Ihnen nicht gesagt, Mann, daß wir an diesen höllischen Ort durch Maschinenschaden geraten sind? Ein weiteres Mißgeschick war, daß wir alle Ingenieure verloren haben, und für mich sind sie ein Buch mit sieben Siegeln.«

»Sie hätten sich aus Planen Segel herstellen können«, meinte Basil.

»Haben wir ja versucht«, versicherte Thomas ihm. »Aber in dieser Gegend gibt es nur wenig Wind, und mit einem Segelschiff braucht man Platz zum Manövrieren. Der freie Kanal ist nie breiter als zweihundert Meter. Wir blieben nach einer halben Meile im Tang stecken und mußten das Schiff zurückwarpen.«

Juhani lachte. »Ich bin Ingenieur. Lassen Sie mich nur erst an Bord kommen und einen Blick auf die Maschinen werfen. Wenn sie überhaupt zu reparieren sind, flicke ich sie wieder zusammen.«

Der rothaarige Bootsmann und die übrigen Überlebenden der *Sally Ann* brachen in Freudenschreie aus. Basils Augen begegneten denen Unitys. In plötzlich aufblühender Hoffnung faßten sie sich an den Händen. De Brissac schoß einen schnellen Blick auf Yonita hinüber. Ob er sie überreden konnte, mit ihm nach Frankreich zu kommen? Synolda jedoch wurde totenbleich. Wenn sich den Leuten von der *Gafelborg* eine Möglichkeit zur Rückkehr eröffnete, mußte sie entweder Juhani verlieren, oder sie würde im ersten Hafen verhaftet und in Südafrika vor Gericht gestellt werden.

Alle stiegen über einen steilen Klippenpfad zur Bucht hinab. Am Strand lag ein Rettungsboot, das sie an Bord des Trampfrachters brachte.

Ihr erster Gedanke war das Essen. Thomas bewirtete sie mit Corned Beef und Dosengemüse aus den Konserven, die die *Sally*

Ann als Fracht geladen hatte. Gestreckt mit sonnengetrocknetem Fisch und gekochtem Seetang, hatten sie es der Mannschaft ermöglicht, sich zwei Jahre am Leben zu erhalten.

Nach diesem verspäteten Frühstück begab sich Juhani in den Maschinenraum. Er kehrte von seiner Inspektion buchstäblich zitternd vor Aufregung zurück. Begeistert verkündete er, mit Hilfe eines Dutzends starker Männer und einem Flaschenzug könne er die notwendigen Reparaturen ganz bestimmt ausführen.

»Was meinen Sie, wie lange wird es dauern?« erkundigte sich Thomas.

»Sechs Stunden, vielleicht acht. Länger nicht, weil Sie soviel Verstand gehabt haben, Ihre Maschinen gut geölt zu halten. Bei Sonnenuntergang werde ich fertig sein.«

Die Überlebenden der *Sally Ann* waren nur sieben an der Zahl, aber alle Neuankömmlinge boten ihre Hilfe an.

Deveril bat, sich nicht zu übereilen und für ein paar Wochen seine Gastfreundschaft anzunehmen, aber Thomas schüttelte ernst den Kopf.

»Wir alle würden Ihre Insel gern sehen, Sir, aber es kann nicht sein. Jetzt ist es eine Woche her, daß die Ölquelle zu sprudeln begann, und vor zwei Tagen hat sie wieder aufgehört. Innerhalb von vierundzwanzig Stunden ist der Kanal von neuem zugewachsen, und dann mögen neun Monate oder ein Jahr vergehen, bis ein neuer Ölausbruch erfolgt. Wenn sich uns schon eine Chance bietet, wieder nach Hause zu kommen, müssen wir sie noch heute abend wahrnehmen.«

Juhani mit seiner Schar eifriger Helfer zog sich in den Maschinenraum zurück. Da er mehr Unterstützung hatte, als er brauchte, beschlossen Deveril, de Brissac, Thomas, Basil und die drei Mädchen, wieder an Land zu gehen, das Hochplateau zu überqueren und nachzusehen, wie Onkel Cornelius zurechtkam.

De Brissac war klug genug, nichts zu übereilen. Er fiel nicht mit der Tür ins Haus und fragte Yonita nicht geradeheraus, ob sie ihn begleiten wolle. Statt dessen benutzte er jedes Atom seines umwerfenden Charmes, sie zu faszinieren. Dadurch unterhielt er die ganze Gesellschaft. Nur Synolda hörte ihn nicht einmal. Das Elend in ihrem Herzen betäubte ihr Gehirn.

Ein paar Minuten, nachdem sie den Klippenrand erreicht hatten, erspähte Onkel Cornelius sie und signalisierte, es sei alles in bester Ordnung.

Er hatte weiter westlich in der Klippe eine Spalte entdeckt, der das Gas entströmte, mit dem die Neger ihre Ballons füllten. Sein Vorschlag war, in Zukunft solle ein halbes Dutzend von Deverils Männern hier Wache halten und in regelmäßigen Abständen abgelöst werden. Die Neger sollten ihr Land behalten, aber an weiteren Überfällen gehindert werden.

Deveril signalisierte die Neuigkeit über die *Sally Ann* zurück. Er fragte, ob einer seiner eigenen Leute mit dem Frachter in die Zivilisation zurückkehren wolle.

Unten im Tal fand eine kurze Beratung statt. Dann kam die Antwort: »Viel Glück den Abreisenden. Wir haben uns entschlossen, alle hier zu bleiben.«

Die Männer, die Deveril bei sich hatte, waren der gleichen Ansicht, was er wiederum Onkel Cornelius mitteilte. Er fügte noch hinzu, sie wollten die Abfahrt der *Sally Ann* abwarten und am nächsten Morgen mit Hilfe von Seilen den Abstieg wagen.

Sie kehrten rechtzeitig zu einem reichlichen Tee auf das Schiff zurück. Die Inselbewohner genossen die fremdartigen Speisen, die Thomas ihnen vorsetzte. Er erhöhte ihre Freude noch, indem er Deveril mehrere Kisten mit landwirtschaftlichen Geräten und Yonita für sich und die anderen Frauen zwanzig Gros Seidenstrümpfe schenkte.

Nach dem Essen verstand de Brissac es geschickt, sich mit Yonita abzusondern.

Mit heiserer Stimme begann er: »Hör zu. Es ist nicht meine Art, so zu drängen, aber wir fahren heute abend ab. Yonita, du mußt mit mir kommen.«

Langsam schüttelte sie den Kopf. »Du scherzt. Wie könnte ich denn Deveril verlassen?«

»*Peste!*« rief er aus. »Du liebst ihn doch gar nicht!«

»Da tust du mir Unrecht«, versetzte sie ernst.

»Das kann nicht sein. Wie kannst du so etwas sagen, nach dem, was wir uns vor zwei Nächten bedeutet haben?«

Sie hob die Augenbrauen. »Das war nicht Liebe – nur Jugend. Liebe ist etwas ganz anderes.«

Er machte eine ärgerliche Geste. »Du bist so jung, Yonita. Du verstehst das nicht. Komm mit mir nach Frankreich. Die ganze Welt steht uns offen. Ich bin nicht reich, aber meiner Familie fehlt es nicht an Geld. Wir können alles haben, was das Herz sich nur wünscht. Mein Maschinengewehr ist verloren, aber ich habe die Pläne bei mir, und wenn ich sie meiner Regierung vorlege, wartet schnelle Beförderung auf mich. Es gibt eine Million Dinge, die ich dir zeigen möchte. *La belle France* ist so schön. Paris! Das ist die herrlichste Stadt der Welt. Die Gebäude, die Cafés, die Läden . . .«

»Läden?« fragte sie neugierig. »Was sind Läden? Ach ja! Ich erinnere mich, daß ich in einem Buch darüber gelesen habe. Das sind Häuser, in denen Leute sich den ganzen Tag abmühen müssen, Dinge zu kaufen, nicht wahr? Nein, ich glaube nicht, daß mir das gefallen würde.«

»Aber du sollst doch nicht in einem Laden arbeiten!« entrüstete er sich. »Du sollst nur hineingehen, um dir hübsche Sachen zu kaufen. Schöne Kleider, Hüte, Wäsche. Du sollst die Rennen in Auteuil, die Oper, die Theater, die schönen Strände mit all den eleganten Menschen sehen – Biarritz und Deauville.«

»Das muß sehr unterhaltend sein. Aber nach allem, was ich gehört habe, kommt mir das Leben in der Außenwelt schrecklich kompliziert vor. Hier sind wir mit einfachen Freunden zufrieden.« Sie lächelte und begann, einen Knopf an seiner schmutzigen blauen Uniformjacke zu drehen. »Es ist gar kein Kompliment für mich, daß du nicht daran denkst, hierzubleiben. Hat dir die eine Nacht als mein Gast kein Vergnügen gemacht?«

»Wie kannst du fragen?« stammelte er. »Aber da ist mein Maschinengewehr . . . das verstehst du nicht . . . für mein Land bedeutet es sehr viel, denn es kann jeden Tag in Europa einen neuen Krieg geben«

Krieg«, seufzte sie, »wie entsetzlich! Das wäre doch ein Grund mehr, hierzubleiben und unser Leben zu teilen. Noch nie hat mir ein Liebhaber so gefallen wie du. Wir könnten sehr glücklich miteinander sein – vielleicht ein ganzes Jahr lang.«

»Nur ein Jahr lang?« Er runzelte die Stirn. »Würdest du mich denn nicht heiraten, wenn ich auf der Insel bliebe?«

»Nein.« Entschlossen schüttelte sie den Kopf. »Ich bin mit Deveril verlobt, und Deveril ist der Mann, den ich liebe. Mit ihm werde ich, wenn ich erwachsen bin, ein Heim gründen und Kinder großziehen.«

Traurig nahm er sie in die Arme und küßte sie. Er erkannte, es hatte keinen Zweck, weiter in sie zu dringen. Ihre Anschauungen waren ganz anders als die außerhalb des Tangkontinents herrschenden. Er konnte sie nicht überreden, mit ihm zu kommen, und seine Pflicht war es, nach Frankreich zurückzukehren.

Sie blieben noch ein Weilchen in ihrer Abgeschiedenheit auf dem Achterdeck, aber der Zauber war gebrochen. Teils mit Bedauern, teils mit einem seltsamen, unerwarteten Gefühl der Erleichterung gesellten sie sich wieder zu den anderen im Speisesaal des Schiffes.

Um acht wurde ein Mahlzeit serviert. Juhani tauchte auf und kündigte an, bei Mondaufgang könnten sie losdampfen.

Ein Schotte unter der Mannschaft der *Sally Ann* hatte sich als besonders geschickter Helfer erwiesen. Er besaß so viel Verständnis für Maschinen, daß Juhani überzeugt war, er werde einen ausgezeichneten Zweiten Ingenieur abgeben. Die übrigen Männer samt denen von der *Gafelborg* genügten vollständig, um das Schiff in einen südamerikanischen Hafen zu bringen.

Yonita und de Brissac waren zwar ein wenig still, aber sonst war es eine sehr fröhliche Gesellschaft. Nur Synolda zeigte keine Spur von Freude darüber, wieder nach Hause zu kommen.

Sobald es ihm möglich war, setzte Juhani sich neben sie. »Jetzt werden wir uns doch in Finnland niederlassen, Geld sparen und Möbel kaufen müssen, Schatz. Ich muß auch wieder zur See fahren, damit der Schornstein raucht, aber zwischen den einzelnen Fahrten komme ich ja nach Hause. Und es ist auch viel wert, wenn man unter seinen eigenen Landsleuten leben kann.«

»Juhani«, flüsterte sie mit erstickter Stimme, »komm mit nach draußen. Ich muß mit dir sprechen.«

»Hab Erbarmen«, lächelte er. »Ich habe acht Stunden schwer gearbeitet und muß mich unbedingt ein wenig hinsetzen.«

»Bitte«, flehte sie.

Er stand auf und folgte ihr. Draußen auf dem leeren Deck war es jetzt ganz dunkel. Die Sterne leuchteten vom Himmel, aber der Mond war noch nicht aufgegangen.

»Juhani«, stammelte sie atemlos, »ich komme nicht mit dir – ich bleibe hier.«

»Hast du den Verstand verloren?« Er riß sie in seine Arme. »Glaubst du, ich gebe dich so ohne weiteres auf? Die Insel ist auf ihre Weise ja gut und recht, aber . . .«

»Die Insel *ist* gut und recht«, fiel sie schnell ein. »Ich habe sie noch nicht gesehen, aber ich weiß, daß dort alle glücklich sind. Das kannst du von Europa oder einem anderen Platz der Welt nicht behaupten.«

»Das stimmt schon«, mußte er einräumen. »Aber es ist kein Grund dafür, nicht nach Hause zu wollen.«

»Ich habe kein zu Hause«, erklärte Synolda bitter. »Und ich *kann* nicht zurück. Und selbst wenn ich mitkäme, könnte ich dich nicht heiraten.«

»O Gott, ist dein gräßlicher Mann – noch am Leben?«

»Juhani«, sagte sie leise, »ich hatte noch keine Möglichkeit, es dir zu erklären. Vor ein paar Monaten fuhr Ortello mit mir nach Südafrika. Wir nahmen meinen kleinen Sohn mit . . . ı haßte Ortello mehr als je und faßte den Plan, ihm davonzulaufen. Meine Schwester ist mit einem reichen Farmer verheiratet. Sie haben keine Kinder, und sie liebte meinen Jungen sehr. Ich besprach mit ihr die Sache. Sie und ihr Mann waren bereit, mir und meinem Kind ein Heim zu geben.«

»Du hast ihn verlassen, aber er lebt noch, wie?« unterbrach Juhani sie.

»Warte. Wir waren alle in Muizenburg. Eines Tages kam ich in unser Schlafzimmer im Hotel. Ortello rannte in heftigster Wut hin und her, weil sich irgendeine geschäftliche Angelegenheit zerschlagen hatte. Mein Junge lief ihm vor die Füße, um ein kleines Flugzeug zu retten. Ortello trat nach dem Kind, wie ein brutaler Mensch nach einem Hund treten mag. Alles, was ich durch ihn erduldet hatte, brodelte in mir auf. Ich sah einfach rot. Auf einem Seitentisch lag ein spanischer Dolch. Ich nahm ihn und – und . . .«

»Ja?« fragte Juhani heiser und sah ihr in die Augen.

»Ich – ich tötete ihn. Ich hatte gar nicht die Absicht, aber der eine Stich war tödlich. Als ich merkte, was ich getan hatte, geriet ich in Panik. Ich versuchte, meinen Verstand zusammenzunehmen, um mich zu retten. Ich nahm das Kind, lief in das Zimmer meiner Schwester und erzählte ihr alles. Sie ist nur zwei Jahre älter als ich und sieht mir sehr ähnlich. Sie machte den Vorschlag, sie wolle mit dem Kind nach Johannesburg reisen und die Polizei auf eine falsche Spur locken. Ich selbst warf ein paar Dinge in ein Köfferchen, schloß das Schlafzimmer ab und floh nach Kapstadt. Im letzten Augenblick kam ich an Bord der *Gafelborg*, nachdem ich eine schrecklich Nacht in Kapstadt verbracht hatte. Inzwischen war der Mord entdeckt worden. In der Morgenzeitung wurde darüber berichtet. So kam Vicente ins Spiel. Er hatte mich in Muizenburg mit meinem Mann gesehen, und er las die Morgenzeitung. Er erkannte mich wieder und drohte mir, er werde mich der Polizei übergeben, sobald wir den nächsten Hafen anliefen, wenn ich nicht . . . Lebewohl, Juhani. Nichts schmerzt mich mehr, als daß ich dir Kummer bereitet habe.«

Juhani seufzte tief auf. Durch die Tränen in ihren Augen erkannte sie, daß er lächelte.

»Ortello hat verdient, was er bekommen hat«, erklärte er. »Und was die Insel betrifft, da hast du recht. Wir werden dort einen neuen Anfang machen.«

Eineinhalb Stunden später stand der Mond am Himmel. Für Thomas war es ein schwerer Schlag, daß er Luvia als Ingenieur verlor. Aber auch de Brissac verstand eine Menge von Maschinen, und er und der Schotte, der bei der Reparatur geholfen hatte, waren überzeugt, zusammen würden sie es schaffen. Nach einem herzlichen Abschied stiegen Deveril und seine Männer, Yonita, Synolda und Juhani in das Rettungsboot und ruderten an Land.

Erst als sie das Hochplateau erreicht hatten, wo sie für die Nacht ihr Lager aufschlagen wollten, stellten sie fest, daß Li Foo immer noch bei Ihnen war. Nichts, erklärte er, könne ihn dazu bringen, die schöne Missie Synolda zu verlassen.

Die kleine *Sally Ann* stieß einen langen Sirenenton aus, als ihr Anker gelichtet wurde. Langsam wandte sich ihr Bug dem öligen Kanal zu, auf dessen Oberfläche das Mondlicht silbern glitzerte. An Heck lehnten sich Unity und Basil über die Reling. Neben ihnen stand de Brissac, schon halb getröstet über den Verlust

seiner angebeteten Yonita durch den Gedanken, daß es heim-
ging in sein geliebtes Frankreich und neue Abenteuer vor ihm
lagen.

Das Geräusch sich drehender Turbinen klang seltsam in dem
schweigenden Tangmeer. Die Menschen auf der Klippe sahen
die *Sally Ann* und ihre Freunde langsam in der Dunkelheit verschwinden. Nur das verglimmende Licht auf der Mastspitze
zeigte noch, daß sie unterwegs zum offenen Ozean war.

E N D E